NÃO ERRE MAIS

Língua portuguesa nas empresas

NÃO ERRE MAIS

Língua portuguesa nas empresas

Maria Lúcia Elias Valle

Rua Clara Vendramin, 58 . Mossunguê
CEP 81200-170 . Curitiba . PR . Brasil
Fone: (41) 2106-4170
www.intersaberes.com
editora@intersaberes.com

❢ Conselho editorial
Dr. Alexandre Coutinho Pagliarini
Drª Elena Godoy
Dr. Neri dos Santos
Dr. Ulf Gregor Baranow

❢ Editora-chefe
Lindsay Azambuja

❢ Gerente editorial
Ariadne Nunes Wenger

❢ Assistente editorial
Daniela Viroli Pereira Pinto

❢ Capa e projeto gráfico
Mayra Yoshizawa

❢ Ilustrações
Adriano Pinheiro

❢ Imagens
Fotolia

Dados Internacionais de Catalogação na Publicação (CIP)
(Câmara Brasileira do Livro, SP, Brasil)

Valle, Maria Lúcia Elias
 Não erre mais: língua portuguesa nas empresas/
Maria Lúcia Elias Valle. Curitiba: InterSaberes, 2013.

 Bibliografia
 ISBN 978-85-8212-781-0

 1. Comunicação escrita 2. Comunicação na
empresa 3. Português – Estudo e ensino 4. Português –
Gramática 5. Redação I. Título.

 12-13676   CDD-469

Índices para catálogo sistemático:
1. Língua portuguesa nas empresas: Português:
Linguística 469

Foi feito o depósito legal.

1ª edição, 2013.

Informamos que é de inteira responsabilidade da autora a emissão de conceitos.

Nenhuma parte desta publicação poderá ser reproduzida por qualquer meio ou forma sem a prévia autorização da Editora InterSaberes.

A violação dos direitos autorais é crime estabelecido na Lei no 9.610/1998 e punido pelo art. 184 do Código Penal.

sumário

Dedicatória 9
Agradecimentos 11
Prefácio 13
Apresentação 15
Como aproveitar ao máximo este livro 19

1 língua e linguagem 22
  1.1 As linguagens verbal e não verbal 24
  1.2 Língua padrão e variantes linguísticas 26
  1.3 Intencionalidade discursiva 34
      Não erre mais: separação de sílabas; translineação;
      novo Acordo Ortográfico 44

2 o texto 72
  2.1 O que é texto 73
  2.2 Gêneros textuais 79
  2.3 Como construir a textualidade 81
  2.4 Mecanismos de coesão textual 89
  2.5 Qualidades de um texto 98
      Não erre mais: homônimos e parônimos 113

3 a estrutura do texto 122
  3.1 A introdução 128
  3.2 O desenvolvimento das ideias 137

3.3 A conclusão 146

3.4 Produção textual: o *e-mail* 155

Não erre mais: grafia de siglas e acrônimos; grafia de expressões que envolvem número, numerais, tempo e quantidade 166

4 erros mais frequentes e dúvidas mais comuns na produção textual 174

4.1 Principais vícios de linguagem 178

4.2 Problemas na construção das frases 182

4.3 Produção textual: a carta comercial 196

Não erre mais: emprego de letras 199

5 pontuação 210

5.1 Emprego da pontuação 213

5.2 Produção textual: o memorando e o ofício 226

Não erre mais: emprego de palavras 233

6 morfologia I 246

6.1 Substantivo: dúvidas mais frequentes quanto a gênero e número 248

6.2 Adjetivo: dúvidas mais frequentes 251

6.3 O adjetivo na concordância nominal 254

6.4 Pronome: dúvidas mais frequentes quanto ao emprego e à colocação 264

6.5 Produção textual: a ata 295

Não erre mais: outras palavras na concordância nominal ... 303

7 morfologia II ... 312
7.1 Verbo ... 315
7.2 Concordância verbal ... 320
7.3 Produção textual: o relatório ... 329
Não erre mais: emprego de verbos irregulares e defectivos ... 335

8 sintaxe ... 346
8.1 Regência verbal ... 350
8.2 Crase ... 355
8.3 Produção textual: outros gêneros da redação empresarial ... 362
Não erre mais: emprego da preposição ... 365

Para concluir... 375
Referências 377
Apêndice I 391
Apêndice II 395
Respostas 399
Sobre a autora 419

Dedicatória

Aos mestres inesquecíveis:

Véra Rebêlo Novo (mestre das primeiras letras);

Alice Aiex, Rosemar Muniz Pimentel e José Nogueira Coimbra (*in memoriam*);

Aos meus pais, Ruth e Tufi (*in memoriam*);

E, ainda, a Luiz Carlos, Ana Bárbara, Amanda e Marina, amores da minha vida.

Agradecimentos

À minha amiga Profª Drª Thereza Cristina de Souza Lima, pelo incentivo constante e pela indicação do meu nome para a execução desta obra.

> "Amigo é coisa pra se guardar
> debaixo de sete chaves
> dentro do coração"
> *Canção da América*
> (Milton Nascimento
> e Fernando Brant)

Prefácio

O advento do computador tem causado mudanças profundas em várias áreas do saber humano, uma vez que possibilita a comunicação efetiva entre pessoas, independentemente da distância em que estas possam encontrar-se umas das outras. Por consequência, faz-se necessário o domínio da língua portuguesa em registro e estilo especialmente voltados para o mundo corporativo.

O estudante brasileiro orientado para essa área deve levar em conta essas mudanças e aprimorar, cada vez mais, seus conhecimentos da língua materna. É isso que este livro propicia, de maneira clara e concisa, utilizando, sobretudo, um vocabulário abrangente, direcionado àqueles que necessitam aprender ou desenvolver atividades profissionais em nossa língua.

O texto vem, então, ao encontro dessa necessidade, ao possibilitar uma aprendizagem mais ampla e prática do português, abordando aspectos tanto teóricos quanto práticos sobre tópicos relevantes para o profissional em questão. Destaca-se também a sempre presente preocupação com a exemplificação e com a aplicação dos conceitos apresentados na obra, o que torna o trabalho com este material extremamente prazeroso.

Nesse sentido, este livro facilita a aquisição dos conhecimentos, acelera o processo de aprendizagem e oferece mais condições para o uso da língua portuguesa por parte dos alunos envolvidos com o ambiente profissional. É fruto da dedicação e competência da professora Maria Lúcia Elias Valle, exímia profissional da área de ensino de Língua Portuguesa.

Drª Thereza Cristina de Souza Lima

Apresentação

O ambiente das empresas sempre foi, por excelência, o terreno da norma culta formal. Nas últimas décadas, as pessoas passaram a sentir ainda mais necessidade de aperfeiçoar o domínio dessa variedade linguística.

A maioria das empresas deixava a lógica dos números e dos lucros nortear o trabalho dos profissionais. Havia a íntima convicção de que ser economista, engenheiro ou administrador, com capacidade em sua área de atuação, bastava para assegurar o desempenho eficaz da empresa no mundo dos negócios.

Hoje, os desafios desse mercado e das condições do exercício profissional exigem das pessoas o domínio apurado do idioma, nas modalidades oral e escrita. No Brasil, inúmeras empresas, de diferentes segmentos, estão buscando profissionais especializados em edições de texto na *web* e especialistas em língua portuguesa para o treinamento de seus funcionários, principalmente no que diz respeito ao aprendizado da linguagem adequada ao *e-mail*. Tal preocupação surge pelo fato de o correio eletrônico ser, juridicamente, um documento ou uma fonte segura de informação.

Escrever de acordo com a norma-padrão é uma das habilidades consideradas fundamentais para o êxito profissional, ao lado do domínio da tecnologia da informação e do uso da inteligência emocional. E a boa produção escrita vai muito além da grafia correta das palavras, as quais não podem ser empregadas soltas ou combinadas de modo aleatório. Escrever bem significa produzir um texto coeso e claro sobre determinado assunto. Por isso, é necessário que você aprimore sua capacidade de uso da variante padrão da língua portuguesa e tenha mais segurança no cumprimento das exigências de seu ambiente de trabalho, ao ler ou produzir textos.

Certamente você sabe que qualquer língua apresenta muitas variações. Essa não é uma característica exclusiva do português. Sabe também que existe uma diferença entre a língua falada e a escrita. Há inúmeras variações da língua falada, resultantes de aspectos geográficos, sociais e individuais, razão pela qual a uniformidade do idioma ocorre apenas na língua escrita, quando fazemos uso do padrão ditado pela gramática normativa.

A linguística moderna afirma, com clareza, aos professores do Brasil – seja qual for o nível de ensino – que eles não ensinam português, porque o aprendizado de nosso idioma começa no berço, quando entramos em contato com a linguagem de nossos pais, irmãos e familiares. Desde cedo, qualquer brasileiro aprende a falar e a compreender o mundo por conta da interação com os núcleos sociais em que está envolvido: família, amigos da vizinhança, do clube, da igreja etc. Assim, cabe aos professores facilitar o acesso de seus alunos ao conhecimento das regras da língua padrão que podem orientá-los na leitura e na produção de textos elaborados nessa modalidade.

Nesse sentido, o conteúdo deste livro está distribuído em oito capítulos, nos quais o critério de organização dos assuntos obedece à seguinte linha de raciocínio: princípios de linguística textual, gramática da língua padrão e produção textual nas empresas.

Nos quatro primeiros capítulos, você vai aprender a construir um bom texto, percebendo que, independentemente de qual seja a modalidade textual a ser produzida, há sempre critérios básicos que devem ser respeitados, a fim de que haja informatividade, clareza e coesão em seu texto. A partir do Capítulo 3, é apresentada uma modalidade de texto empresarial, acompanhada de todas as orientações referentes à sua formatação e ao seu uso.

Nesse sentido, este livro pretende ajudar você a redigir um texto empresarial ou administrativo que respeite as orientações da norma-padrão, sem o uso de clichês e excessos que caracterizavam a redação empresarial do passado. As questões gramaticais apresentadas procuram ser práticas e visam à correção do texto escrito, para que a comunicação seja clara, objetiva, sem equívocos e obviedades.

   Bom trabalho!

Um abraço,
A autora.

Como aproveitar ao máximo este livro

Esta seção tem a finalidade de apresentar os recursos de aprendizagem utilizados no decorrer da obra, de modo a evidenciar os aspectos didático-pedagógicos que nortearam o planejamento do material e a orientar como o aluno/leitor pode tirar o melhor proveito dos conteúdos para seu aprendizado.

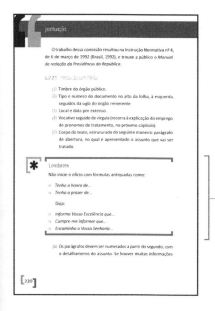

Lembrete

Ao longo dos capítulos, você encontra informações complementares aos conteúdos centrais, de modo a ampliar seus conhecimentos sobre os assuntos abordados.

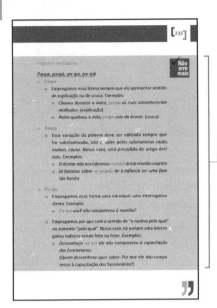

Não erre mais

Para compor os conteúdos desta seção, a autora selecionou alguns conteúdos gramaticais que vão ajudá-lo a sanar dúvidas frequentes sobre o emprego de palavras e expressões da língua portuguesa.

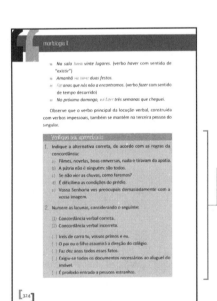

Verifique seu aprendizado

Aqui são propostas atividades variadas que abrangem os principais conceitos analisados. Ao final do livro, você pode conferir as respostas às questões, a fim de verificar como está sua aprendizagem.

[20]

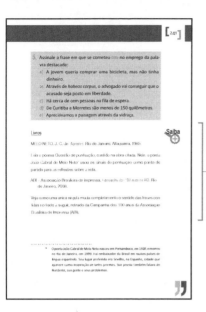

Saiba mais

Ao final de cada capítulo, a autora oferece indicações de textos, filmes e *sites* que contribuem para a reflexão sobre os conteúdos estudados e propiciam o aprofundamento do aprendizado.

Síntese

Nesta seção, você tem a oportunidade de retomar brevemente os conteúdos do capítulo, concentrando sua atenção nos principais conceitos estudados.

ue

um

língua e linguagem

Desde a Pré-História, o ser humano tenta se comunicar com o mundo que o cerca. Os desenhos rupestres foram a principal forma de o homem pré-histórico exteriorizar o que sentia e o que via à sua volta.

Figura 1.1 — Desenhos rupestres

A maior parte das pinturas retratava cenas do dia a dia, como a busca por alimentos e pela sobrevivência. Muitos milênios se passaram até que essa forma rudimentar de comunicação fosse substituída pela linguagem verbal oral,

língua e linguagem

isto é, pela capacidade de expressão por meio de sons significativos: a fala.

Entretanto, para que o homem pudesse falar, foi necessário que houvesse um código comum ao grupo social ao qual pertencia. Assim, foram criados sistemas organizados de sinais que se realizam, socialmente, por meio da linguagem verbal.

1.1
As linguagens verbal e não verbal

Na origem de toda a atividade comunicativa do ser humano está a linguagem, que é a capacidade de nos comunicarmos por meio de uma língua ou de outro sistema organizado e convencional de sinais, usados pelos membros de uma mesma comunidade. Inúmeras linguagens podem ser utilizadas nos atos de comunicação, como as destacadas nas figuras a seguir.

Figura 1.2 – Sinais de trânsito

Figura 1.3 – Tabela do Código Morse

A	·−	J	·−−−	S	···	2	··−−−
B	−···	K	−·−	T	−	3	···−−
C	−·−·	L	·−··	U	··−	4	····−
D	−··	M	−−	V	···−	5	·····
E	·	N	−·	W	·−−	6	−····
F	··−·	O	−−−	X	−··−	7	−−···
G	−−·	P	·−−·	Y	−·−−	8	−−−··
H	····	Q	−−·−	Z	−−··	9	−−−−·
I	··	R	·−·	1	·−−−−	0	−−−−−

Figura 1.4 – Alfabeto manual dos deficientes auditivos

Como qualquer língua, o nosso idioma foi evoluindo, transformando-se, ganhando e perdendo palavras. Por exemplo: segundo o *Dicionário Houaiss da língua portuguesa* (Houaiss; Villar, 2009),

língua e linguagem

o vocábulo *marajá* era comumente empregado para designar os príncipes feudais da Índia. A partir dos anos de 1990, esse substantivo passou a designar "o funcionário público ou de empresa cujo salário e demais vantagens são exorbitantemente altos". Esse sentido da palavra foi incorporado ao nosso cotidiano e é usado com bastante frequência. Outro exemplo: quem emprega o adjetivo *sacripanta* para caracterizar o indivíduo desonesto e astuto? Provavelmente, você afirmará não conhecer ninguém que faça uso desse vocábulo. Portanto, a permanência ou não de uma palavra no idioma depende exclusivamente do uso que dela se faz.

1.2 Língua padrão e variantes linguísticas

Cada um de nós começou a aprender a língua portuguesa em casa, no contato com a família ou outras comunidades linguísticas. Aos poucos, esse contato com a língua foi se expandindo, por conta da relação que estabelecemos com os amigos, com os colegas da igreja, do clube, do trabalho etc. Nossa fala representa o uso particular que fazemos da língua. É resultado de nossa convivência social, acrescida das leituras que fizemos e das relações culturais que constituímos. Nem mesmo as pessoas que moram juntas há anos apresentam a mesma linguagem.

> Toda língua apresenta um padrão culto, isto é, uma modalidade cujas regras mais se aproximam das que estão descritas na gramática normativa.

Entretanto, um elevado número de brasileiros, em virtude da injustiça social, permanece à margem do domínio da norma culta. A esse respeito, o linguista Marcos Bagno (1999, p. 16) esclarece que "as graves diferenças de *status* social explicam a existência, em nosso país, de um verdadeiro abismo linguístico entre os falantes das variedades não padrão do português brasileiro e os falantes da (suposta) variedade culta, em geral mal definida, que é a língua ensinada na escola". Assim, desde as séries iniciais do ensino fundamental, coloca-se como objetivo que aprendamos a falar e a escrever de acordo com a norma culta de nossa língua. Não vamos à escola aprender o português, porque ele é nossa língua nativa, isto é, já nascemos numa sociedade que usa o português como forma de expressão.

No entanto, uma língua nunca é falada da mesma forma por seus usuários, porque ela está sempre sujeita a variações. Veja, a seguir, aspectos que interferem na produção linguística e contribuem para o aparecimento dessas variações.

1.2.1
Tempo

O português falado hoje é diferente do português de décadas e, principalmente, de séculos atrás.

Veja o fragmento a seguir, retirado da crônica "Antigamente", na qual Carlos Drummond de Andrade* brinca com expressões da língua falada no Brasil no século XIX.

* Carlos Drummond de Andrade nasceu em Itabira, Minas Gerais, em 31 de outubro de 1902, numa família de fazendeiros em decadência. Formou-se em Farmácia, mas nunca exerceu a profissão. Associou-se a amigos em Belo Horizonte e, com eles, participou do movimento modernista. É considerado o maior poeta brasileiro do século XX. Também escreveu contos e crônicas. Faleceu no Rio de Janeiro, em agosto de 1987.

língua e linguagem

Antigamente, as moças chamavam-se mademoiselles e eram todas mimosas e muito prendadas. Não faziam anos: completavam primaveras, em geral dezoito. Os janotas, mesmo sendo rapagões, faziam-lhes pé de alferes, arrastando a asa, mas ficavam longos meses debaixo do balaio.

Fonte: Drummond de Andrade, 1989.

É possível que você necessite de ajuda para entender o significado de algumas palavras e expressões desse texto, as quais são apresentadas a seguir:

- Janotas: rapazes que se vestiam com elegância.
- Fazer pé de alferes: cortejar, demonstrar interesse em namorar.
- Arrastar asa: insinuar-se à dama.
- Debaixo do balaio: "aplicada aos namorados, ficar debaixo do balaio é uma situação em que eles têm de esquecer o parceiro ou a parceira desejada e procurar outra, recomeçando, forçadamente, todo o ciclo que já iniciaram" (Site do Escritor, 2012, grifo nosso).

1.2.2
Espaço

Se há regiões diferentes, há linguagens diferentes. Veja, por exemplo, as variantes regionais da palavra *canoa*, de acordo com o *Dicionário Houaiss da língua portuguesa*: "almadia, batelão, beiro, bero, casco, dongo, galeota, igara, igarité, montaria, paquete, piroga, tona, tone, ubá, vigilença" (Houaiss; Villar, 2009).

A literatura que se desenvolveu a partir de 1930, durante a segunda fase do modernismo brasileiro, pôs em evidência grandes autores regionalistas, como Rachel de Queiroz, Graciliano Ramos, José Lins do Rego, Jorge Amado, Erico Verissimo e o aclamado João

Guimarães Rosa*, que inovou e renovou a linguagem regionalista. É dele o fragmento a seguir.

Mas, aí, eu fiquei inteiriço. Com a dureza de querer, que espremi de minha sustância vexada, fui sendo outro – eu mesmo senti: eu Riobaldo, jagunço, homem de matar e morrer com a minha valentia. Riobaldo, homem, eu, sem pai, sem mãe, sem apego nenhum, sem pertencências. Pesei o pé no chão, acheguei meus dentes. Eu estava fechado, fechado da ideia, fechado no couro. A pessoa daquele monstro Hermógenes não encostava amizade em mim. E nem ele, naquela hora, não era. Era um nome, sem índole nem gana, só uma obrigação de chefia. E, por cima de mim e dele, estava Joca Ramiro. [...]. A arga** que em mim roncou era um despropósito, uma pancada de mar. Nem precisava mais de ter ódio nem receio nenhum. E fui desertando da cobiça de mimar o revólver e desfechar em fígados. Refiro ao senhor: mas tudo isso no bater de ser. Só. Dessas boas fúrias da vida.

Fonte: Rosa, 2001, p. 18.

* João Guimarães Rosa nasceu em Cordisburgo, pequena cidade de Minas Gerais, em junho de 1908. Desde pequeno, sentiu-se atraído pelo estudo de idiomas. Iniciou sozinho seus estudos de francês e, mais tarde, aprendeu holandês com um frade. Já adulto, falava fluentemente oito línguas e conhecia razoavelmente outras tantas. Formou-se médico, profissão que exerceu por certo período. Em virtude de sua fluência em vários idiomas, prestou concurso para a carreira diplomática. Aprovado, trabalhou em vários países. Durante a Segunda Guerra, como embaixador na Alemanha, exerceu um papel importante ao facilitar a documentação para judeus que fugiam do regime nazista. Escreveu contos e romances inspirados na realidade do sertão brasileiro. A sua obra destaca-se, sobretudo, pelas inovações de linguagem, sendo marcada pela influência de falares regionais que, somados à erudição do autor, permitiram a criação de inúmeros vocábulos com base em arcaísmos e palavras populares, bem como invenções e intervenções semânticas e sintáticas. Faleceu de um mal súbito, em novembro de 1967. É um dos escritores brasileiros mais importantes de todos os tempos.

** Arga: termo criado por Guimarães Rosa, portanto, indisponível para consulta nos dicionários tradicionais de língua portuguesa.

língua e linguagem

1.2.3
Grupo social

Por viverem em sociedade, os indivíduos se agrupam de acordo com interesses comuns. A maioria desses grupos tem uma linguagem própria, como jogadores de futebol, policiais, marinheiros, amantes do *funk* e grafiteiros. Essas variações da linguagem recebem o nome de *gírias*.

Confira no texto a seguir algumas gírias que os jovens dos anos de 1990 criaram.

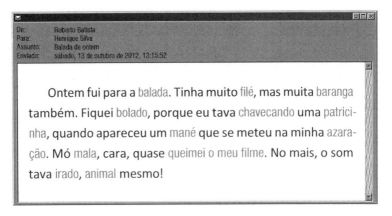

De: Roberto Batista
Para: Henrique Silva
Assunto: Balada de ontem
Enviado: sábado, 13 de outubro de 2012, 13:15:52

Ontem fui para a balada. Tinha muito filé, mas muita baranga também. Fiquei bolado, porque eu tava chavecando uma patricinha, quando apareceu um mané que se meteu na minha azaração. Mó mala, cara, quase queimei o meu filme. No mais, o som tava irado, animal mesmo!

Agora, veja algumas gírias do vocabulário dos grafiteiros.

- **BITE**: imitar o estilo de outro grafiteiro.
- **BOMBING**: letras rápidas e simples, sem preenchimento, apenas com o contorno.
- **CREW**: conjunto de grafiteiros que se reúne para pintar ao mesmo tempo.
- **CROSS**: grafitar sobre o trabalho de outro grafiteiro.

- **grafiteiro/Writter**: o artista que pinta.
- ᴧ: a assinatura de grafiteiro.
- **TOY**: o grafiteiro iniciante.
- **SPOT**: lugar onde é praticada a arte do grafite.

1.2.4
Atividade profissional

Sem dúvida, você já ouviu médicos conversando entre si sobre os problemas de um paciente ou já leu a bula de algum remédio. Como não dominamos essa linguagem técnica, nosso entendimento do assunto fica comprometido. Veja o exemplo:

No corredor que leva à sala de cirurgia, um médico disse para o outro:
— Estou chateado, porque o paciente apendicectomizado sofreu uma iatrogenia.

língua e linguagem

Nessa fala, o médico quis dizer que o paciente operado para a retirada do apêndice teve uma complicação provocada pelo efeito colateral de um medicamento.

1.2.5 Situação comunicativa

Em nossas conversas diárias com amigos, colegas e familiares, nos bilhetinhos rápidos que escrevemos, usamos a linguagem coloquial, modalidade que não é regida pelas regras prescritas pela gramática normativa. Por exemplo:

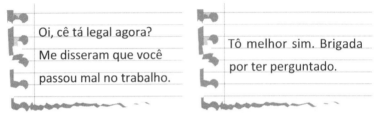

Oi, cê tá legal agora?
Me disseram que você
passou mal no trabalho.

Tô melhor sim. Brigada
por ter perguntado.

Observe que as formas *você*, *está*, *estou* e *obrigada* foram simplificadas. Além disso, não se observaram as regras de colocação pronominal, exigidas na língua padrão:

Me disseram que você... (linguagem coloquial)
Disseram-me que você... (variante padrão)

Diante de tantas variantes linguísticas, é inevitável que você se pergunte qual delas é a correta. Não existe a mais correta em termos absolutos, mas sim a mais adequada a cada contexto. Dessa maneira, fala bem aquele que se mostra capaz de escolher a variante adequada a cada situação e consegue o máximo de eficiência com a variante escolhida.

1.2.6
Produção literária

Existem muitos critérios para definir a linguagem literária, mas, de forma simplificada, podemos dizer que é aquela que se constrói com base na visão singular do autor, de seus sentimentos e suas emoções, de sua criatividade ao lidar com os sons, com as palavras e com as ideias.

Perceba a presença da linguagem literária nos versos de Cruz e Sousa expostos a seguir.

VIOLÕES QUE CHORAM

Ah! plangentes violões dormentes, mornos,
Soluços ao luar, choros ao vento...
Tristes perfis, os mais vagos contornos,
Bocas murmurejantes de lamento.

[...]

E sons soturnos, suspiradas mágoas,
Mágoas amargas e melancolias,
No sussurro monótono das águas,
Noturnamente, entre ramagens frias.

Vozes veladas, veludosas vozes,
Volúpias dos violões, vozes veladas,
Vagam nos velhos vórtices velozes
Dos ventos, vivas, vãs, vulcanizadas.

[...]

Fonte: Cruz e Souza, citado por Muzart, 1993, p. 29.

língua e linguagem

A linguagem de Cruz e Sousa é requintada, criativa; o poeta abusa da musicalidade dos versos, recurso expressivo resultante da exploração dos aspectos sonoros dos vocábulos que utilizava.

Observe nas estrofes anteriormente expostas que a maioria dos substantivos e adjetivos se encontra no plural: "mágoas amargas e melancolias", "vozes veladas, veludosas vozes". Perceba ainda que, na terceira estrofe, todas as palavras são iniciadas pela letra "v": "vozes", "volúpias", "violões" etc. Em todos os versos, existe a clara intenção de criar ritmo mediante o uso de rimas e versos com o mesmo número de sílabas poéticas: "mornos/contornos", "vento/lamento", "mágoas/águas", "melancolias/frias" etc.

Além da presença dos recursos sonoros, o poeta cria sequências de palavras de sentido inusitado, como em "vagam nos velhos vórtices/do vento", "mágoas amargas e melancolias". Esses versos não podem ser lidos à luz da racionalidade, porque o poeta sugere sensações, brinca com os sons e constrói novos significados.

O que constatamos, portanto, é a capacidade do artista de recriar o mundo por meio de palavras e imagens que obedecem a uma lógica muito pessoal e emocional.

1.3
Intencionalidade discursiva

A intencionalidade discursiva refere-se às intenções, explícitas ou subentendidas, dos interlocutores que participam de uma determinada situação comunicativa.

Numa situação de comunicação, quem produz o texto – o falante ou o escritor – sempre expõe sua intenção, seja de forma clara, seja de forma subentendida. Os textos comunicam nossas ideias e intenções, porém isso não quer dizer que o ouvinte ou o leitor da mensagem conseguirá compreendê-la com a exatidão desejada pelo falante.

A piada a seguir exemplifica com clareza a intencionalidade do discurso:

O médico pergunta ao paciente que o procurou:

Fonte: Elaborado com base em Buchweitz, 2001.

língua e linguagem

Considerando-se o papel social das personagens (médico e paciente) e a situação que os reuniu, ao perguntar ao paciente o que ele tem, o médico quis saber o que ele sentia, quais sintomas o incomodavam. Essa foi a intenção do médico ao utilizar o verbo *ter*.

No entanto, pelo fato de esse verbo apresentar muitos sentidos diferentes, o paciente entendeu a pergunta de outra forma e deu a resposta de acordo com esse entendimento.

O mesmo acontece quando o médico muda de verbo, perguntando-lhe "o que sente", e o paciente informa algo completamente fora do contexto de uma consulta médica: "Sinto falta de uma varanda e de um bom quintal".

O contexto é um fator determinante para a produção de sentidos e constitui-se em tudo aquilo que cerca o texto, o que está ao seu redor, tanto no momento de produção quanto no momento de leitura.

Quais são, então, os elementos que configuram o contexto de uma consulta médica? Podemos pensar em *consultório, médico, paciente, relato do problema, exames, diagnóstico, indicação de medicamentos* etc. Nesse contexto, os verbos *ter* e *sentir* referem-se à busca de informações sobre os sintomas.

Veja agora outra situação:

O mendigo se aproxima de uma madame cheia de sacolas de compras, na porta de um *shopping*, e diz:

Fonte: Elaborado com base em Mattos, 2001.

Quais são os elementos que compõem o contexto desse diálogo? Podemos pensar em *porta de um shopping, mendigo, senhora com sacolas* etc.

Se a mulher fez tantas compras, é porque tem dinheiro, razão pela qual o mendigo se dirige a ela. Observe que o mendigo, ao falar "Senhora, estou sem comer faz quatro dias...", não fez o pedido de modo direto – "Senhora, estou com fome, pode me dar algum dinheiro?" –, daí a razão de a mulher ter entendido outra coisa. Sem mais informações para a contextualização clara desse diálogo, é possível levantarmos algumas hipóteses:

- A senhora está acima do peso e vem desejando emagrecer. Nesse caso, a fala do mendigo "sem comer faz quatro dias" foi ao encontro do desejo frustrado dela, fato que justifica a resposta dada ao homem: "Gostaria de ter sua força de vontade!".
- A senhora pode ser uma pessoa distraída ou mesmo displicente, por isso não percebeu que naquela fala estava subentendido um pedido de auxílio financeiro.
- A senhora é uma pessoa egoísta, razão pela qual deu ao homem uma resposta irônica.

língua e linguagem

Como você percebeu, contexto é a situação de enunciação, o entorno sociocultural e histórico comum aos membros de uma sociedade, armazenado individualmente em forma de modelos cognitivos.

A leitura de um texto se dá primeiramente pelo processo de decodificação, quando entramos em contato com o assunto e buscamos compreendê-lo.

Existem elementos que nos ajudam na interpretação dos textos, mas, para que possamos compreendê-los bem, é necessário identificarmos os contextos – social, cultural, estético e político – nos quais eles estão inseridos.

Por isso, quanto mais variado o campo de conhecimento do leitor, mais facilidade ele encontrará no processo de leitura e compreensão de textos.

Como exemplo, leia a estrofe a seguir, que faz parte do Hino Nacional Brasileiro:

Do que a terra, mais garrida,
Teus risonhos, lindos campos têm mais flores;
"Nossos bosques têm mais vida",
"Nossa vida" no teu seio "mais amores".

Fonte: Duque-Estrada, 1909.

Observe que a informação do terceiro verso está entre aspas "Nossos bosques têm mais vida" e, no quarto verso, o autor também destaca as expressões "nossa vida" e "mais amores". Por que o autor usou aspas?

O uso desse sinal de pontuação se deve ao fato de Joaquim Osório Duque-Estrada* ter retirado esses versos da "Canção do exílio", famoso poema de Gonçalves Dias**. Confira:

Minha terra tem palmeiras,
Onde canta o Sabiá;
As aves, que aqui gorjeiam,
Não gorjeiam como lá.

Nosso céu tem mais estrelas,
Nossas várzeas têm mais flores,
Nossos bosques têm mais vida,
Nossa vida mais amores.

Fonte: Dias, 1998.

O conhecimento do poema de Gonçalves Dias amplia a nossa capacidade de compreender a intenção ufanista do autor do Hino Nacional. Isto é, o contexto histórico nacionalista do início do século XIX, que inspirou os versos de Gonçalves Dias, volta a influenciar os versos do Hino Nacional Brasileiro, escrito anos após a Proclamação da República.

Portanto, conhecer o contexto auxilia na apreensão das intenções do discurso e facilita a comunicação entre falante/escritor e ouvinte/leitor.

* Joaquim Osório Duque-Estrada nasceu no estado do Rio de Janeiro, em 1870, e faleceu na capital desse estado, em 1927. Foi poeta, tradutor, dramaturgo e crítico literário.
** Antônio Gonçalves Dias é considerado um dos maiores poetas do Romantismo brasileiro. Nasceu em Caxias, no dia 10 de agosto de 1823, e faleceu em um naufrágio, em 3 de novembro de 1864, no mesmo estado onde nasceu.

língua e linguagem

Verifique seu aprendizado

1. Relacione cada um dos textos reproduzidos a seguir aos aspectos relacionados à variação linguística:
   a) Atividade/jargão profissional
   b) Situação comunicativa
   c) Produção literária
   d) Grupo social específico
   e) Espaço

( ) "Quando ele voltou, mais tarde, o velho Santiago estava dormindo, e o sol já começava a baixar no horizonte. O rapaz foi buscar a velha manta da cama e colocou-a sobre os ombros do velho. Eram uns ombros estranhos, ainda fortes embora muito velhos, e o pescoço também era ainda muito vigoroso. Não se lhe viam tanto as rugas quando estava dormindo assim, com a cabeça tombada para a frente. [...] A cabeça era muito velha e, com os olhos fechados, não havia vida em seu rosto. Tinha o jornal estendido nos joelhos e o peso do braço impedia que a brisa da tarde o levasse" (Hemingway, 1992, p. 27).

( ) Zeca estava sentado na soleira da porta, com cara de abestado e aperreado. Nem deu fé quando Paulo chegou. Era tamanha a gastura que sentia que nem teve vontade de implicar com o amigo.

( ) — Oi, cê tá bem? Me disseram que você reprovô de ano.
— Pois é. Me estrepei, cara.

( ) "[XXXXX] é um anti-inflamatório e analgésico pertencente ao grupo de medicamentos denominados *inibidores específicos* da enzima ciclo-oxigenase 2 (COX-2). Os anti-inflamatórios não esteroidais tradicionais inibem as enzimas ciclo-oxigenase 1 e ciclo-oxigenase 2 e, por isso, seu uso se associa frequentemente a eventos adversos, clinicamente significativos no trato gastrointestinal como, por exemplo, gastrite e úlcera" (Celebra..., 2011).

( ) E aí, beleza? A parada é a seguinte: eu tô muito a fim, afinzaço mesmo, de convidar umas mina pra dançar e ouvir um som da hora. O negócio é que tô sem grana. Por isso, cara, quebra essa pra mim?

2. Leia a piada de Ziraldo (1988, p. 13) a seguir:

E Cabral descobriu o Brasil. Na madrugada seguinte um marinheiro foi acordá-lo:
— Dom Cabral, Dom Cabral, Frei Henrique de Coimbra manda chamar o senhor para assistir à Primeira Missa!
E Cabral respondeu:
— Estou muito cansado. Diga a ele que eu vou na das dez.

Na comunicação, há momentos em que o ouvinte não compreende a intenção do falante. O texto anterior exemplifica esse fato no que se refere:

a) ao descaso com que Cabral recusou o convite para assistir à missa.
b) ao fato de Cabral entender que o convite era para assistir a uma missa, e não à Primeira Missa, acontecimento importante do episódio do "descobrimento" do Brasil.

língua e linguagem

c) ao cansaço físico de Cabral, que o impediu de compreender a importância do convite.
d) ao fato de Cabral, líder da expedição, não aceitar ordens de outras pessoas, como deixa evidente o uso da expressão "manda chamar".
e) ao desinteresse de Cabral pelos assuntos relacionados à terra descoberta.

3. Leia a piada a seguir:

— Garçom, tem uma mosca no meu bife!
— Não esquenta, não, que ela vai se danar já, já. Olha só o tamanho da aranha que tá saindo de trás da batata.

Considerando-se a resposta que o garçom deu ao cliente, é possível perceber que, na relação entre falante e ouvinte:

a) eles não conseguiram comunicar-se.
b) o ouvinte entendeu que o emissor queria saber como fazer para se livrar da mosca em seu prato.
c) o ouvinte era um tipo refinado, o que se confirma pelo uso das expressões "não esquenta" e "vai se danar".
d) a reclamação do falante, ao perceber a presença de um inseto em sua comida, deixou o ouvinte envergonhado.
e) ambos codificaram e decodificaram a mensagem da mesma maneira.

4. (Inep, 1999) Leia o que disse João Cabral de Melo Neto, poeta pernambucano, sobre a função de seus textos:

Falo somente com o que falo: a linguagem enxuta, contato denso;

falo somente do que falo: a vida seca, áspera e clara do sertão;
falo somente por quem falo: o homem sertanejo sobrevivendo na adversidade e na míngua;
falo somente para quem falo: para os que precisam ser alertados para a situação da miséria no Nordeste.

Para João Cabral, no texto literário:

a) a linguagem deve refletir o tema e a fala do autor deve denunciar o fato social para determinados leitores.
b) a linguagem do texto não deve ter relação com o tema, e o autor deve ser imparcial para que seu texto seja lido.
c) o escritor deve saber separar a linguagem do tema e a perspectiva pessoal da perspectiva do leitor.
d) a linguagem pode ser separada do tema, e o escritor deve ser o delator do fato social para todos os leitores.
e) a linguagem está além do tema, e o fato social deve ser a proposta do escritor para convencer o leitor.

5. Leia o texto a seguir:

OS DESASTRES DE SOFIA

Qualquer que tivesse sido o seu trabalho anterior, ele o abandonara, mudara de profissão e passara pesadamente a ensinar no curso primário: era tudo o que sabíamos dele.

O professor era gordo, grande e silencioso, de ombros contraídos. Em vez de nó na garganta, tinha ombros contraídos. Usava paletó curto demais, óculos sem aro, com um fio de ouro encimando o nariz grosso e romano. E eu era atraída por ele. Não amor, mas atraída pelo seu silêncio e pela controlada impaciência que ele tinha em nos ensinar e que, ofendida, eu

língua e linguagem

adivinhava. Passei a me comportar mal na sala. Falava muito alto, mexia com os colegas, interrompia a lição com piadinhas, até que ele dizia, vermelho:

– Cale-se ou expulso a senhora da sala.

Ferida, triunfante, eu respondia em desafio: pode me mandar! Ele não mandava, senão estaria me obedecendo. Mas eu o exasperava tanto que se tornara doloroso para mim ser objeto do ódio daquele homem que de certo modo eu amava. Não o amava como a mulher que eu seria um dia, amava-o como uma criança que tenta desastradamente proteger um adulto, com a cólera de quem ainda não foi covarde e vê um homem forte de ombros tão curvos. [...]

Fonte: Lispector, 1983, p. 11.

No segundo parágrafo, o narrador informa que o professor tinha "ombros contraídos". Considerando-se o contexto apresentado, qual a interpretação adequada para essa característica do professor?

a) Ele era um homem idoso.
b) Ele era covarde e submisso às pressões sociais.
c) Ele tinha um problema de saúde.
d) Ele era uma pessoa fisicamente frágil.
e) Os ombros contraídos denotavam falta de domínio dos conhecimentos que ensinava aos alunos.

 Não erre mais   Esta seção tem por objetivo esclarecer algumas dúvidas relacionadas ao uso da norma-padrão no nosso cotidiano. Aproveite as dicas e lembretes e tome nota!

Separação de sílabas

A sílaba é um grupo de fonemas que são pronunciados num só impulso de voz. O centro de uma sílaba é, obrigatoriamente, uma vogal, à qual se agregam, ou não, semivogais ou consoantes.

Na palavra *amizade*, por exemplo, há quatro sílabas: *a-mi-za-de*. Observe que isso ocorre porque há quatro vogais.

Veja outros exemplos:

- *e-nig-ma* (três sílabas, porque há três vogais. A vogal *i* agrega a consoante *g*, que se encontra sem apoio vocálico).
- *af-ta* (duas vogais = duas sílabas).
- *felds-pa-to* (três vogais = três sílabas).

Existem ainda quatro pontos que precisamos ressaltar:

1. No caso de as palavras apresentarem ditongo ou tritongo, as semivogais não se separam das vogais. Exemplos:
   - *ân-sia, pre-cau-ção, ca-cho-ei-ra* (há ditongo quando pronunciamos, em uma só emissão de sílaba, dois fonemas vocálicos).
   - *sa-guão, Pa-ra-guai, quais-quer* (há tritongo quando pronunciamos, em uma só emissão de sílaba, três fonemas vocálicos).

2. Também não se separam os dígrafos *ch, lh, nh, gu, qu*. Exemplos:
   - *fe-cha-do, co-lhei-ta, u-nha, san-gue, re-quei-jão*.

   Mas se os dígrafos forem *rr, ss, sc, sç, xc*, as letras que os constituem devem ficar em sílabas diferentes. Exemplos:
   - *car-ro-ça, pes-se-guei-ro, pis-ci-na, des-ço, ex-ce-ção*.

3. Separam-se as letras de um hiato (há hiato quando duas vogais contíguas se separam e ficam em sílabas diferentes). Exemplos:
   - *me-lan-ci-a, Sa-a-ra, te-a-tro, le-em, zo-o-ló-gi-co*.

língua e linguagem

4 Quando a palavra iniciar pelo prefixo *sub* seguido de uma vogal, a consoante "b" se unirá a essa vogal, formando com ela uma sílaba. Exemplos:

- *su-ben-ten-di-do, su-bes-ti-mar, su-bur-ba-no, sub-ma-ri-no.*

No entanto, se o prefixo *sub* se ligar a uma palavra iniciada por *l*, haverá a separação entre o *b* e o *l*:

- *sub-lo-car, sub-le-gen-da, sub-lin-gual, sub-li-mi-nar, sub-lu-nar.*

Constitui exceção a forma verbal *sublinhar*, que admite, indiferentemente, as partições *sub-li-nhar* e *su-bli-nhar*.

Translineação

Na translineação, isto é, na passagem de uma linha para a seguinte, devemos obedecer aos três critérios indicados a seguir.

1 Palavras de duas sílabas não devem ser partidas, para que uma letra não fique isolada no fim ou no início da linha:

- *aí, elo, água, unha, rua.*

2 Na partição de palavras de mais de duas sílabas, não se isola a sílaba formada por uma vogal:

- *ago-ra, la-goa, ida-de.*

3 Ao translinear palavras compostas, cujos elementos se unem por meio de hífen, se a partição da palavra coincidir com o final de um dos elementos do composto, o hífen se repetirá:

- *abaixo--assinado, água--de--colônia, luso--brasilidade.*

Verifique seu aprendizado

1. Assinale a(s) alternativa(s) em que as duas palavras apresentam as sílabas corretamente divididas:
   a) di-sen-te-ri-a, tran-sa-tlân-ti-co.
   b) in-ter-ur-ba-no, fri-cção.
   c) of-tal-mo-lo-gis-ta, di-gno.
   d) su-bli-nhar, sub-lin-gual.
   e) ex-clu-ir, a-ve-ri-gu-ou.

2. Sublinhe, em cada grupo, a palavra partida incorretamente:
   a) de-ce-pção, ex-ce-ção, va-ri-e-da-de.
   b) psi-co-lo-gi-a, ad-qui-rir, ex-ce-sso.
   c) fer-rei-ro, dis-cus-são, des-o-nes-to.
   d) se-quên-cia, in-ter-es-ta-du-al, goi-a-bei-ra.
   e) na-fta, re-e-di-ção, hi-dre-lé-tri-ca.

3. Ao redigir o bilhete a seguir, a secretária errou na translineação de duas palavras. Indique-as:

   Cláudia,
   Sua mãe ligou para a-
   visar que você esque-
   ceu o celular na me-
   sa da cozinha, mas su-
   a irmã vai trazê-lo daqui a pouco.
   Bjs,
   Dani

língua e linguagem

4. Assinale a(s) alternativa(s) em que a separação silábica está incorreta:
   a) tungs-tê-ni-o.
   b) pneu-má-ti-co.
   c) pte-ro-dác-ti-lo.
   d) pe-sse-ga-da.
   e) so-bres-sa-ir.

5. Assinale a alternativa em que a separação silábica está correta:
   a) De-us.
   b) ma-is.
   c) ca-os.
   d) ve-ia.
   e) ca-is.

Novo Acordo Ortográfico

Depois de mais de duas décadas de discussões, entrou em vigor no Brasil o novo Acordo Ortográfico da Língua Portuguesa.

A adoção desse acordo constitui-se em um passo em direção à pretendida unificação ortográfica nos países lusófonos, isto é, aqueles cujo idioma oficial é a língua portuguesa: Brasil, Portugal, Angola, Moçambique, São Tomé e Príncipe, Guiné-Bissau e Timor Leste.

As alterações efetuadas se restringem à grafia das palavras, sem afetar nenhum aspecto importante da estrutura da língua portuguesa: morfologia, sintaxe, estilística.

As alterações apresentadas pelo Acordo dizem respeito ao(à):

- alfabeto;
- trema;
- emprego do hífen;
- acentuação gráfica.

Alfabeto

Nosso alfabeto era formado por 23 letras. Pelo novo Acordo, passou a ter 26, já que foram incluídas as letras *k, w* e *y*.

Essas letras estão presentes em nossos dicionários, mas com um emprego restrito, observando-se que foram "tomadas de empréstimo ao alfabeto grego" (Houaiss, Villar, 2009). Elas eram usadas apenas para representar siglas, símbolos e grafar nomes próprios originários de línguas estrangeiras. Exemplos:

- *Byron* (poeta inglês do século XIX).
- *byroniano* (relativo ou pertencente a Byron).
- *watt* (unidade de potência).
- *bytownita* (tipo de mineral).
- *Y* (símbolo do elemento químico ítrio).
- *kaiser* (termo utilizado na Alemanha para designar o imperador).
- *kantismo* (doutrina filosófica de Immanuel Kant).

Trema

O trema era empregado sobre o *u* pronunciado e átono das sílabas *que, qui, gue, gui*. Exemplos:

- *freqüente, qüinqüênio, agüentar, cinqüenta, lingüiça*.

No entanto, o Acordo aboliu o trema. Por essa razão, desde 2009, essas palavras passaram a ser escritas da seguinte forma:

- *frequente, quinquênio, aguentar, cinquenta, linguiça*.

O trema só permanece em nomes próprios estrangeiros e seus derivados. Exemplos:

- *Müller, mülleriano* (termos vindos do alemão).

língua e linguagem

Infelizmente, as opiniões dos estudiosos acerca da retirada do trema divergem da argumentação apresentada pelo Acordo. Em artigo publicado no periódico *O Globo*, sob o título "Brasileiro ou português", Jerônimo R. de Moraes Neto (2008), professor da Universidade Federal do Rio de Janeiro (UFRJ) e da Universidade Estadual do Rio de Janeiro (UERJ), desabafa: "Pior é a supressão do trema como em agüentar, lingüiça, bilíngüe, dentre outras palavras. Será difícil, sobretudo para o aluno iniciante, o professor fazê-lo entender o que é ditongo na oralidade e sua ausência na escritura".

Explicitamos a questão a que o professor Jerônimo Neto se refere: como sabemos, o ditongo só ocorre na pronúncia, quando dois sons vocálicos se apresentam na mesma sílaba. Exemplos:

- *a-noi-te-cer, a-gua-cei-ro, pei-xa-ri-a, es-pé-cie, re-ló-gio*.

Essas palavras não causam dúvidas na pronúncia, porque os ditongos não estão relacionados à necessidade do trema. Entretanto, não se pode dizer o mesmo de palavras como:

- *quen-te* (pronunciamos *ken-te*) e *fre-quen-te* (pronunciamos *fre-kuen-te*).

Em *quen-te*, há o dígrafo *qu*, isto é, duas letras que representam um único som: /k/.

Em *fre-quen-te*, há o ditongo nasal *uen*. Pela regra antiga, o *u* pronunciado e átono desse ditongo exigia o trema. A vogal tônica da palavra é o *e* da segunda sílaba: *fre-quen-te*.

[50]

Por isso, o professor Moraes Neto pergunta (2008): "Como um aluno iniciante e uma pessoa estrangeira, em processo de aprendizagem da Língua Portuguesa, saberão distinguir pela oralidade, imediatamente, se a letra U deve ou não ser pronunciada?".

Veja outros exemplos:

- *sangue/bilíngue, guitarra/linguiça, querida/sequestro, quilo/tranquilo.*

Emprego do hífen

Segundo a nova regulamentação, houve mudança na grafia de palavras, principalmente as iniciadas por prefixos e falsos prefixos.

A formação por prefixação é aquela em que ocorre a anteposição de um prefixo a uma palavra autônoma. Os prefixos são elementos mínimos de significação, isto é, eles apresentam um sentido que só se realiza plenamente após a união com uma palavra significativa.

Veja, por exemplo, o prefixo *anti*, que indica oposição:

- *antissocial* (aquele que não aprecia o convívio em sociedade).
- *anti-higiênico* (contrário às normas de higiene).

As novas regras se referem a falsos prefixos. Na verdade, eles são palavras significativas, que aparecem na formação de compostos, mas que se submetem às mesmas regras estabelecidas para os prefixos. Veja o falso prefixo a seguir:

- *micro* = radical grego que significa "pequeno". Exemplos: *micro-ondas, micróbio, micro-organismos.*

Confira a seguir as regras para o emprego do hífen.

língua e linguagem

1. Não se usa o hífen entre prefixos e falsos prefixos terminados em vogal e palavras iniciadas por *r* ou *s*. Nesse caso, dobram-se essas consoantes.

Antes	Agora
ante-sala	antessala
anti-social	antissocial
auto-retrato	autorretrato
arqui-rival	arquirrival
contra-senso	contrassenso
contra-regra	contrarregra
extra-sístole	extrassístole
extra-regulamento	extrarregulamento
infra-som	infrassom
infra-renal	infrarrenal
neo-realismo	neorrealismo
neo-simbolismo	neossimbolismo
pseudo-sábio	pseudossábio
semi-reta	semirreta
sobre-saia	sobressaia
supra-renal	suprarrenal
supra-sensível	suprassensível

2. Usa-se o hífen quando o prefixo ou falso prefixo terminar pela mesma vogal que inicia a palavra seguinte.

Antes	Agora
autoobservação	auto-observação
antiinflacionário	anti-inflacionário
arquiinimigo	arqui-inimigo
microondas	micro-ondas
semiinternato	semi-internato

3. Não se usa o hífen entre o prefixo ou falso prefixo quando este terminar em vogal e a palavra iniciar por uma vogal diferente.

Antes	Agora
auto-adesivo	autoadesivo
contra-indicação	contraindicação
extra-oficial	extraoficial
infra-estrutura	infraestrutura
intra-ocular	intraocular
neo-acadêmico	neoacadêmico
pseudo-artista	pseudoartista
semi-alfabetizado	semialfabetizado

4. O uso do hífen permanece entre prefixos e falsos prefixos terminados em *r* e palavras iniciadas por *r*.

Antes	Agora
inter-racial	inter-racial
hiper-realista	hiper-realista
super-resistente	super-resistente

5. O hífen permanece entre qualquer prefixo e palavras iniciadas por *h*.

Antes	Agora
anti-herói	anti-herói
super-homem	super-homem
extra-humano	extra-humano
supra-hepático	supra-hepático

língua e linguagem

6. O hífen permanece entre os prefixos *ex-*, *vice-*, *soto-*, *sem-* e palavra iniciada por qualquer letra.

Antes	Agora
ex-aluno	ex-aluno
ex-marido	ex-marido
vice-rei	vice-rei
vice-diretor	vice-diretor
soto-mestre	soto-mestre
sem-terra	sem-terra

7. O hífen permanece entre os prefixos *circum-*, *pan-* e palavras iniciadas por vogal, *m* ou *n*.

Antes	Agora
circum-oral	circum-oral
circum-navegador	circum-navegador
pan-americano	pan-americano
pan-nacional	pan-nacional

8. Com o prefixo *co-*, não se usa hífen, ainda que o segundo elemento comece pela vogal *o*.

cooperar
coordenar
coautor
coerdeiro (com a supressão do *h*)
coerdar (com a supressão do *h*)

O uso do hífen em nosso idioma é um assunto complexo, porque apresenta exceções e incoerências. Por isso, em caso de dúvida quanto às demais palavras compostas, consulte sempre um dicionário atualizado.

Lembrete

As palavras *bom-dia*, *boa-tarde* e *boa-noite*, sempre que forem usadas como substantivos, devem ser escritas com hífen. Exemplo:

- *O fulano passou e nem me deu um boa-noite.*

Quando expressarem um cumprimento (um desejo de quem fala), em forma de frase nominal, as palavras são escritas separadas, sem hífen:

- *—Bom dia, amigos!*

Da mesma maneira, se a palavra *bom* for apenas um adjetivo, devemos usá-la sem o hífen. Exemplo:

- *—Tenham um bom dia de trabalho.* (ótimo, excelente, proveitoso etc.)

Várias palavras e expressões perderam o hífen depois do novo Acordo Ortográfico. Veja algumas bem comuns:

- *pôr do sol, dia a dia, à toa, paraquedas, mandachuva, cão de guarda, fim de semana, sala de jantar, cor de açafrão.*

Mas algumas, já consagradas pelo uso, conservaram o hífen:

- *água-de-colônia, arco-da-velha, cor-de-rosa, mais-que-perfeito, pé-de-meia* (dinheiro poupado).

Acentuação gráfica

Inicialmente, vamos lembrar que a acentuação gráfica não foi abolida de nosso idioma com o novo Acordo. Então, aproveitemos a oportunidade para recordar as regras que a regem.

língua e linguagem

1. Acentuam-se as palavras proparoxítonas (aquelas cuja sílaba tônica é a antepenúltima). Exemplos:
   - *médico, hipopótamo, paralelepípedo, lâmpada, alcoólico.*

2. Acentuam-se as palavras paroxítonas (aquelas cuja sílaba tônica é a penúltima) terminadas em:
   - L: *imóvel, agradável, nível.*
   - N: *pólen, hífen.*
   - R: *dólar, açúcar, repórter.*
   - X: *tórax, látex, ônix.*
   - PS: *fórceps, bíceps, tríceps.*
   - Ã(S): *ímã, órfãs.*
   - ÃO(S): *órgãos, órfãos, bênçãos.*
   - I(S): *júri, biquíni, lápis.*
   - US: *bônus, vírus, vênus.*
   - UM, UNS: *álbum, fórum, médiuns.*
   - ONS: *íons, nêutrons.*
   - ditongos crescentes: *ciência, série, contrário, água, ingênuo, mágoa, espontâneo, gávea.*
   - ditongos -ei, -eis: *vôlei, jóquei, fáceis, túneis.*

3. Acentuam-se as palavras oxítonas (aquelas cuja sílaba tônica é a última) terminadas em:
   - A(S): *cajá, sofás, maracujás, mostrá-la.*
   - E(S): *você, cafés, bambolês, devolvê-las.*
   - O(S): *jiló, avós, propôs.*
   - EM, ENS: *alguém, porém, reféns, parabéns.*

4. Acentuam-se os monossílabos tônicos terminados em:
   - A(S): *lá, já, pás, há, dá-los.*
   - E(S): *fé, mês, tu crês, ele vê, três.*

- O(S): *pó, nós, sós, pôs, pô-lo.*

> ### Lembrete
>
> Não se acentuam as palavras oxítonas e os monossílabos tônicos terminados em:
>
> - I(S): *Japeri, sacis, ti, si, anis.*
> - U(S): *tu, angu, caju, tatus, urubus.*

5 O verbo *ter* continua exigindo acento circunflexo na terceira pessoa do plural. Na terceira pessoa do singular, ele não é acentuado. Exemplo:
  - *ele tem/eles têm.*

> ### Lembrete
>
> Não existe a forma *têem* para a terceira pessoa do plural.
>
> Os verbos derivados de *ter* recebem acento agudo na terceira pessoa do singular e acento circunflexo na terceira pessoa do plural. Exemplos:
>
> - *ele mantém, ele detém, ele retém* (singular).
> - *eles mantêm, eles detêm, eles retêm* (plural).

6 Acentuam-se o *i* e o *u* tônicos em hiatos quando formam sílaba sozinhos ou seguidos de *s*. Exemplos:
  - *ju-í-zes, fa-ís-ca, ca-ís-te, e-go-ís-ta, cons-tru-í-lo, sa-ú-de, ba-ús, re-ú-ne.*

língua e linguagem

Lembrete

Se as vogais *i* e *u* que constituem hiatos vierem acompanhadas de outras letras, não serão acentuadas. O mesmo ocorre se a sílaba posterior ao hiato começar por *nh*. Exemplos:

- *ca-in-do, ju-iz, Ra-ul, ru-im, ba-i-nha, ra-i-nha.*

O que muda na acentuação com a reforma ortográfica

1. Não se acentuam mais as vogais *i* e *u* que constituem hiatos quando a sílaba anterior a eles terminar em ditongo. Essa regra se refere a poucas palavras. Exemplos:
   - *fei-u-ra.*
   - *bai-u-ca* (pequeno bar, boteco).
   - *boi-u-na* (mito indígena da Amazônia, cobra grande).
   - *bo-cai-u-va* (tipo de palmeira de até sete metros de altura).

2. Não se acentuam mais as vogais *oo* e *ee* quando constituem hiatos:

Antes	Agora
crêem/vôo	creem/voo
dêem/enjôo	deem/enjoo
lêem/abençôo	leem/abencoo
vêem/perdôo	veem/perdoo

Os verbos que derivam destes também perderam o acento: Exemplos:
- *descreem, releem, reveem.*

3 Não se acentuam os ditongos abertos *ei, oi* das palavras paroxítonas:

Antes	Agora
geléia, platéia, paranóia, heróico, assembléia	geleia, plateia, paranoia, heroico, assembleia

Entretanto, o acento tônico desses ditongos permanece nas palavras oxítonas e nos monossílabos tônicos. Exemplos:
- *herói, dói, anzóis, pastéis.*

Também permanece o acento tônico no ditongo aberto éu, que só aparece em palavras oxítonas ou em monossílabos tônicos. Exemplos:
- *chapéu, troféus, céu, véus.*

Lembrete

No Brasil, as palavras *colmeia* e *centopeia* são pronunciadas com o timbre aberto.

4 Os acentos diferenciais foram abolidos, em sua maioria. Confira:

Antes	Agora
pára (verbo *parar*)	para (verbo *parar*)
péla (substantivo e verbo *pelar*)	pela (substantivo e verbo *pelar*)
pêlo (substantivo)	pelo (substantivo)
pêra (substantivo)	pera (substantivo)
pólo (substantivo)	polo (substantivo)

Exemplos:
- *O tempo não para.*
- *Ele pela o animal sem piedade.*

língua e linguagem

- *O medo me congelou e os pelos do braço ficaram eriçados.*
- *A pera é uma fruta muito saborosa.*
- *O Brasil mantém uma base de pesquisas no Polo Sul.*
- *As partidas de polo atraem muitas pessoas.*

Acerca da forma verbal *para*, é importante lembrar que pode ocorrer duplicidade de sentido (ambiguidade), caso a frase não seja bem construída ou contextualizada.

Isso ocorreu na manchete publicada no jornal *O Globo*, no Caderno Economia (Moraes Neto, 2008):

Empurrão para a construção civil

Veja que são admissíveis duas interpretações para a frase:

- O substantivo *empurrão* significa um impulso à construção civil. Nesse caso, a palavra *para* é uma preposição com sentido de direção.
- O substantivo *empurrão* apresenta sentido negativo e a palavra *para* é verbo, atribuindo à ideia expressa o sentido de paralisação do setor.

Assim, o título da matéria não antecipa com clareza ao leitor do jornal o assunto abordado.

5 O acento diferencial se mantém:
- Na terceira pessoa do singular do pretérito perfeito do indicativo do verbo *poder*: *pôde*. Exemplo:

- Ontem ele não pôde comparecer à reunião.

Nesse caso, marca-se a diferença em relação à terceira pessoa do singular do presente do indicativo do mesmo verbo. Exemplo:
- Agora você pode sair.
- Em pôr (verbo), para estabelecer a diferença com por (preposição). Exemplos:
  - Vou pôr o dinheiro na carteira.
  - Venha por aqui.

Verifique seu aprendizado

1. A questão a seguir foi construída considerando-se o emprego dos prefixos que terminam em vogal. Assinale o item cujas palavras apresentam grafia em desacordo com as novas regras estabelecidas:

   a) pseudoanalista, intraocular.
   b) autoanálise, coautor.
   c) antiinflamatório, anti-cristo.
   d) semi-intensivo, micro-organismo.
   e) cogestor, vice-líder.

2. Todos os prefixos ou falsos prefixos a seguir terminam em vogal e as palavras com as quais eles formam derivadas se iniciam por r ou s. Assinale a palavra que foi grafada em desacordo com a nova regra:

língua e linguagem

a) antessala.
b) contrarregimento.
c) pseudossábio.
d) coseno.
e) minissaia.

3. Marque certo (C) ou errado (E), considerando as alterações ortográficas estabelecidas pelo novo Acordo Ortográfico:
( ) O vicepresidente foi recentemente operado.
( ) Preciso muito que você me apoie em minha decisão.
( ) Que lindo chapeu! Onde você o comprou?
( ) Nessa idade você ainda usa mini-saia?
( ) Num gesto heróico, o rapaz correu para salvar a jovem.
( ) Comparecerá ao evento da Marinha o contra-almirante.
( ) Movimentos neo-nazistas são duramente combatidos em todo o mundo.
( ) O pêlo do urso era castanho-escuro.
( ) A vítima do sequestro foi atendida pela psicóloga.
( ) Vão-se os aneis e ficam os dedos.

4. A seguir são apresentadas palavras que certamente você raras vezes ou nunca ouviu. Por esse motivo, você pode ter dúvidas quanto à pronúncia delas. Além disso, os acentos gráficos, nos casos em que deveriam ocorrer, foram omitidos. Então, lembre-se das regras estudadas neste capítulo ao responder às perguntas que são feitas a respeito dessas palavras.

a) *Masseter* (nome de um músculo da face):
   ▫ Se essa palavra for oxítona, deve receber acento gráfico? Por quê?
   ▫ Se for proparoxítona, recebe acento? Por quê?

b) *Ticopa* (nome de um peixe):
- Se for oxítona, recebe acento? Por quê?
- Se for paroxítona, recebe acento? Por quê?

c) *Tilburi* (certo tipo de carruagem):
- Se for oxítona, recebe acento? Por quê?
- Se for paroxítona, recebe acento? Por quê?
- Se for proparoxítona, recebe acento? Por quê?

5. Assinale a alternativa cujas palavras são acentuadas pela mesma razão:
   a) Inácio – até.
   b) fantástico – histórias.
   c) tecnológicos – básicos.
   d) vídeo – público.
   e) impossível – rápidas.

6. Todas as palavras a seguir apresentam hiato. Indique a única que deve ser acentuada:
   a) traiste.
   b) caindo.
   c) miudeza.
   d) raiz.
   e) moinho.

7. Considere a regra para o emprego do verbo *ter* e de seus derivados e assinale a alternativa em que não se cometeu erro de acentuação:
   a) Aqueles frascos contém um veneno potente.
   b) A patrulha detêm todos os carros suspeitos.
   c) A babá entretém as crianças com jogos e brincadeiras.
   d) Eles não tem mais o sítio em Petrópolis.
   e) O condomínio mandou restaurar a pilastra que sustêm o teto da varanda.

língua e linguagem

8. Todas as palavras a seguir são paroxítonas. Assinale o item em que se cometeu erro ao acentuá-las:
   a) nenúfar – notável – ônix.
   b) projéteis – hífen – memória.
   c) bônus – órgãos – táxis.
   d) pólen – elétron – látex.
   e) hífens – rubrícas – ítem.

9. Na sequência são apresentadas formas verbais acompanhadas de pronomes oblíquos. A acentuação dessas formas segue as mesmas orientações para as palavras oxítonas e as que apresentam hiato. Indique qual delas não necessita do acento:
   a) construí-los.
   b) puní-los.
   c) enviá-las.
   d) resolvê-los.
   e) expô-las.

10. (Inep, 1999) Diante da visão de um prédio com uma placa indicando SAPATARIA PAPALIA, um jovem deparou com a dúvida: como pronunciar a palavra *papalia*?

    Levado o problema à sala de aula, a discussão girou em torno da utilidade de conhecer as regras de acentuação e, especialmente, do auxílio que elas podem dar à correta pronúncia de palavras. Após discutirem sobre pronúncia, regras de acentuação e escrita, três alunos apresentaram as seguintes conclusões a respeito dessa palavra:

I. Se a sílaba tônica for o segundo *pa*, a escrita deveria ser *papália*, pois a palavra seria paroxítona terminada em ditongo crescente.

II. Se a sílaba tônica for *li*, a escrita deveria ser *papalía*, pois *i* e *a* estariam formando um hiato.

III. Se a sílaba tônica for *li*, a escrita deveria ser *papalia*, pois não haveria razão para o uso de acento gráfico.

A conclusão está correta apenas em:

a) I.
b) II.
c) III.
d) I e II.
e) I e III.

A seguir, você encontra a indicação de alguns filmes e livros que remetem à discussão sobre os conceitos de língua e linguagem estudados no início deste capítulo.

língua e linguagem

Filmes

LÍNGUA: vidas em português. Direção: Victor Lopes. Brasil: RioFilme, 2002. 105 min.

Assista a esse documentário de produção luso-brasileira, de 2004. Você vai encontrá-lo nas boas locadoras de vídeos. Nele, o diretor parte do fato de que há sete países no mundo que usam cotidianamente a língua portuguesa como meio de comunicação. São aproximadamente 200 milhões de pessoas que enriquecem nosso idioma com sonoridades e ritmos diferentes, pelos quais expressam sentimentos e emoções, produzem arte, trabalham, enfim, constroem suas vidas. A intenção desse documentário é propiciar material para a compreensão de conceitos e ideias sobre as variações da língua portuguesa falada nos países lusófonos.

NELL. Diretor: Michael Apted. Produção: Jodie Foster, Renée Missel. EUA: Fox, 1994. 115 min.

Esse filme conta a história de uma jovem que mora sozinha na floresta, sem nenhum contato com os habitantes da cidadezinha próxima. Ela aprendeu a falar com a mãe, uma senhora que sofrera paralisia facial. Por essa razão, dois aspectos do filme são pertinentes ao nosso estudo de língua e linguagem: Nell se expressa em um dialeto próprio e desenvolve, por conta do isolamento, uma visão lírica do mundo, pura e isenta dos conceitos e valores sociais que adquirimos por meio da linguagem.

Livros

ANDRADE, M. de. Poesias completas. Edição crítica de Diléa Zanotto Manfio. Belo Horizonte: Itatiaia, 1987. v. 2.

Procure conhecer a obra de Mário de Andrade*, principalmente a que foi produzida entre 1920 e 1935, porque, nesse período, o autor se dedicou a refletir sobre a língua portuguesa usada no Brasil e sua importância para a formação da identidade cultural do país. É de Mário de Andrade o fragmento a seguir, extraído do poema "Lundu do escritor difícil":

[...]
Eu sou um escritor difícil
Que a muita gente enquizila**
[...]

Fonte: Andrade, 1987, p. 306.

Descubra as razões que levavam os leitores urbanos a considerar dicífil a linguagem empregada pelo autor.

RAMOS, G. Vidas secas. 51 ed. São Paulo: Record, 1983.

A seguir, leia o fragmento no qual o narrador nos apresenta Fabiano, personagem do romance *Vidas secas*, de Graciliano Ramos***. Observe como o texto pretende mostrar que Fabiano é um ser degradado, colocado num

---

* Mário de Andrade é figura de destaque na literatura brasileira. Nasceu e morreu em São Paulo: 1893-1945. Vivenciou a agitação cultural das primeiras décadas do século XX, colocando-se em defesa da cultura popular. Viajou para a Região Norte, onde conviveu com índios e com a população ribeirinha da Amazônia. Ampliou seus conhecimentos de música e folclore, fato que pode ser atestado com a leitura de dezenas de seus poemas e de sua obra *Macunaíma*, publicada em 1928.
** Enquizila: aborrece.
*** Graciliano Ramos de Oliveira nasceu em Alagoas, em 1892. Somente aos 40 anos é que publicou o primeiro livro, porque, inicialmente, fez carreira na política, chegando a ser prefeito de Quebrângulo, Alagoas, sua cidade natal. Foi romancista, cronista, contista, jornalista e memorialista. É um dos escritores mais importantes de nossa literatura. Faleceu no Rio de Janeiro, em 1953.

língua e linguagem

nível infra-humano. Ele identifica-se com o cenário do agreste nordestino e confunde-se com os animais. Fabiano não se vê como um homem. Ele nunca foi à escola, também não sabe conversar, é homem de poucas palavras, tímido e inseguro. A falta que a linguagem faz em sua vida reflete-se na visão limitada que ele tem para o sentido das coisas e a consciência do mundo.

Fabiano ia satisfeito. Sim senhor, arrumara-se. Chegara naquele estado, com a família morrendo de fome, comendo raízes. Caíra no fim do pátio, debaixo de um juazeiro, depois tomara conta da casa deserta. Ele, a mulher e os filhos tinham-se habituado a camarinha escura, pareciam ratos — e a lembrança dos sofrimentos passados esmorecera.

Pisou com firmeza no chão gretado, puxou a faca de ponta, esgaravatou as unhas sujas. Tirou do aió um pedaço de fumo, picou-o, fez um cigarro com palha de milho, acendeu-o ao binga, pôs-se a fumar regalado.

— Fabiano, você é um homem, exclamou em voz alta.

Conteve-se, notou que os meninos estavam perto, com certeza iam admirar-se ouvindo-o falar só. E, pensando bem, ele não era homem: era apenas um cabra ocupado em guardar coisas dos outros. Vermelho, queimado, tinha os olhos azuis, a barba e os cabelos ruivos; mas como vivia em terra alheia, cuidava de animais alheios, descobria-se, encolhia-se na presença dos brancos e julgava-se cabra.

Olhou em torno, com receio de que, fora os meninos, alguém tivesse percebido a frase imprudente. Corrigiu-a, murmurando:

— Você é um bicho, Fabiano.

Isto para ele era motivo de orgulho. Sim senhor, um bicho, capaz de vencer dificuldades.

Chegara naquela situação medonha — e ali estava, forte, até gordo, fumando o seu cigarro de palha.

— Um bicho, Fabiano.

Era. Apossara-se da casa porque não tinha onde cair morto, passara uns dias mastigando raiz de imbu e sementes de mucuna. Viera a trovoada. E, com ela, o fazendeiro, que o expulsara. Fabiano fizera-se desentendido e oferecera os seus préstimos, resmungando, coçando os cotovelos, sorrindo aflito. O jeito que tinha era ficar. E o patrão aceitara-o, entregara-lhe as marcas de ferro.

Agora Fabiano era vaqueiro, e ninguém o tiraria dali.

Aparecera como um bicho, entocara-se como um bicho, mas criara raízes, estava plantado. Olhou os quipás, os mandacarus e os xique-xiques. Era mais forte que tudo isso, era como as catingueiras e as baraúnas. Ele, Sinha Vitória, os dois filhos e a cachorra Baleia estavam agarrados à terra.

Chape-chape. As alpercatas batiam no chão rachado. O corpo do vaqueiro derreava-se, as pernas faziam dois arcos, os braços moviam-se desengonçados. Parecia um macaco.

Fonte: Ramos, 1983, p. 17-19.

Revista

REVISTA LÍNGUA PORTUGUESA. Disponível em: <www.revistalingua.com.br>. Acesso em: 30 jul. 2012.

Procure conhecer a revista *Língua Portuguesa*, uma publicação mensal da editora Segmento. Nela você vai encontrar textos interessantes sobre diversos assuntos relacionados à nossa língua. A leitura flui com facilidade e as explicações dadas por professores, linguistas e autores são muito úteis.

língua e linguagem

Síntese

Neste capítulo, vimos que a língua portuguesa é nosso principal meio de comunicação. Assim, para que essa comunicação seja eficiente, é necessário que tanto o emissor como o receptor se expressem de forma clara e coerente. Nossa língua apresenta variantes, mas nenhuma delas é mais importante que a outra. Ao contrário, todas elas se complementam e expressam a riqueza e a beleza da cultura produzida pelos falantes do português no Brasil.

Quando estudamos a língua portuguesa na escola, em verdade, estamos aprendendo a modalidade padrão da língua, que se aproxima das descrições e prescrições da gramática normativa, porque o português você já sabe falar. Você começou a aprendê-lo em casa, ainda criança, com seus pais e parentes, e foi ampliando esse aprendizado com a convivência social.

Convencionou-se que a variante padrão, ou norma culta, é a modalidade linguística cuja gramática deve nortear a redação de documentos, revistas, jornais, pesquisas, trabalhos acadêmicos, correspondência entre pessoas e empresas etc. Isso porque a observância dos preceitos da gramática normativa unifica a língua como meio de comunicação de um povo. Assim, em tese, todos os brasileiros seguem as mesmas orientações ao redigir textos em situações de maior formalidade e, infelizmente, quem se afasta desse modelo é alvo fácil dos intolerantes e pode ser discriminado.

Também vimos como separar corretamente as sílabas das palavras, respeitando a presença de encontros consonantais e dígrafos, principalmente, bem como apresentamos o Acordo Ortográfico que passou a vigorar em 1º de janeiro de 2009, o qual exige sua atenção para quatro assuntos: o acréscimo de letras ao alfabeto, a supressão do trema e as modificações ocorridas no emprego do hífen e da acentuação gráfica. E não se esqueça: a melhor forma de fixar os conhecimentos é fazer os exercícios.

dois

o texto

A palavra *texto* origina-se do latim *textum* e significa "tecido", um tecido que é formado por vários fios que se entrelaçam e formam um todo. Essa noção de tessitura é muito conveniente para se construir a compreensão de que um texto resulta do entrelaçamento de várias unidades de sentido.

Quando um texto é escrito, é necessário tecer as ideias de modo que elas se ajustem às intenções comunicativas, porque não há texto sem intencionalidade.

2.1
O que é texto

Existem várias definições para texto. É fundamental saber que um texto é uma unidade linguística dotada de certa estrutura formal, o que lhe dá sentido e lhe permite exercer a sua função sociocomunicativa. Os estudos mais comprometidos com o texto integram o ramo da linguística textual.

o texto

Um texto deve ter uma estrutura tal que, ao longo do seu desenvolvimento, a relação entre seus elementos seja mantida. Um texto correto, preciso, resulta de ideias adequadamente organizadas, às quais se somam a capacidade de aproveitar os recursos expressivos da língua e a interpretação analítica da realidade. Qualquer que seja a modalidade redacional, a finalidade do texto é concretizar a comunicação de ideias (conteúdo), valorizadas por uma expressão estética da linguagem (forma). Não basta, pois, saber o que escrever, mas como escrever.

Um bom texto deve ter progressão, isto é, cada segmento que se sucede precisa ir acrescentando informações novas aos enunciados anteriores. Além disso, é necessário que desperte o interesse do leitor e o envolva no assunto.

Vamos começar nosso estudo de textualidade com a leitura do conto de Machado de Assis* reproduzido a seguir.

Um apólogo

Era uma vez uma agulha, que disse a um novelo de linha:
— Por que está você com esse ar, toda cheia de si, toda enrolada, para fingir que vale alguma cousa neste mundo?
— Deixe-me, senhora.

---

* José Maria Machado de Assis nasceu no Rio de Janeiro, em 1839. Filho de pais muito humildes, perdeu cedo a mãe e foi criado pela madrasta, que cuidou dele com carinho. Machado estudou em escola pública, a única que ele frequentaria. Sua cultura se deve ao fato de ter sido autodidata. Foi cronista, contista, dramaturgo, jornalista, poeta, novelista, romancista, crítico e ensaísta. É considerado o mais importante autor brasileiro do século XIX.

— Que a deixe? Que a deixe, por quê? Porque lhe digo que está com um ar insuportável? Repito que sim, e falarei sempre que me der na cabeça.

— Que cabeça, senhora? A senhora não é alfinete, é agulha. Agulha não tem cabeça. Que lhe importa o meu ar? Cada qual tem o ar que Deus lhe deu. Importe-se com a sua vida e deixe a dos outros.

— Mas você é orgulhosa.

— Decerto que sou.

— Mas por quê?

— É boa! Porque coso. Então os vestidos e enfeites de nossa ama, quem é que os cose, senão eu?

— Você? Esta agora é melhor. Você é que os cose? Você ignora que quem os cose sou eu e muito eu?

— Você fura o pano, nada mais; eu é que coso, prendo um pedaço ao outro, dou feição aos babados...

— Sim, mas que vale isso? Eu é que furo o pano, vou adiante, puxado por você, que vem atrás obedecendo ao que eu faço e mando...

— Também os batedores vão adiante do imperador.

— Você é imperador?

— Não digo isso. Mas a verdade é que você faz um papel subalterno, indo adiante; vai só mostrando o caminho, vai fazendo o trabalho obscuro e ínfimo. Eu é que prendo, ligo, ajunto...

Estavam nisto, quando a costureira chegou à casa da baronesa. Não sei se disse que isto se passava em casa de uma baronesa, que tinha a modista ao pé de si, para não andar atrás dela. Chegou a costureira, pegou do pano, pegou da agulha, pegou da linha, enfiou a linha na agulha, e entrou a coser. Uma e outra iam andando orgulhosas, pelo pano adiante, que era a melhor das sedas, entre os dedos

o texto

da costureira, ágeis como os galgos de Diana – para dar a isto uma cor poética. E dizia a agulha:

— Então, senhora linha, ainda teima no que dizia há pouco? Não repara que esta distinta costureira só se importa comigo; eu é que vou aqui entre os dedos dela, unidinha a eles, furando abaixo e acima...

A linha não respondia; ia andando. Buraco aberto pela agulha era logo enchido por ela, silenciosa e ativa, como quem sabe o que faz, e não está para ouvir palavras loucas. A agulha, vendo que ela não lhe dava resposta, calou-se também, e foi andando. E era tudo silêncio na saleta de costura; não se ouvia mais que o *plic-plic-plic-plic* da agulha no pano. Caindo o sol, a costureira dobrou a costura, para o dia seguinte. Continuou ainda nesse e no outro, até que no quarto acabou a obra, e ficou esperando o baile.

Veio a noite do baile, e a baronesa vestiu-se. A costureira, que a ajudou a vestir-se, levava a agulha espetada no corpinho, para dar algum ponto necessário. E enquanto compunha o vestido da bela dama, e puxava de um lado ou outro, arregaçava daqui ou dali, alisando, abotoando, acolchetando, a linha para mofar da agulha, perguntou-lhe:

— Ora, agora, diga-me, quem é que vai ao baile, no corpo da baronesa, fazendo parte do vestido e da elegância? Quem é que vai dançar com ministros e diplomatas, enquanto você volta para a caixinha da costureira, antes de ir para o balaio das mucamas? Vamos, diga lá.

Parece que a agulha não disse nada; mas um alfinete, de cabeça grande e não menor experiência, murmurou à pobre agulha:

— Anda, aprende, tola. Cansas-te em abrir caminho para ela e ela é que vai gozar da vida, enquanto aí ficas na caixinha de costura.

> Faze como eu, que não abro caminho para ninguém. Onde me espetam, fico.
> Contei esta história a um professor de melancolia, que me disse, abanando a cabeça:
> — Também eu tenho servido de agulha a muita linha ordinária!

Fonte: Machado de Assis, 1984, p. 59.

No texto em questão, o narrador inicia a história com a expressão "Era uma vez", muito comum nos contos de fadas. No entanto, a primeira fala da agulha, dirigida à linha, já nos permite constatar que não haverá um diálogo prosaico entre as duas personagens. O que vemos é o embate de egos, conduzido, inicialmente, pela arrogância e noção de superioridade da agulha; não se trata de uma conversa entre comadres.

O apólogo é um texto no qual os objetos são personificações de valores e comportamentos humanos. Essa conduta permite aos leitores uma reflexão sobre os papéis de cada um em seu ambiente de trabalho. Observe no texto a arrogância da agulha e, depois, a humilhação pela qual teve de passar quando se viu retornando à caixinha de costura, enquanto a linha ia ao baile, no vestido da baronesa.

Embora possa parecer um contador de histórias, Machado de Assis é, na verdade, um analista de caráter. Seus textos se propõem a revelar as segundas intenções, os sentimentos mesquinhos e as ações questionáveis das pessoas.

A agulha inicia a narrativa provocando a linha e causando uma discussão que gira em torno da superioridade de cada uma. A agulha fala de maneira irônica e provocadora, mas, no decorrer da discussão, a linha também mostra seus predicados e começa a zombar da agulha, dizendo que esta não é nem um pouco importante no trabalho de costura, pois não faz nada mais do que abrir o caminho.

o texto

> Podemos comparar a atitude da agulha com a de muitas pessoas no ambiente de trabalho, que tentam manipular um colega por meio de provocação. O manipulador impele à ação, exprimindo um juízo negativo a respeito da competência do manipulado, assim como a agulha fez com a linha desde o início do conto.

A linha, alvo das críticas, defende-se com argumentos verdadeiros, embora colocados de maneira egoísta. O desacordo de opiniões continua durante a confecção do vestido da baronesa e ambas tentam mostrar as qualidades que possuem: a importância, a superioridade e a independência. Estrategicamente, a linha resolve ficar quieta e realizar sua parte na tarefa de coser.

Finalmente, o vestido fica pronto e vai ser usado pela baronesa. Nessa hora, a linha deixa de lado seu silêncio e, de maneira arrogante e não menos superior, zomba da agulha, dizendo que é, sem dúvida, superior e mais importante, pois é ela quem vai ao baile "fazendo parte do vestido e da elegância". Ela, a linha, é quem vai usufruir os prazeres da festa e conhecer pessoas importantes.

Nesse momento, a linha passa a ser o manipulador e mostra isso com clareza à agulha ao descrever os pontos fracos da adversária e o desprezo com que será tratada depois do trabalho de costura: "enquanto você volta para a caixinha da costureira, antes de ir para o balaio das mucamas".

A linha se dirige à agulha de maneira tão prepotente e segura de si que a deixa sem resposta. A resposta vem de um alfinete, "de cabeça grande e não menor experiência", que a chama de tola por abrir caminho para a outra "gozar da vida" e lhe dá um conselho: "Faze como eu, que não abro caminho para ninguém. Onde me espetam, fico".

Além dos comentários sobre as intenções do autor ao escrever esse texto, é importante chamar a atenção para a elegância do estilo machadiano: frases curtas, emprego correto da pontuação, domínio da linguagem e objetividade. Nada nesse conto está fora do lugar ou é inadequado.

Convém ainda lembrar que, em uma narrativa, o narrador revela-nos a sua visão de mundo. No caso de "Um apólogo", o narrador, ao fazer o seu relato, deixa transparecer sua descrença e pessimismo quanto às relações entre os homens, sempre presididas pelos interesses e pelo jogo do poder.

2.2 Gêneros textuais

A palavra *gênero* sempre foi empregada com um sentido especificamente literário para identificar cada uma das modalidades clássicas – o lírico, o épico e o dramático – e modernas – como o romance, o conto, a novela e a fábula – de composição de um texto.

Mikhail Bakhtin*, no início do século XX, dedicou-se aos estudos da linguagem e da literatura. Foi o primeiro a empregar a palavra *gênero* com um sentido mais amplo, referindo-se também aos textos que utilizamos nas situações cotidianas de comunicação.

Ele chamou a atenção para o fato de que nos referimos aos textos que ouvimos ou lemos dizendo "Recebi um bilhete", "Alguém me contou uma ótima piada", "Você já redigiu a ata da reunião?", "Acabo de ler seu relatório" etc. Nós não dizemos que "lemos uma oração

---

* Mikhail Bakhtin nasceu em 1895, na Rússia, onde faleceu aos 80 anos. É considerado um dos maiores estudiosos da filosofia da linguagem, com contribuições à teoria literária, à teoria linguística, à antropologia e à psicologia.

o texto

coordenada" ou "um período composto", ainda que, na composição dos textos, utilizemos todos os tipos de orações.

Segundo Bakhtin, todos os textos que produzimos, orais ou escritos, apresentam um conjunto de características relativamente estáveis, tenhamos ou não consciência delas. Essas características configuram diferentes textos ou gêneros textuais. Veja alguns exemplos:

- Se desejamos contar a alguém uma experiência que vivemos, podemos escrever um relato pessoal.
- Se um jornal pretende contar a seus leitores os fatos mais importantes daquele dia ou do anterior, faz uso da notícia.
- Se desejamos expor oralmente um determinado conhecimento científico, fazemos uso de um seminário ou de uma conferência.
- Se o chefe de uma seção deseja compartilhar informações com todos os seus subordinados, ele envia um memorando; e assim por diante.

Assim, gêneros textuais são produzidos em resposta a situações sociais recorrentes e desempenham funções sociais que se definem por objetivos comunicativos, audiência, regularidades formais e conteúdos.

Por essa razão, entendemos o gênero textual como uma ferramenta, isto é, um instrumento que possibilita exercer uma ação linguística sobre a realidade. Assim, no plano da linguagem, o aprendizado dos diversos gêneros textuais que socialmente circulam entre nós, além de ampliar sobremaneira a nossa competência linguística e discursiva, aponta-nos inúmeras formas de participação social por meio da linguagem.

2.3
Como construir a textualidade

Leia o texto a seguir.

> Se ainda pairavam dúvidas quanto à verdadeira origem de Colombo, hoje pode-se dizer, sem sombra de dúvidas, que ele veio ao mundo na sua cidade natal, exatamente no dia de seu aniversário, que, aliás, era comemorado anualmente. Num ponto, todos os historiadores concordam: Colombo casou-se com sua mulher.
>
> Além de exímio navegador, Colombo era homem de várias habilidades e foi perito em tudo aquilo que de melhor fazia. Registros da época narram, com detalhes, que sua memória era tão fantástica que ele conseguia se lembrar nitidamente de tudo aquilo que não esquecia.

Fonte: Soares, 1992, p. 13.

Que problema esse texto apresenta?

( ) Erros gramaticais.
( ) Prolixidade.
( ) Falta de informatividade.

Você acertou se percebeu que Jô Soares faz uma crítica bem-humorada aos textos que falam, falam, mas nada informam. Como se diz por aí: só enchem linguiça! Nada, de fato, é dito sobre Cristóvão Colombo, famoso navegador italiano que chegou à América em 1492.

o texto

A informatividade é um dos fatores constitutivos da coerência textual. Não se deve depreender daí que ela só está presente nos textos eminentemente referenciais. Textos de qualquer natureza veiculam algum tipo de informação, desde os de comunicação diária, oral ou escrita, até aqueles com intenção estética, como os poéticos.

Se a informatividade do texto for muito baixa, o leitor pode desinteressar-se por ele, pelo fato de não encontrar nada de novo ou importante. Esse pode ser um dos problemas de quem escreve. É necessário que as produções apresentem um grau médio de informatividade, para que o texto não corra o risco de cair na obscuridade ou relatar o óbvio, como comprovamos pelo fragmento que abre este capítulo.

Um exemplo de informação óbvia é a o chamado *senso comum*. No senso comum, não existe uma análise profunda da informação. Refere-se à espontaneidade de um conhecimento que é passado de geração para geração. Geralmente, o senso comum é o que as pessoas usam no seu cotidiano, aquilo que é natural e fácil de entender e que elas pensam ser verdade. O senso comum é, assim, uma forma de compreensão de todas as coisas por meio do saber social, adquirido mediante experiências vividas ou informações ouvidas no cotidiano. Engloba costumes, hábitos, tradições, normas, éticas etc.

Veja alguns exemplos:

- *Não se deve abrir o forno quando o bolo está assando porque ele fica solado.*
- *Chá de camomila acalma.*
- *Chá de boldo cura problemas do fígado.*
- *Gatos de três cores são sempre fêmeas.*
- *Cortar os cabelos na Lua crescente faz com que cresçam mais rápido.*

Como nós aprendemos essas informações? Simples: elas foram sendo passadas de geração a geração e não as questionamos.

Lembrete

Às vezes, *senso comum* é confundido com *lugar-comum*, ideia cristalizada pelo uso, isto é, expressa sempre do mesmo modo. Exemplos:

- *Homem não chora.*
- *Quem espera sempre alcança.*
- *Devagar se vai ao longe.*
- *A pressa é inimiga da perfeição.*
- *A esperança é a última que morre.*

E o mais grave: nem sempre o lugar-comum expressa uma opinião adequada sobre o assunto, porque se cristalizou por meio de raciocínios preconceituosos, que refletem generalizações equivocadas, como vemos em:

- *O brasileiro é preguiçoso por natureza.*
- *Somos um povo sem preconceito racial.*
- *Mulher e volante não combinam.*
- *Favela é lugar de bandido.*
- *Todo político é corrupto.*

Assim, por exemplo, para que se construa um texto dissertativo que contenha informações relevantes ao leitor, é preciso pesquisar e confrontar diversas fontes sobre a mesma temática, a fim de que se apresentem argumentos suficientes para levar o leitor a compreender o raciocínio lógico do autor.

Observe a circularidade do raciocínio a seguir, construído sem fundamentação científica, no qual a violência é mostrada, de forma preconceituosa, como causa e consequência de si mesma:

o texto

"A violência urbana ocorre porque a maioria das pessoas das classes baixas não tem emprego e, por conta disso, elas não têm o que comer. Essa condição miserável faz com que roubem, assaltem, agridam, dando início à violência social".

Outro aspecto importante: textos que empregam termos técnicos podem acarretar dificuldades de compreensão ao leitor não familiarizado com esse tipo de linguagem. Comprove essa questão com a leitura do texto a seguir.

TEXTO EXTRAÍDO DE UMA PROPOSTA DE PESQUISA EM ECONOMIA DE ENERGIA

Nos últimos anos, as companhias de energia elétrica iniciaram um processo de revisão de suas estratégias empresariais. Esse processo é motivado pelo movimento de reestruturação da indústria de energia elétrica, o qual gera dois tipos de impacto: de um lado, abre espaços para o aumento da participação do capital privado nesta indústria; de outro lado, impõe a necessidade de adequação do quadro regulamentar. Essa reestruturação, embora ainda não tenha sido concluída no contexto brasileiro, altera radicalmente as estratégias das empresas. A complexidade do novo contexto é ainda maior porque envolve a internacionalização das empresas elétricas. Em outras palavras, o novo ambiente econômico da indústria elétrica exige a redefinição das estratégias e da gestão das empresas em condições de incerteza e em regime competitivo. Neste contexto, os riscos econômicos associados ao negócio elétrico aparecem de forma distinta do tradicional regime em monopólio regulado pelo custo de serviço.

Fonte: Informatividade, 2012.

Nesse texto, expressões como *quadro regulamentar, ambiente econômico, internacionalização, regime competitivo, custo do serviço*, *condições de incerteza, redefinição de estratégias*, que são próprias da linguagem dos economistas, exigem do leitor não familiarizado com o tema um conhecimento prévio de alguns conceitos de economia de energia para ser capaz de entender e avaliar o que está sendo proposto pelos autores do projeto.

Leia o parágrafo a seguir para continuarmos o estudo sobre textualidade.

> João Carlos vivia em uma pequena casa construída no alto de uma colina, cuja frente dava para leste. Desde o pé da colina se espalhava em todas as direções, até o horizonte, uma planície coberta de areia. Na noite em que completava 30 anos, João, sentado nos degraus da escada colocada à frente de sua casa, olhava o sol poente e observava como a sua sombra ia diminuindo no caminho coberto de grama. De repente, viu um cavalo que descia para a sua casa. As árvores e as folhagens não lhe permitiam ver distintamente; entretanto observou que o cavalo era manco. Ao olhar de mais perto verificou que o visitante era seu filho Guilherme, que há 20 anos tinha partido para alistar-se no exército, e, em todo esse tempo, não havia dado sinal de vida. Guilherme, ao ver seu pai, desmontou imediatamente, correu até ele, lançando-se nos seus braços e começando a chorar.

Fonte: Kato, citada por Koch; Travaglia, 1995, p. 32-33.

Que problema esse texto apresenta?

( ) Falta de coerência.
( ) Falta de informatividade.
( ) Erros gramaticais.

Você acertou se percebeu que o problema é a falta de coerência, isto é, de sentido lógico, pois há muitas informações que se contradizem e geram incoerência. Vamos identificá-las:

o texto

- João Carlos tem 30 anos e um filho que estava ausente há 20 anos. Soma-se a isso o fato de o rapaz ter saído de casa para se alistar no Exército, o que normalmente ocorre quando o jovem faz 18 anos. Portanto, o filho teria em torno de 38 anos. Oito anos a mais que o pai!
- A frente da casa dá para o leste, isto é, para o lado em que o Sol nasce. Portanto, não seria possível ficar sentado ali, apreciando o pôr do sol.
- Desde o pé da colina, espalhava-se uma planície coberta de areia. Por essa razão, o caminho não poderia estar coberto de grama nem poderiam existir árvores e folhagens.
- De repente, João Carlos viu um cavalo que descia em direção a sua casa. Como é possível ao cavalo descer, se João mora no alto da colina?
- As árvores e as folhagens não permitiam uma visão nítida, mas ainda assim João Carlos conseguiu perceber que o cavalo mancava.

Nesse mesmo sentido, veja outra frase: "Os doentes com a hemodiálise, de menor custo, poderiam ter mantida a vida pelo instituto que atende a doentes incuráveis". Muito confusa, não é? Faltou organizar as ideias para estabelecer o sentido lógico; faltou coerência.

De acordo com os textos que acabamos de analisar, podemos chegar à conclusão de que a coerência textual é a organização lógica das ideias. Significa "conexão", isto é, união estreita entre as várias partes, relação entre ideias que se harmonizam, ausência de contradição. É a coerência que distingue um texto de um aglomerado de frases.

Leia agora o texto a seguir.

O presidente fazia sua décima visita a países da Europa. O Ministério e o Congresso tramavam a sua derrubada. Em dois anos de governo, graves questões sociais não foram priorizadas. O Judiciário não apoiava os revoltosos. Os revoltosos contavam com o apoio do povo. O povo temia ser prejudicado pela crise.

Você certamente entendeu a mensagem. No entanto, deve ter observado que as frases não apresentam conexão gramatical entre si. As ideias estão soltas, fato que "infantiliza" o texto. Também não houve o cuidado de evitar a repetição de palavras.

Há um problema com esse texto. Qual?

( ) Falta de coerência.
( ) Falta de coesão.
( ) Falta de informatividade.

Você acertou se percebeu que o problema é de coesão.

Com a leitura desse texto, podemos concluir que coesão textual são as conexões gramaticais existentes entre palavras, frases e parágrafos. É a amarração bem-feita entre as partes do texto. Por *coesão*, entende-se ligação, relação, nexo entre os elementos que compõem a estrutura textual.

Conforme os professores Savioli e Fiorin (2006, p. 366) ensinam, "num texto, certos elementos comparam-se aos fios que costuram entre si as partes de uma vestimenta. Cortados esses fios, o que sobra são simples pedaços de pano".

Em *Redação e textualidade*, a professora Maria da Graça Costa Val (1999, p. 6) sintetiza: "A coesão é a manifestação da coerência [...] e constrói-se por meio de mecanismos gramaticais e lexicais".

o texto

Leia agora o seguinte texto:

> Enquanto o presidente fazia sua décima visita a países da Europa, o Ministério e o Congresso tramavam a sua derrubada, porque, em dois anos de governo, graves questões sociais não foram priorizadas. O Judiciário não apoiava os revoltosos; entretanto, eles contavam com o apoio do povo, que temia ser prejudicado pela crise.

Perceba como a presença de conectores (conjunções e pronome relativo) e o uso do pronome pessoal estabeleceu relações entre as ideias:

- A conjunção *enquanto* estabeleceu uma relação de simultaneidade temporal entre a visita do presidente à Europa e o planejamento do golpe pelo Ministério e pelo Congresso.
- A conjunção *porque* introduz a causa da insatisfação do Ministério e do Congresso.
- O pronome relativo *que* une duas orações e, ao mesmo tempo, substitui a palavra *povo*, sujeito da ação expressa pelo verbo *temer*.
- O pronome pessoal *eles* substitui o termo *revoltosos*, que, assim, não precisa ser repetido.

Um texto incoerente é aquele que carece de sentido ou o apresenta de forma contraditória. Muitas vezes, essa incoerência é resultado do mau uso dos elementos de coesão textual. Na organização de períodos e parágrafos, um erro no emprego dos mecanismos gramaticais e lexicais prejudica o entendimento do texto. Contudo, se construído com os elementos corretos, confere-se a ele uma unidade formal.

Nas palavras do professor Evanildo Bechara (1986), "o enunciado não se constrói com um amontoado de palavras e orações. Elas se organizam segundo princípios gerais de dependência e independência sintática e semântica, recobertos por unidades melódicas e rítmicas que sedimentam estes princípios".

Assim, a coerência das ideias e a coesão dos elementos do texto constroem a textualidade*.

> Coerência + Coesão = Textualidade

2.4
Mecanismos de coesão textual

Na construção de um texto, usamos mecanismos para permitir ao interlocutor a compreensão do que ele lê ou ouve.

Esses mecanismos linguísticos, que estabelecem a conectividade e a retomada do que foi escrito/dito, são recursos de coesão textual e são fundamentais para que haja coerência, não só entre os elementos que compõem a oração como também entre a sequência de orações dentro do texto.

A coesão dos elementos de um texto pode ser obtida de duas maneiras, explicadas na sequência.

2.4.1
Coesão obtida pelo uso de elementos gramaticais

1 Pronomes pessoais
   - *Ganhei um chocolate, mas guardei-o para depois do jantar.*

---

* Os livros da linguista Ingedore Villaça Koch são ótimos para você compreender esse assunto.

o texto

2 Pronomes demonstrativos

- *Flamengo e Corinthians jogaram no último domingo. Este contou com a presença de sua enorme torcida.*

3 Pronomes relativos

- *Concluí a pesquisa que me foi solicitada semana passada.*

Nesse caso, há duas orações que se uniram pelo pronome relativo: "Concluí a pesquisa" e "A pesquisa me foi solicitada semana passada".

O pronome relativo, além de unir as duas orações, ainda substituiu na segunda oração a palavra repetida.

Você vai encontrar no Capítulo 6 outras informações sobre os pronomes relativos.

4 Conectivos: conjunções e preposições

- *A secretária vai lembrá-lo da reunião da próxima sexta-feira, caso seja necessário.* (A conjunção *caso* uniu as duas orações e estabeleceu entre elas o sentido de condição.)
- *Ele veio de avião para Curitiba.* (As preposições em destaque unem palavras enquanto estabelecem relações entre estas.)

Neste último caso, *de* indica o meio de transporte pelo qual ele veio; *para* indica o lugar para onde ele foi.

Vamos recordar, rapidamente, o que é uma conjunção*.
Conjunção é a palavra que tem a função de unir:

1 Dois elementos linguísticos da mesma classe gramatical:

---

* Veja no anexo, após o último capítulo, a relação completa das conjunções e dos sentidos que elas apresentam.

- Ana estava triste *e* abatida.
- Joana sempre se mostra cansada *ou* aborrecida.

2. Duas orações autônomas, independentes, coordenadas:
- Luís apresentou os problemas, *mas* não sugeriu solução.
- Não corra tanto, *porque* a vida não exige pressa.

3. Duas orações interligadas, isto é, uma é a principal e a outra é a sua subordinada. A oração subordinada não tem vida própria, ela exerce uma função sintática da oração principal. Observe:
- Marcelo disse (o quê?) *que a situação estava resolvida.*

Toda a oração é objeto direto da anterior. Observe:
- Vamos todos ao cinema, *logo que* meu pai chegar. (Essa oração funciona como adjunto adverbial de tempo da anterior.)

As conjunções estabelecem relações de sentido, com exceção das conjunções integrantes *que* e *se*. Observe:

- *Se* chover, não iremos à natação. (sentido de condição)
- As pessoas estudam *para que* possam progredir na vida. (sentido de finalidade)
- Eu ia lhe telefonar, *mas* desisti. (sentido de oposição, ideia contrária)
- Sou um jovem inteligente; *portanto*, estou capacitado para esse cargo. (sentido de conclusão)
- A dor do acidentado era tanta *que* ele desmaiou. (sentido de consequência)
- Paulo estuda *ou* trabalha em Brasília. (sentido de opção, de escolha)
- Paulo estuda *e* trabalha em Brasília. (sentido de adição, de acréscimo)

o texto

5 Advérbios e expressões adverbiais

- *Gosto de passar meus fins de semana no sítio. Lá estou perto da natureza.*
- *Sairemos de madrugada, porque a essa hora o trânsito não é intenso.*

2.4.2
Coesão obtida por meio de palavras ou expressões do mesmo campo semântico

Leia o fragmento de texto a seguir.

Não consigo reproduzir toda a cena. Juntando vagas lembranças dela a fatos que se deram depois, imagino os berros de meu pai, a zanga terrível, a minha tremura infeliz. Provavelmente fui sacudido. O assombro gelava-me o sangue, escancarava-me os olhos.

Onde estava o cinturão? Impossível responder. Ainda que tivesse escondido o infame objeto, emudeceria, tão apavorado me achava. Situações desse gênero constituíram as maiores torturas da minha infância, e as consequências delas me acompanharam.

O homem não me perguntava se eu tinha guardado a miserável correia: ordenava que a entregasse imediatamente. Os seus gritos me entravam na cabeça, nunca ninguém se esgoelou de semelhante maneira.

Onde estava o cinturão? Hoje não posso ouvir uma pessoa falar alto. O coração bate-me forte, desanima, como se fosse parar, a voz emperra, a vista escurece, uma cólera doida agita coisas adormecidas cá dentro. A horrível sensação de que furam os tímpanos com pontas de ferro.

Onde estava o cinturão? A pergunta repisada ficou-me na lembrança: parece que foi pregada a martelo. [...]

> Havia uma neblina, e não percebi direito os movimentos de meu pai. Não o vi aproximar-se do torno e pegar o chicote. A mão cabeluda prendeu-me, arrastou-me para o meio da sala, a folha de couro fustigou-me as costas. Uivos, alarido geral, estertor. Já então eu devia saber que rogos e adulações exasperavam o algoz.

Fonte: Ramos, 1980, p. 34.

O fragmento lido contém um relato em que o narrador-personagem, embora não consiga reproduzir toda a cena, desenvolve um tema central em que enfatiza as consequências maléficas de sua condição de vítima da cólera de seu pai.

Para criar um texto coeso e evitar repetições desnecessárias e enfadonhas, o enunciador se vale da sinonímia – palavras ou expressões de sentido equivalente ou próximo –, com a qual recupera termos anteriormente explicitados, acrescentando-lhes novos significados. Confira:

- Ao se referir ao pai, o narrador empregou os termos *homem* e *algoz*.
- Veja como esses termos, ao mesmo tempo que substituem o termo anterior, ampliam o sentimento de desprezo do filho pela atitude severa do pai.
- A palavra *cinturão* também aparece substituída por expressões que criam uma progressão ascendente: *infame objeto*, *miserável correia*.
- Para não repetir a palavra *chicote*, o autor empregou a expressão *folha de couro*.

o texto

Verifique seu aprendizado

1. (Unama-AM)*

   Lutar com palavras
   É a luta mais vã
   Entanto lutamos
   Mal rompe a manhã.
   [...]
   (Andrade, 1987)

   A coesão sequencial se tece nessa estrofe por meio dos termos em destaque. Esses coesivos introduzem no texto ideias que expressam, respectivamente:
   a) oposição e tempo.
   b) consequência e proporção.
   c) causa e consequência.
   d) finalidade e comparação.
   e) consequência e causa.

2. (UFMA-MA)** Leia com atenção:
   I. João joga futebol todos os dias no clube. Pedro faz o mesmo.
   II. Decidi devolver o dinheiro, mas somente o farei por consideração à Luísa.
   III. Marta se parece com o pai. Douglas faz o mesmo.
   IV. O sobrinho de Antônio está na 3ª série do Ensino Médio. José faz a mesma.

---

* Questão citada por Ferreira (1992, p. 182).
** Questão citada por Ferreira (1992, p. 182).

Da análise dos exemplos anteriores, é possível concluir que:
a) somente as frases em I apresentam coesão entre si.
b) somente as frases em II apresentam coesão entre si.
c) somente as frases em III não apresentam nenhuma coesão.
d) todas as frases da questão apresentam coesão entre si.
e) somente as frases em I e II apresentam coesão entre si.

3. Assinale o item em que a presença do elemento coesivo tornou incoerente o texto:
a) Visitei um palácio em Roma cuja escadaria era de mármore róseo.
b) À proporção que subíamos a montanha, a temperatura ficava mais agradável.
c) Embora tenha chovido bastante, não saíamos de casa.
d) Como estava muito apressado, não parou para conversar comigo.
e) A pressa do rapaz era tamanha que me deixou falando sozinho.

Leia o texto a seguir para responder às questões 4, 5 e 6.

O AVIÃO QUE CAIU CENTENAS DE VEZES

No mundo real, de aço, tijolo e gente, o avião da TAM caiu uma vez só. Foi em São Paulo, no aeroporto de Congonhas. Mas na televisão, pelas telas do Brasil inteiro, o mesmo avião se destroçou centenas de vezes. Reconstituições animadas, chamas em câmara lenta, tudo se fez para prolongar o horror. Por que é que tem de ser assim?

o texto

Existe a resposta cínica: É notícia, um desastre com tais proporções merece todo o destaque nos meios de comunicação. Sem cinismo, a resposta não seria tão fácil. Que é notícia ninguém há de negar. Que os cidadãos devem ser informados sobre cada detalhe, também não se contesta. Mas o festival ininterrupto que perpetua o desastre na televisão não tem nada a ver com informação ou notícia. É show. Soa mórbido, mas é isso mesmo; como o desfile das escolas de samba ou as Olimpíadas, as catástrofes se convertem em show de TV, com a diferença de que o Carnaval e as Olimpíadas são shows um pouco menos apelativos.

A TV tem na informação jornalística um produto secundário. Seu negócio fundamental é o entretenimento. Daí a vocação para o espetáculo, o apelo à emoção. Mesmo os documentários não podem fugir à obrigação de emocionar. É o critério da emoção que faz com que imagens que já não informam nada de novo sejam repetidas sem parar. O gol de placa tem *replays* ao longo da semana.

A trombada que matou Ayrton Senna também. O objetivo é fazer durar a emoção. Por isso, na televisão, as tragédias não acontecem simplesmente: elas ficam acontecendo, num gerúndio interminável que não é o tempo dos fatos, mas o tempo das sensações. Diante das chamas, dos corpos no chão, o telespectador se deixa aprisionar, ou melhor, se deixa entreter, atraído por aquilo tudo.

Fonte: Bucci, 2013.

4. Indique a única palavra, entre as alternativas, que não funciona no texto como um elemento de coesão das ideias:
   a) tudo (1º parágrafo).
   b) daí (3º parágrafo).
   c) tão (2º parágrafo).
   d) também (3º parágrafo).
   e) seu (3º parágrafo).

5. Em "Mas o festival ininterrupto que perpetua o desastre [...]", a palavra em destaque confere à frase sentido:
   a) de adição.
   b) de conclusão.
   c) de explicação.
   d) de concessão.
   e) de oposição.

6. A coerência do texto se constrói por meio da oposição:

   Fato: o avião da TAM caiu no aeroporto de Congonhas, em São Paulo, apenas uma vez só.
   ×
   Show: o avião da TAM caiu no aeroporto de Congonhas, em São Paulo, centenas de vezes.

   Identifique o par de palavras que não corresponde a essa oposição:
   a) Fato: desastre; *show*: reconstituições animadas.
   b) Fato: notícia; *show*: festival ininterrupto.
   c) Fato: chamas em câmera lenta; *show*: apelo à emoção.
   d) Fato: avião destroçado; *show*: imagens apelativas.
   e) Fato: sociedade informada; *show*: sociedade sensibilizada.

o texto

2.5
Qualidades de um texto

O jornal *Folha de S. Paulo* publicou, há anos, o seguinte anúncio:

> O insuperável e insuspeito jornal *Folha de São Paulo*, através de sua edição de domingo, Folhão, em mais um dos seus grandiosos gestos, dignos dos maiores encômios*, lança mais um benefício para você, ilustríssimo aficionado do fabuloso anúncio classificado. Trata-se de uma ideia clara, objetiva, desprovida de retórica, onde, por apenas [...] [R$ 2,00] esta quantia ínfima, irrisória, de somenos importância, sim, por tão somente [...] [R$ 2,00] reais por palavra você anuncia confortavelmente pelo telefone de número 222-4000, aproveitando a eficiência deste órgão da nossa imprensa, que tanto orgulho tem dado a nós [...].

Fonte: O insuperável..., 1992.

Você gostou da maneira como o texto foi redigido?

Achou que há palavras demais para passar uma simples informação?

Na verdade, esse texto é uma brincadeira. Trata-se de uma propaganda propositalmente mal redigida para apontar os erros mais comuns que interferem na qualidade de um texto. De imediato, percebemos que faltou objetividade ao passar a informação. Há adjetivos em demasia (*insuperável, insuspeito, ilustríssimo, fabuloso, clara, objetiva, desprovida, ínfima* etc.), o que torna o texto prolixo e confuso.

Uma das possíveis redações para ele pode ser:

> Por apenas R$ 2,00 a palavra, você anuncia pelo telefone 222-4000, aos domingos, na *Folha de São Paulo*.

---

* Encômios: elogios.

Portanto, antes de escrever, tenha em mente que seu texto para o mercado corporativo necessita ser moderno quanto ao estilo e quanto à linguagem, a fim de que se torne mais direto e claro.

Todos os responsáveis pela produção textual de uma empresa precisam levar em conta que, além dos erros de coerência e coesão, textos mal redigidos também conseguem:
- fazer com que o leitor se desinteresse pelo que lê;
- abrir caminho para outra interpretação do que está escrito;
- enfraquecer as lideranças, pois, se frequentemente são redigidos de modo confuso, põem em risco a credibilidade do líder;
- aumentar a valorização do texto oral, já que, por meio dele, todos se entendem. É uma conduta perigosa para uma empresa, porque acordos, pedidos, prestações de contas, informes etc., quando feitos oralmente, abrem espaço para a postura do "dito pelo não dito";
- desagregar a equipe, porque, sem comunicação escrita, o grupo enfraquece no que diz respeito à coesão.

Antes, o texto empresarial sofria a influência do discurso político. Por isso, as mensagens eram muito prolixas. Entretanto, a modernização imposta aos meios de comunicação obrigou o emissor a construir textos sem subterfúgios, sem excesso de palavras ou de ideias.

Até este ponto, falamos apenas do ato de escrever. Mas, se pensarmos um pouco mais, veremos que a leitura é algo mais presente em nossa vida do que a escrita. Nesse sentido, é natural sermos mais "leitores" do que "autores". Escrevem aqueles que, por contingências profissionais, veem-se obrigados a fazê-lo. Supostamente, todos os letrados leem! Já foi dito que "quem não lê mal fala e mal escreve".

o texto

É claro que aqui nos referimos à inexistência do hábito da leitura, e não ao fato de a pessoa ter aprendido a ler.

Ser um bom leitor implica:
- identificar e selecionar elementos relevantes no texto;
- organizar suas ideias em relação ao que leu;
- relacionar as informações recebidas pela leitura com outras de que dispõe;
- demonstrar capacidade para interpretar os fatos e dados apresentados;
- elaborar hipóteses explicativas para fundamentar sua análise das questões abordadas no texto.

Qualquer leitor deve ser capaz de fazer tudo o que foi citado anteriormente, porque, na verdade, a leitura de um texto exige elaboração e reelaboração constantes. Ao refletir novamente sobre os itens apontados, você verá que eles aludem às mesmas competências necessárias à escrita de um texto. É um círculo, uma cadeia de comportamentos que nunca se desassociam.

De posse dessas competências, podemos afirmar que ser um bom escritor implica:
- identificar e selecionar informações relevantes para registrar no texto;
- organizar as ideias acerca do assunto antes de escrevê-las;
- relacionar as informações que pretende transmitir a outras de que dispõe;
- demonstrar capacidade para apresentar fatos e dados;
- elaborar uma sólida argumentação para fundamentar sua análise das questões enfocadas em seu texto.

Você concorda? Pense nisso!

o texto

2.5.1
Objetividade

Ser objetivo é dizer apenas o que precisa ser dito. A objetividade textual se traduz mediante o uso de linguagem direta, sem rodeios ou preciosismos*. Hoje, há a predominância da ordem direta; não se recomenda o uso de parágrafos longos com excessivos entrelaçamentos de incidentes e orações subordinadas, que possam causar dificuldades à análise e ao entendimento do interlocutor.

Veja um exemplo de preciosismo:

> O povoado novo surgia [...] desdobrado pelos cômoros, atulhando as canhadas, revolto nos pendores.

Fonte: Cunha, 2003, p. 242.

O que o autor está dizendo acerca do povoado? É muito difícil ao leitor desacostumado a essa linguagem literária entendê-lo.

Veja agora:

> O povoado novo surgia, subindo pelos morros, entulhando as baixadas, ocupando de forma desordenada os aclives e declives do terreno.

Bem mais fácil, não é?

A seguir, apresentamos um exemplo de texto objetivo.

---

* Entende-se por *preciosismo*, segundo o *Dicionário Houaiss da língua portuguesa* (Houaiss; Villar, 2009), "o uso de palavras incomuns; a afetação exagerada; a falta de naturalidade".

Modelo de Ordem de Serviço[**]

(papel timbrado)
Serviço Público Federal
MINISTÉRIO DOS TRANSPORTES
DEPARTAMENTO DE SERVIÇOS GERAIS
ORDEM DE SERVIÇO Nº _____ , DE _____ / _____ / _____

O Diretor do Departamento de Serviços Gerais deste Ministério, no uso de suas atribuições, resolve:

Fica estabelecido prazo de 30 (trinta dias) corridos, contados a partir de hoje, 15 de fevereiro de 20__, para o Setor de Licitações e Fiscalização de Obras deste Departamento receber propostas de licitação para o serviço de contenção de encostas em trecho interditado da rodovia BR-116, entre os quilômetros 45 e 47, 95 e 96, no município de Laranjal, Estado da Bahia.

Brasília, _____ / _____ / _____

_____
(Assinatura e nome do diretor)

O texto é curto e direto. No segundo parágrafo, são apresentados o prazo para o recebimento de licitações e o motivo que levou a Direção a adotar essa medida. Note que o autor do texto não deixou de lado a objetividade para, por exemplo, explicitar o histórico dos problemas causados pelas chuvas naquela região.

[**] Ordem de serviço é o ato administrativo de um titular de órgão público ou privado que tem por objetivo, no âmbito interno da instituição ou da empresa, estabelecer procedimentos para a execução de serviços, orientar comandos de ação e fixar normas para o cumprimento de tarefas.

o texto

2.5.2
Clareza

Ser claro é procurar a expressão certa e dizê-la na ordem exata. A clareza facilita a percepção rápida das ideias expostas no texto. Recomendam-se, portanto, o uso de períodos curtos, a ordem direta, a parcimônia na adjetivação, a ausência de ambiguidade (duplicidade de interpretações), rodeios (circunlóquios), redundâncias e digressões*, recursos que desviam a atenção do receptor sobre o que é essencial.

Evite também termos estrangeiros de toda espécie e o excesso de conjunções. É indispensável a releitura de todo o texto redigido, pois o que parece óbvio para você pode ser desconhecido por terceiros. O domínio que se adquire sobre certos assuntos, em decorrência da experiência profissional, muitas vezes faz com que estes sejam considerados de conhecimento geral, o que nem sempre é verdade. Explicite, esclareça, precise os termos técnicos e os conceitos específicos que não podem ser dispensados.

Veja, a seguir, três situações em que a clareza não está presente.

1 A associação inadequada de determinadas palavras resulta na repetição da mesma ideia.

> O Governo do Estado, por meio de planejamento antecipado, decidiu verificar todos os sintomas indicativos de fraude na Previdência. Cada um, isoladamente, dos casos será analisado.

- *Planejamento* já é uma antecipação do que se pretende executar.
- Todo sintoma já é indicativo, já é um sinal.
- A locução *cada um* traz o conceito de unidade.

---

* Digressão: desvio do assunto, divagação.

2. A presença de ambiguidade compromete a compreensão da informação.

Em um depoimento perante o júri, o juiz solicitou à testemunha que repetisse o que havia dito, porque a informação, do modo como foi passada, não estava clara. A testemunha dissera:

— Eu vi o acidente da ponte.

A questão levantada pelo juiz foi:

- A testemunha estava na ponte quando o acidente ocorreu, tendo, portanto, visto de perto esse acontecimento?
  ou
- A testemunha estava em outro lugar e de lá viu o acidente ocorrido na ponte?

Em propaganda de seus produtos, veiculada em revistas a partir do segundo semestre de 2011, uma empresa do ramo alimentício informava:

Açúcar
Os néctares de frutas tiveram redução de açúcar adicionado há mais de um ano.

Veja a presença de ambiguidade causada pelo último segmento "há mais de um ano". Duas interpretações são possíveis:

- Há mais de um ano, a adição de açúcar aos néctares de frutas foi reduzida.
  ou
- Houve redução do açúcar que havia sido adicionado há mais de um ano aos néctares de frutas.

o texto

Lembrete

Ambiguidade como recurso estilístico

Em certos casos, a ambiguidade pode se transformar num importante recurso estilístico na construção de sentidos do texto.

Os textos literários e os publicitários, de maneira geral, apresentam palavras e expressões em sentido figurado. Nesse caso, pode haver emprego deliberado da ambiguidade, com a intenção de chamar a atenção do leitor para a mensagem.

Veja:

- *Sempre presentes: Relógios Horloge*

O *slogan* "Sempre presentes" pode apresentar duas leituras possíveis:

- Os relógios da marca Horloge são uma boa opção para presentear alguém.

  ou

- Os relógios Horloge estão sempre presentes em qualquer ocasião.

3 O uso de períodos longos e de termos técnicos dificulta a interpretação.
Veja o texto a seguir.

Por tudo o que restou até aqui exposto, considerada a legislação tributária de regência, e tendo em vista o atual panorama da jurisprudência aplicável à hipótese em foco, fica claro que a embargante realmente merece ver inteiramente cancelada, nesses autos de embargos contra execução fiscal, a insustentável e inaceitável exigência de ICMS objeto da malsinada CDA aqui guerreada pela empresa.

Fonte: Fonseca, 2010.

Expressões como *embargante, malsinada, guerreada* confundem o leitor e a estrutura da frase, na qual se observam várias orações intercaladas, o que compromete a clareza das ideias. Bastava dizer:

Por conta de todos os argumentos apresentados, a cobrança de ICMS é improcedente.

2.5.3
Concisão

A concisão é antes uma qualidade do que uma característica do texto oficial. Conciso é o texto que consegue transmitir um máximo de informação com um mínimo de palavras. Para que você redija com essa qualidade, é fundamental que tenha, além de conhecimento do assunto sobre o qual escreve, o necessário tempo para revisar o texto depois de pronto.

Não devemos, de forma alguma, entender a concisão como "economia de pensamentos", isto é, eliminação de passagens substanciais do texto no afã de reduzi-lo em tamanho. Vamos somente cortar palavras inúteis e passagens que nada acrescentam ao que já foi dito.

A todo assunto estão relacionadas ideias primárias e secundárias. O texto conciso só apresenta as ideias relevantes, isto é, as principais,

o texto

porque as informações supérfluas desviam a atenção do receptor no que diz respeito ao foco do assunto tratado.

Observe o uso da concisão na propaganda da CAIXA, veiculada nas principais revistas informativas do país a partir do primeiro semestre de 2012:

> A AMAZÔNIA PEDIU MAIS INCLUSÃO.
> A CAIXA CRIOU A AGÊNCIA-BARCO.
> E O BRASIL GANHOU.

Fonte: NOVA/SB, 2012.

Acompanha o texto a foto de um barco, transformado em agência bancária, criado para levar os serviços da CAIXA às populações ribeirinhas da Região Amazônica.

Agora, imagine se a propaganda estivesse redigida assim:

> A Região Amazônica é atravessada pela enorme bacia hidrográfica do rio Amazonas e seus afluentes. São quilômetros de rios que a população ribeirinha, afastada do convívio urbano, precisa enfrentar até chegar a uma agência bancária. Por isso, a CAIXA, uma empresa de grande credibilidade, criou a agência-barco, capaz de prestar atendimento à população dessas áreas distantes do Brasil. Sempre que alguém desenvolve um projeto de inclusão social, o Brasil sai ganhando.

Tudo isso foi dito no texto da propaganda, mas de forma concisa, para atrair os leitores. Somente as informações essenciais foram passadas.

Um ótimo exemplo de concisão pode ser encontrado também na redação de receitas culinárias rápidas.

Leia agora o miniconto da autora Fernanda Storti*:

AÇUCARA

A pesada xícara de esmalte sobre a mesa. Ferve a água que derrama no fogão. O pano sobre a estrutura de ferro filtra o líquido que escorre macio, marrom, amargo feito mês de agosto.

E não demora, sobe aquele aroma, é o cheiro das tardes da infância. O paladar bem sabe, logo virá o café. Mas antes, o "açucara" diz meu pai. É o doce que lhe falta na maneira bruta de lidar com as coisas que ele compensa enchendo o bule com açúcar. E faz o café mais doce que já tomei, me adoçando até a alma – não o tomo por todo, resto. Me sustento sustentando o amor incondicional de família.

Fonte: Storti, 2013.

Observe:

A concisão desse texto não compromete a estrutura narrativa porque nele estão presentes os elementos essenciais de uma narração:

- Narrador-personagem, cuja presença se confirma pelo uso de verbos e pronomes em 1ª pessoa: "meu pai", "já tomei", "me adoçando", "não o tomo", "me sustento".
- Sequência de ações que confere dinamismo ao texto: "ferve a água", "o pano filtra o líquido", "[o líquido] escorre macio...", "o açúcara, diz meu pai" etc.
- Espaço: a cozinha da família - "a água que derrama no fogão".
- Tempo: "é o cheiro das tardes da infância". Note que o narrador não se refere diretamente ao tempo cronológico, mas o faz por

---

* Fernanda Storti nasceu em Curitiba, em 1987. É professora de Língua Portuguesa e escritora.

o texto

meio da memória olfativa quando informa que o cheiro desse café recém-coado é o mesmo que se podia sentir na infância.

Além disso, a compreensão das ideias também não é comprometida, pois é possível inferir que:

- o narrador é um adulto sensível e saudoso;
- a relação do narrador com o pai era de respeito e de algum ressentimento, claramente expresso em "amargo feito o mês de agosto", "é o doce que lhe falta na maneira bruta de lidar com as coisas" e "me adoçando até a alma";
- a memória sensorial – olfativa e gustativa – é o fio condutor da cena. Não fosse o café coado, exalando aromas que acionaram a memória pregressa, não haveria razão para a escrita desse conto. A atmosfera emocional não verbalizada e escondida nas entrelinhas e nas sutilezas é a responsável pela carga dramática do texto.

Verifique seu aprendizado

O texto seguinte* faz parte de uma coletânea de redações de vestibular compiladas no livro *Redação e textualidade*, de Maria da Graça Costa Val. O tema fornecido aos alunos foi *violência*.

O HOMEM COMO FRUTO DO MEIO

O homem é produto do meio social em que vive. Somos todos iguais e não nascemos com o destino traçado para fazer o bem ou o mau.

---

* Os erros gramaticais cometidos pelo aluno não foram corrigidos. Nosso interesse nesse texto diz respeito aos problemas relativos à coerência e à coesão.

O desemprego, pode ser considerado a principal causa de tanta violência. A falta de condições do indivíduo em alimentar a si próprio e sua família.

Portanto é coerente dizer, mais emprego, menos criminalidade. Um emprego com salário, que no mínimo suprisse o que é considerado de primeira necessidade, porque os subempregos, esses, não resolvem o problema.
Trabalho não seria a solução, mas teria que ser a primeira providência a ser tomada.

Existem vários outros fatores que influenciam no problema como exemplo, a educação, a falta de carinho, essas crianças simplesmente nascem, como que por acaso, e são jogadas no mundo, tornando-se assim pessoas revoltadas e agressivas.

A solução é a longo prazo, é cuidando das crianças, mostrando a elas a escala de valores que deve ser seguida.

E isso vai depender de uma conscientização de todos nós.

Fonte: Costa Val, 1999, p. 60-61.

1. Leia o título da redação e a primeira frase. Você pode afirmar que a ideia lançada por eles é retomada com clareza ao longo do texto? Por quê?

2. Veja agora a segunda frase: "Somos todos iguais e não nascemos com o destino traçado para fazer o bem ou o mau". Você considera que essa afirmação é coerente com a tese que inicia o parágrafo? Por quê?

3. O aluno fez uso de três argumentos para justificar a criminalidade. Aponte-os.

o texto

4. Que afirmação o autor do texto faz no terceiro parágrafo? E no quarto parágrafo?

5. Comparando suas respostas à questão 4, responda: Você considera coerentes essas afirmações do aluno? Por quê?

6. Identifique, no segundo parágrafo, a presença de dois erros de coesão, explicitando-os.

7. Qual é o nexo de coesão que o aluno utiliza para iniciar o terceiro parágrafo? Que problema esse emprego traz para o parágrafo?

8. No quinto parágrafo, há outros erros, entre os quais destacamos o seguinte: "Existem vários outros fatores que influenciam no problema como [...]". Não sabemos identificar com clareza a que problema se refere o texto. Considerando as informações dos parágrafos anteriores, podemos pensar em mais de uma possibilidade. Quais são elas?

9. Finalmente, observe os dois últimos parágrafos, em que se pretende apresentar a conclusão. A que conclusão o autor chega? Essa conclusão está de acordo com a tese proposta no primeiro parágrafo? Por quê?

10. Reescreva as frases a seguir eliminando as ambiguidades:
    a) Crianças que recebem leite materno frequentemente são mais sábias.
    b) Encontrei minha mãe em seu quarto.
    c) O professor falou com o aluno parado na sala.

d) O policial cercou o ladrão do banco na rua Presidente Roosevelt.
e) O senador participou da reunião ministerial com o presidente no Palácio do Planalto, na qual ele voltou a pedir unidade no governo.

Neste capítulo, quando mostramos os mecanismos de coesão textual, apresentamos como exemplo o uso de palavras sinônimas e antônimas. Você se lembra?

Agora, vamos ver mais dois tipos de relações semânticas que podem ser estabelecidas entre as palavras: homonímia e paronímia.

Homônimos

São palavras que apresentam identidade (isto é, são iguais) na grafia e/ou na pronúncia, mas apresentam significação diferente.

- *aço* = substantivo (liga de metais).
  asso = verbo *assar*.
- *apoio* = substantivo (amparo, auxílio), pronúncia fechada do *o* tônico.
  apoio = verbo *apoiar*, pronúncia aberta do *o* tônico.
- *ás* = substantivo (pessoa que se destaca em uma atividade).
  às = contração da preposição *a* com o artigo definido *as*.
  as = artigo definido.
- *acender* = verbo (pôr fogo).
  ascender = verbo (subir).
- *apreçar* = verbo (saber o preço).
  apressar = verbo (acelerar).
- *caçar* = verbo (perseguir um animal para abatê-lo).
  cassar = verbo (anular os direitos políticos).

o texto

- *censo* = substantivo (levantamento de dados, recenseamento).
  senso = substantivo (juízo).
- *cesta* = substantivo (recipiente).
  sexta = numeral (relativo ao número seis).
  sesta = substantivo (descanso após o almoço), pronúncia aberta do *e* tônico.
- *concerto* = substantivo (sessão musical).
  conserto = substantivo (ato de arrumar).
- *cessão* = substantivo (ato de ceder).
  seção = substantivo (departamento, divisão, sempre para indicar um lugar).
  sessão = substantivo (espetáculo, reunião, sempre para indicar tempo).
- *cedo* = verbo *ceder*.
  cedo = advérbio de tempo.
- *somem* = verbo *somar*.
  somem = verbo *sumir*.

Parônimos

São palavras parecidas na grafia e/ou na pronúncia.
Lembre-se: Parecido não é igual!

- *comprimento* = substantivo (medida).
  cumprimento = substantivo (saudação).
- *deferir* = verbo (conceder, dar deferimento a um pedido).
  diferir = verbo (ser diferente, divergir, adiar).
- *descrição* = substantivo (ato de descrever, citar as características de alguém ou de algo).
  discrição = substantivo (ser discreto, característica de quem não chama a atenção).

- *descriminar* = verbo (isentar de culpa).
  discriminar = verbo (rejeitar levando em conta alguma diferença, especificar, listar).
- *eminente* = adjetivo (notável, superior, distinto).
  iminente = adjetivo (que está a ponto de acontecer).
- *emergir* = verbo (vir à tona).
  imergir = verbo (afundar).
- *infligir* = verbo (aplicar, impor).
  infringir = verbo (transgredir).
- *pleito* = substantivo (disputa eleitoral).
  preito = substantivo (homenagem).
- *ratificar* = verbo (confirmar).
  retificar = verbo (corrigir, tornar reto).
- *vultoso* = adjetivo (valioso, muito grande).
  vultuoso = adjetivo (congestionado, inchado).

Verifique seu aprendizado

1. Complete as frases seguintes com os parônimos adequados:
    a) O secretário não _____ o meu requerimento. (deferiu/diferiu)
    b) Os culpados não hão de _____ impunemente as leis. (infligir/infringir)
    c) Há homens _____ em ciência e virtude. (eminentes/iminentes)
    d) Os fatos _____ meus prognósticos. (ratificaram/retificaram)
    e) Viu-se na _____ de perder suas terras. (eminência/iminência)

o texto

2. Leia o seguinte trecho:

Cacei imagens delirantes
Maísa podia não gostar
Cassei o poema.

Fonte: Bandeira, 1976, p. 239.

Explique a diferença de significados entre os termos *cacei* e *cassei*.

3. Assinale a alternativa que completa corretamente a seguinte frase:

O Congresso pretende _____ o _____ dos parlamentares que faltarem à maioria das _____ a serem realizadas.

a) cassar – mandato – seções.
b) caçar – mandato – sessões.
c) cassar – mandado – sessões.
d) cassar – mandato – sessões.
e) caçar – mandado – cessões.

4. Assinale a alternativa cujas palavras substituem adequadamente as expressões destacadas na frase a seguir:

Parecia estar prestes a acontecer um novo conflito na região, pois os proprietários mostraram-se pouco sábios na resolução do problema, opondo-se à doação de terras aos lavradores.

a) eminente – incipientes – sessão.
b) iminente – incipientes – cessão.
c) iminente – insipientes – cessão.
d) eminente – insipientes – seção.
e) eminente – incipientes – cessão.

5. (Unimep-SP) "Se você não arrumar o fogão, além de não poder cozinhar as batatas, há o perigo próximo de uma explosão".
As palavras destacadas podem ser substituídas por:
a) concertar – coser – iminente.
b) consertar – cozer – eminente.
c) consertar – coser – eminente.
d) concertar – coser – eminente.
e) consertar – cozer – iminente.

6. Houve erro em uma das frases a seguir ao empregar-se uma forma parecida com a que se desejava. Identifique-a:
a) Uma pessoa anônima delatou à polícia todo o plano dos sequestradores.
b) O submarino vai ao fundo, isto é, vai emergir.
c) Procure pelo salame na segunda prateleira de despensa.
d) Você precisa agir com mais discrição.
e) Não costuma destratar as pessoas só porque não são inteligentes.

7. Corrija o emprego de homônimos e parônimos no texto seguinte, quando necessário:

Peguei o jornal e fui expiar as notícias. Li que o senador corrupto foi caçado e agora está numa cela. Sua prisão foi decidida em uma seção do Senado. Ele foi pego em fragrante. Na ocasião, tentou esconder no acento do carro o pacote de dinheiro que recebeu de seu comparsa. É triste ver imergir na lama o nome de um homem que foi eleito para ser o representante do povo brasileiro!

o texto

8. Informe, com uma frase curta, o assunto de que trata o texto a seguir:

   A gestão de José Mariano Beltrame na Secretaria de Segurança Pública do Rio de Janeiro já tem lugar reservado na história da administração pública brasileira. Ele está mudando a realidade de insegurança e abandono estatal que vigorava nas favelas cariocas, um problema local com dimensão nacional que permaneceu sem solução durante décadas, passando por governos de diferentes partidos.

   Fonte: Abrucio, 2011, p. 14.

9. Assinale o item em que se cometeu erro ao empregar-se a palavra parônima:
   a) O professor entrou na sala para ratificar a data da prova.
   b) O iminente professor dará uma palestra no auditório da universidade.
   c) Depois de cinco dias no fundo do mar, o submarino emergiu.
   d) A escola não deferiu o meu pedido de segunda chamada para a prova.
   e) Na Idade Média, os monges infligiam a si mesmos castigos corporais.

10. Em que frase o homônimo se diferencia dos demais?
    a) Tenho medo de escuro. Eu gelo só em pensar nisso!
    b) Só começo a estudar depois do meio-dia.
    c) Atualmente, almoço às duas horas.
    d) O jogo de cartas não prende a atenção das crianças.
    e) Ela vai às compras.

Artigo

SCLIAR, M. Carta argumentativa. Folha de S. Paulo, 14 ago. 2000.

O escritor Moacyr Scliar (1937-2011) publicou, em sua coluna no jornal *Folha de S. Paulo*, a carta apresentada a seguir. Trata-se de um texto irônico que revela a verdadeira intenção do autor ao fingir que estava escrevendo para uma famosa marca de produtos esportivos.

Preste atenção a dois aspectos: a intencionalidade do discurso e o desenvolvimento coerente e coeso das ideias.

São Paulo, 14 de agosto de 2000.

Prezados Senhores,

Uns amigos me falaram que os senhores estão para destruir 45 mil pares de tênis falsificados com a marca Nike e que, para esse fim, uma máquina especial já teria até sido adquirida. A razão desta cartinha é um pedido. Um pedido muito urgente.

Antes de mais nada, devo dizer aos senhores que nada tenho contra a destruição de tênis, ou de bonecas Barbie, ou de qualquer coisa que tenha sido pirateada. Afinal, a marca é dos senhores, e quem usa essa marca indevidamente sabe que está correndo um risco. Destruam, portanto. Com a máquina, sem a máquina, destruam. Destruir é um direito dos senhores. Mas, por favor, reservem um par, um único par desses tênis que serão destruídos para este que vos escreve. Este pedido é motivado por duas razões: em primeiro lugar, sou um grande admirador da marca Nike, mesmo falsificada. Aliás, estive olhando os tênis pirateados e devo confessar que não vi grande diferença deles para os verdadeiros.

o texto

Em segundo lugar, e isto é o mais importante, sou pobre, pobre e ignorante. Quem está escrevendo esta carta para mim é um vizinho, homem bondoso. Ele vai inclusive colocá-la no correio, porque eu não tenho dinheiro para o selo. Nem dinheiro para selo, nem para qualquer outra coisa: sou pobre como um rato. Mas a pobreza não impede de sonhar, e eu sempre sonhei com um tênis Nike. Os senhores não têm ideia de como isso será importante para mim. Meus amigos, por exemplo, vão me olhar de outra maneira se eu aparecer de Nike. Eu direi, naturalmente, que foi presente (não quero que pensem que andei roubando), mas sei que a admiração deles não diminuirá: afinal, quem pode receber um Nike de presente pode receber muitas outras coisas. Verão que não sou o coitado que pareço.

Uma última ponderação: a mim não importa que o tênis seja falsificado, que ele leve a marca Nike sem ser Nike. Porque, vejam, tudo em minha vida é assim. Moro num barraco que não pode ser chamado de casa, mas, para todos os efeitos, chamo-o de casa.

Uso a camiseta de uma universidade americana, com dizeres em inglês, que não entendo, mas nunca estive nem sequer perto da universidade – é uma camiseta que encontrei no lixo. E assim por diante. Mandem-me, por favor, um tênis. Pode ser tamanho grande, embora eu tenha pé pequeno. Não me desagradaria nada fingir que tenho pé grande. Dá à pessoa uma certa importância. E depois, quanto maior o tênis, mais visível ele é. E, como diz o meu vizinho aqui, visibilidade é tudo na vida.

Fonte: Scliar, 2000.

Síntese

Neste capítulo, o assunto principal foi a textualidade e como construí-la. Você viu que não importa qual seja o gênero textual. É indispensável, sim, que em seu texto você apresente sólidas informações, seja coerente na exposição das ideias e estabeleça a coesão entre as frases e os parágrafos. Machado de Assis, no conto "Um apólogo", apresenta-nos a discussão de duas personagens que se consideram importantes e insubstituíveis. Cada argumento apresentado por uma era refutado com vigor pela outra. Você pôde apreciar a elegância do estilo de Machado e observar a maestria com que ele construiu o texto.

Em seguida, mostramos como a textualidade pode ser construída quando os princípios básicos da coesão e da coerência são respeitados: coesão + coerência = textualidade.

Assim, em busca da qualidade textual, vimos como é importante escrever de forma objetiva, clara e coesa, fugindo da prolixidade, dos raciocínios tortuosos, das repetições desnecessárias, das frases longas, das expressões ambíguas etc.

Na seção "Não erre mais", estabelecemos a diferença entre homônimos e parônimos. Você aprendeu que as palavras homônimas são iguais e as parônimas são apenas parecidas quanto à grafia e/ou quanto à pronúncia. Quando essas palavras são usadas inadequadamente, podemos cometer mais que um erro de grafia. Por exemplo: se você deseja, em uma comunicação, alterar o horário de uma reunião anteriormente estabelecido, jamais poderá dizer que está "ratificando". Se o fizer, estará confirmando o horário antigo em lugar de "retificá-lo", alterá-lo.

Faça os exercícios e depois confira as respostas!

três

a estrutura do texto

Para o reconhecimento dos aspectos essenciais à estrutura textual, vamos analisar o texto a seguir.

A GERAÇÃO DIGITAL NÃO SABE NAVEGAR

No início dos anos 90, uma coleção de enciclopédias tinha o mesmo valor educacional que um microcomputador tem hoje em dia – eram ótimas ferramentas de pesquisa para os estudantes. Para quem tem menos de 20 anos, pode parecer incompreensível. Como uma coleção de livros de capa dura, grandes, pesados e difíceis de manusear, pode ser tão eficaz quanto os programas de busca da internet, que nos colocam a dois cliques de qualquer resposta? A geração que nasceu depois do surgimento da internet tem à sua disposição o maior volume de informação da história. Mas novos estudos sugerem que a intimidade dos jovens com o mundo digital não garante que eles sejam capazes de encontrar o que precisam na internet.

a estrutura do texto

Uma pesquisa da Universidade de Charleston, nos Estados Unidos, mostra que a geração digital não sabe pesquisar. Acostumados com a comodidade oferecida por mecanismos de busca como o Google, eles confiam demais na informação fácil, oferecida por esses serviços. O estudo mostrou que os estudantes usam sempre os primeiros resultados que aparecem após uma busca, sem se importar com sua procedência. No estudo, os pesquisadores pediram a um grupo de universitários que respondesse a algumas perguntas com a ajuda da internet. Mas fizeram uma pegadinha: fontes de informação que não apareciam no topo da lista de respostas do Google foram apresentadas propositalmente como primeira opção. Os estudantes nem notaram a troca: usaram as primeiras respostas acriticamente. Outro estudo realizado pela Universidade Northwestern, também nos Estados Unidos, pedia que 102 estudantes [...] buscassem termos diversos em sites de pesquisa on-line. Todos trouxeram os resultados, mas nenhum soube informar quais eram os sites usados para obter as respostas: se veio da internet, já estava bom.

A conclusão dos cientistas é que os estudantes de hoje confiam demais nas máquinas. Em princípio, esse comportamento faz sentido, porque os sistemas de buscas oferecem conteúdos cada vez mais relevantes. Mas um efeito colateral é preocupante: a perda da capacidade crítica. "Precisamos ensinar os alunos a avaliar a credibilidade das fontes on-line antes de confiar nelas cegamente", diz um dos pesquisadores da Universidade de Charleston. As escolas deveriam ajudar os estudantes a julgar melhor as informações.

Fonte: Ferrari, 2011, p. 82-84.

Voltemos ao título do texto apresentado: "A geração digital não sabe navegar". Verifique que o autor já nos antecipa a ideia central ou tese que o texto vai defender: ele reconhece que crescer usando as ferramentas da era digital não garante que uma geração saiba realizar uma pesquisa bem-feita utilizando a internet.

> **Lembrete**
>
> Há diferença entre tema e título. Enquanto o tema compreende o assunto proposto para discussão, o título sintetiza o conteúdo discutido. O título deve ser dado, preferivelmente, após a elaboração do texto; ele representa a "moldura" textual. Observe os exemplos:
>
> - Tema: Escrever um texto que avalie o estágio em que se encontram as obras em Curitiba, uma das cidades que vão sediar jogos da Copa do Mundo em 2014.
> - Título: **Curitiba faz seu dever de casa.**
>
> - Tema: Escrever um texto que trate do crescimento e das vantagens dos cursos de educação a distância (EaD) no Brasil.
> - Título: **Educação sem limites.**

Vamos analisar, na sequência, a estrutura de cada um dos parágrafos do texto.

Primeiro parágrafo
O autor inicia o primeiro parágrafo estabelecendo a relação entre passado e presente, ou seja, comparando as dificuldades das gerações anteriores aos anos de 1990 em manusear livros volumosos, pesados e incompletos com as facilidades de hoje em relação ao acesso ao conhecimento, graças à internet.

No fim desse parágrafo, aparece a ideia central que vai ser comprovada ao longo do texto: "Mas novos estudos sugerem que a intimidade

a estrutura do texto

dos jovens com o mundo digital não garante que eles sejam capazes de encontrar o que precisam na internet".

Observe a presença do conector *mas* no início da frase – com a intenção de indicar oposição entre o que foi declarado anteriormente e o que vai ser dito nos parágrafos seguintes.

Outro aspecto importante desse parágrafo: o autor deixa claro que se apoiou em estudos para fazer essa declaração. Essa conduta faz com que o texto seja informativo, e não opinativo. Não se trata do ponto de vista do autor, e sim da intenção de informar o resultado de estudos sobre esse assunto.

Segundo parágrafo

A partir desse parágrafo, o autor utiliza um recurso de argumentação conhecido por *argumento de autoridade*, que se constitui em:

- citação de uma fonte confiável, isto é, de um especialista no assunto;
- apresentação de dados de instituição de pesquisa ou uso de uma frase dita por algum líder ou político, filósofo ou sociólogo, enfim, por uma autoridade no assunto abordado. A citação deixa mais consistente o texto.

Releia o seguinte trecho:

Uma pesquisa da Universidade de Charleston, nos Estados Unidos, mostra que a geração digital não sabe pesquisar. Acostumados com a comodidade oferecida por mecanismos de busca como o Google, eles confiam demais na informação fácil, oferecida por esses serviços. O estudo mostrou que os estudantes usam sempre os primeiros resultados que aparecem após uma busca, sem se importar com sua procedência. No estudo, os pesquisadores pediram a um grupo de universitários que respondesse a algumas perguntas com a ajuda da internet. Mas fizeram uma pegadinha: fontes de informação que não apareciam no topo da lista de respostas do Google foram apresentadas propositalmente como primeira opção. Os estudantes nem notaram a troca: usaram as primeiras respostas acriticamente. Outro estudo realizado pela Universidade Northwestern, também nos Estados Unidos, pedia que 102 estudantes [...] buscassem termos diversos em sites de pesquisa on-line. Todos trouxeram os resultados, mas nenhum soube informar quais eram os sites usados para obter as respostas: se veio da internet, já estava bom.

Terceiro parágrafo
Esse parágrafo contém a conclusão do texto. O autor o inicia apresentando a conclusão dos cientistas: os estudantes perdem a capacidade crítica porque confiam demais nas máquinas. Em seguida, esboça uma sugestão: compete à escola auxiliar os alunos a julgarem melhor as informações apresentadas pela internet.

Confira:

A conclusão dos cientistas é que os estudantes de hoje confiam demais nas máquinas. Em princípio, esse comportamento faz sentido, porque os sistemas de buscas oferecem conteúdos cada vez mais relevantes. Mas um efeito colateral é preocupante: a perda da capacidade crítica. "Precisamos ensinar os alunos a avaliar a credibilidade das fontes on-line antes de confiar nelas cegamente", diz um dos pesquisadores da Universidade de Charleston. As escolas deveriam ajudar os estudantes a julgar melhor as informações.

Assim, pela análise feita, vimos que textos do gênero argumentativo/dissertativo que são bem redigidos apresentam três partes:

a estrutura do texto

1. Introdução – É a parte constituída pela apresentação do assunto. O parágrafo introdutório caracteriza-se por apresentar uma ideia central por meio de afirmação, definição, citação etc.
2. Desenvolvimento – É a análise crítica da ideia central. Pode ocupar vários parágrafos, em que se expõem juízos, raciocínios, provas, exemplos, testemunhos históricos e justificativas que servem de argumento para comprovar a ideia proposta no primeiro parágrafo.
3. Conclusão – É a parte final do texto, em que se condensa a essência do conteúdo desenvolvido, se reafirma o posicionamento exposto na tese ou se lança uma perspectiva sobre o assunto. Não é espaço para a apresentação de novos argumentos.

3.1
A introdução

O parágrafo inicial de um texto é muito importante, porque nele o autor precisa indicar com clareza o assunto que vai ser apresentado.

A ideia central do parágrafo é enunciada pelo período denominado *tópico frasal*. Esse período orienta ou governa o resto do parágrafo, pois:

- dele nascem outros períodos secundários ou periféricos;
- constitui-se no roteiro do escritor na construção do parágrafo;
- contém a frase-chave ou frase-núcleo;
- assim como o enunciado da tese, que dirige a atenção do leitor diretamente para o tema central, ajuda o leitor a agarrar o "fio da meada" do raciocínio do escritor;
- a ideia central ou tópico frasal geralmente vem no começo de cada parágrafo, seguida de outros períodos que a explicam ou a detalham.

Lembrete

Já que o tópico frasal é tão importante, muita atenção ao redigi-lo, porque, se a ideia central estiver obscura, o leitor não conseguirá compreendê-la plenamente. Exemplo:

- *A cada ano, milhares de crianças em todo o país embarcam na grande aventura que é frequentar uma escola. Estudar é fundamental para elas.*

Por quê? O tópico frasal mal construído não esclarece.
Veja agora o tópico frasal redigido com clareza:

- *A cada ano, milhares de crianças em todo o país embarcam na grande aventura que é frequentar uma escola. Vão aprender que estudar é fundamental porque permite que elas dominem as peculiaridades de sua língua natal e criem o hábito saudável de refletir por si mesmas.*

Normalmente, as pessoas sentem dificuldade em começar a escrever. Por essa razão, muitos professores sugerem modelos de como fazê-lo. Confira, a seguir, algumas orientações que podem auxiliá-lo nesse sentido.

3.1.1
Procedimentos introdutórios

Identificam-se como *procedimentos introdutórios* as diferentes formas para se iniciar um texto.

Sugerimos, na sequência, nove procedimentos:

1. Por meio de trajetória histórica, que é traçada do passado ao presente (procedimento adotado pelo autor do texto reproduzido na abertura deste capítulo).

a estrutura do texto

Exemplo:

> Em fevereiro de 2004, uma gravação que mostrava o principal assessor do então ministro da Casa Civil, José Dirceu, cobrando propina de um empresário de jogos, mergulhou o governo Lula em sua primeira grave crise ética. Waldomiro Diniz, amigo próximo de Dirceu, presidia a Loteria Estadual do Rio de Janeiro quando foi flagrado oferecendo-se para modificar o edital de uma licitação estatal para beneficiar Carlos Augusto Ramos, o Carlinhos Cachoeira. [...] Na segunda-feira passada, oito anos depois de revelado o escândalo, a Justiça do Rio condenou Waldomiro a quinze anos de prisão e Cachoeira a dez pelos crimes de corrupção ativa e passiva e fraude em licitação.

Fonte: Rangel; Ribeiro, 2012.

Observe a presença dos marcadores temporais: "em fevereiro de 2004", "na segunda-feira passada" e "oito anos depois". Por meio deles, entendemos que o autor apresenta os fatos em sequência temporal.

2 Por meio de conceituação ou definição de uma ideia ou situação.

É a forma mais comum de começar um texto.

Exemplo:

> A prevenção do câncer de intestino é muito precária entre nós. Grande número de mulheres e homens só chega ao diagnóstico quando os tumores já se encontram em fase avançada de crescimento ou estão disseminados para o fígado e os pulmões.

Fonte: Varella, 2012a.

Veja como o autor vai direto ao assunto: "A prevenção do câncer de intestino é muito precária entre nós". O uso do verbo *ser* permitiu que a caracterização da doença pudesse ser feita mediante a presença do adjetivo *precária*.

3 Por meio de citações ou opiniões que podem ser confirmadas ou negadas.

Exemplo:

Em um de seus derradeiros artigos publicados na *Folha de S. Paulo*, Roberto Campos sentenciava que "os desenvolvimentistas não entendem nada de desenvolvimento". Nesse momento, corria solto, no governo FHC, o conflito entre desenvolvimentistas e a turma do deixa disso.

Fonte: Belluzo, 2012.

Observe como o autor cita uma fala do economista e ex-Ministro Roberto Campos para reforçar a credibilidade do assunto que vai desenvolver.

4 Por meio de comparação entre realidades geográficas, sociais e culturais diferentes.

Exemplo:

Há sociedades que cultivam mais do que outras a preocupação de polidez linguística no trato entre pessoas: a França e a Itália, por exemplo, sempre se orgulharam de cultivar formas polidas, e não só gramaticalmente corretas, embora de uns tempos a essa parte se ouçam queixas nesses países de que se acentua uma perda ou esmorecimento dessa verdadeira ufania do espírito culto francês e italiano.

Fonte: Adaptado de Bechara, 2011.

a estrutura do texto

Perceba que o autor se refere à França e à Itália como países que valorizam o uso de termos linguísticos mais polidos no contato social. Com base na constatação dessa realidade social e geográfica, o autor vai dar início à comparação que deseja estabelecer.

5 Por meio da enumeração de informações.

Exemplo:

Livros-sites, jogos literários on-line, Vjs de livros e novelas interativas, explorando recursos do meio digital: imagens, vídeos, músicas, links etc. O céu parece limite baixo para os escritores brasileiros, que testam formatos digitais e fazem experiências on-line de literatura.

Fonte: Guerreiro, 2011.

Como a intenção é mostrar que os escritores brasileiros já utilizam novos formatos para a veiculação de suas obras, o autor inicia seu texto enumerando alguns desses recursos: livros-*site*, jogos literários etc.

6 Por meio de narração, descrição ou da referência a acontecimentos e ações.

Exemplo:

Grazi Massafera chegou ao estúdio sem maquiagem, usando um vestido longo e rasteirinhas. Cumprimentou todos, deu uma olhada nas roupas penduradas na arara. [...] Enquanto era produzida, Grazi ficou descalça. A camareira perguntou se ela não queria chinelos. [...] Além da beleza, foi essa simplicidade de Grazi que conquistou o Brasil.

Fonte: Deodato, 2011, p. 62.

Veja que o autor inicia o texto com o uso de elementos essenciais aos textos narrativos e descritivos: a identificação da personagem e sua caracterização, uma sequência de ações e a indicação de lugar.

- Quem? Grazi Massafera.
- Características: "sem maquiagem", "usando um vestido longo e rasteirinhas".
- O quê? "Cumprimentou todos, deu uma olhada nas roupas penduradas na arara [...]".
- Onde? No estúdio.

Lembrete

Ao utilizar essa modalidade de introdução, existe a possibilidade de você se distrair e continuar a narração ou a descrição, desviando-se do objetivo de seu texto. Esse tipo de procedimento precisa limitar-se às linhas iniciais do texto.

7 Por meio da apresentação de dados estatísticos sobre o assunto enfocado pelo tema.

Exemplo:

Depois de anunciar por duas semanas que a meta de déficit da Espanha em 2012 seria de 5,8% do PIB e não 4,4% acertados com o governo anterior (quando a dimensão da crise era menos clara), o chefe do governo espanhol Mariano Rajoy cedeu à pressão da Comissão Europeia e aceitou uma meta de 5,3%, o que obriga a cortar mais 5 bilhões de euros em despesas (além dos 30 bilhões já prometidos).

Fonte: Carta Capital, 2012, p. 20.

a estrutura do texto

Observe como a indicação de dados precisos – 5,8%, 4,4%, 5,3%, 5 bilhões, 30 bilhões – confere credibilidade ao assunto que se inicia.

Esse tipo de procedimento é mais adequado a textos que se prestam à discussão de dados, à análise de resultados do desempenho financeiro de um departamento, à execução de planilhas de custos etc.

8. Por meio de linguagem metafórica ou figurativa.

Exemplo:

> O trabalho é o motor da sociedade. Cada atividade ou mão de obra articula-se na indústria, no comércio e na prestação de serviços, formando uma grande máquina movida pelo trabalhador.

Fonte: Massaranduba; Chinellato, 1998, p. 156.

Veja que o autor faz uso de duas expressões em sentido figurado:
- o trabalhador = "motor".
- o comércio e a indústria = "grande máquina".

9. Por meio de uma interrogação ou sequência de interrogações.

Exemplo:

> O filólogo e pensador alemão Manfred Geier vasculhou a história da filosofia atrás de respostas para questões simples: Por que os filósofos são tão sérios e riem tão pouco? O que significa o riso e para que serve em nossa vida? O riso tem mesmo o poder de curar?

Fonte: Adaptado de Giron, 2011.

Observe que, embora estejam relacionadas ao riso, as perguntas não são iguais. Não são perguntas retóricas, isto é, aquelas que fazemos apenas como recurso expressivo, porque já conhecemos as respostas. Veja ainda que existe uma lógica na construção dessas perguntas, visto que elas foram organizadas de forma indutiva, isto é, da mais restrita à mais ampla:

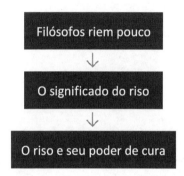

Verifique seu aprendizado

1. Identifique os procedimentos introdutórios escolhidos pelos autores dos textos a seguir:

   a) "Os olhos e cabelos negros, a pele clara, a roupa escura, um par de botas a emprestar alguns centímetros ao seu metro e 60 de altura e um sorriso que faz lembrar de cara essa coisa de 'por um mundo melhor', o lema do Rock in Rio. Aí está Roberta Medina, 33 anos, filha de Roberto, o pai do festival que colocou o Brasil na rota da música internacional" (Oliveira; Ferrareze, 2011, p. 90).

a estrutura do texto

b) "O primeiro registro de uma patente como forma de proteger a propriedade intelectual data de 500 antes de Cristo: quem ganhasse um concurso de culinária da cidade grega de Síbaris contaria sua receita, mas seria o único a poder preparar o prato durante um ano. Só quase 2 mil anos depois, a patente foi formalizada nos moldes explorados atualmente. [...] Em vez de repassadas oralmente, as tecnologias hoje são minuciosamente descritas nos formulários" (Felitti, 2011, p. 104-105).

c) "A decisão, na sexta-feira, da juíza Adriana Barreto de Carvalho Rizzotto, da 7ª Vara Federal do Rio, determinando que a Light e a Cerj também paguem bônus aos consumidores de energia que reduziram o consumo entre 100 kWh e 200 kWh fez justiça" (jornal O Dia, 2011, citado por Nova Escola, 2012).

d) "Quando o mundo se torna violento, buscamos uma explicação em que a compreensão se expresse em atos e palavras. Mas como explicar a tortura, o assassinato, a censura, o imperialismo ou o terrorismo, ferramentas favoritas dos repressores que querem evitar qualquer opinião divergente?" (Rabaça, 2001, citado por Fapese, 2008).

e) "Um estudo do instituto americano Pew informa: 'Um número crescente de executivos prevê que dentro de cinco anos muitos jornais circularão em papel somente aos domingos'. Nos outros dias servirão aos leitores em edições eletrônicas" (Gaspari, 2012).

3.2
O desenvolvimento das ideias

Leia o excerto a seguir.

POBRE EXCLUÍDO

A globalização está criando um novo tipo de pobre. Diferentemente dos pobres que tinham renda baixa, viviam, pacífica e decentemente, em bairros humildes ou no meio de bairros ricos, com esperança de que seus filhos dariam um salto social, surgem agora pobres que vivem em guetos, no meio da violência, sem emprego, com receitas ocasionais, muitas vezes derivadas do tráfico de drogas, obrigados a ver seus filhos e filhas jogados à prostituição. A pobreza de antes decorria da falta de modernidade; a nova é causada pela modernidade.

Fonte: Buarque, 2001, citado por Tudo Sobre..., 2009.

Veja como, na primeira frase, o autor expõe a tese com clareza: "A globalização está criando um novo tipo de pobre."

- Quem? "A globalização".
- O quê? "Está criando um novo tipo de pobre".

Como o texto de Cristovam Buarque é curto, o autor imediatamente passa para o desenvolvimento, no qual é apresentado e comentado o argumento que fundamenta sua afirmação inicial:

[...] surgem agora pobres que vivem em guetos, no meio da violência, sem emprego, com receitas ocasionais, muitas vezes derivadas do tráfico de drogas, obrigados a ver seus filhos e filhas jogados à prostituição.

a estrutura do texto

Observe que o argumento foi explicado, não apenas citado. É possível entender que o mundo globalizado alterou ainda mais a face da pobreza, retirando do cidadão pobre a sua dignidade. Podemos inferir (concluir) que, além das carências que a pobreza impõe aos cidadãos, a situação deles é mais grave porque a família está ameaçada e o dinheiro que recebem, muitas vezes, é bancado pela contravenção. É uma pobreza que marginaliza o indivíduo, retirando-lhe o direito de sonhar com a cidadania plena.

Por fim, o autor apresenta a conclusão:

> [...] A pobreza de antes decorria da falta de modernidade; a nova é causada pela modernidade.

É uma frase de efeito, que causa impacto no leitor e o coloca para pensar.

Viu como não é difícil? E, para que você domine cada vez mais os conhecimentos acerca da textualidade, vamos nos deter na análise dos parágrafos que contêm o desenvolvimento.

O desenvolvimento caracteriza-se por ser o espaço destinado à abordagem do assunto apresentado na introdução. É nele que fazemos a explicitação do raciocínio, da reflexão, da análise, da justificativa e da crítica de qualquer questão – filosófica, técnica, científica, pedagógica etc.

Corresponde ao "corpo" do texto e deve ser constituído de parágrafos que fazem a exposição do assunto em questão ou de parágrafos que fazem a defesa de um ponto de vista mediante o uso de argumentação. A explicitação das ideias pode ser desenvolvida por meio de paralelismo, evidências, analogia ou comparação, causa e consequência, fatos históricos, dados e cifras, passagens narrativas e descritivas, hipóteses etc.

É essencial que o autor do texto tenha conhecimentos suficientes sobre o assunto, a fim de que o desenvolvimento possa ser realizado com êxito.

Qualquer comentário, oral ou escrito – seja uma opinião pessoal, seja uma crítica de cinema ou de música –, exige a elaboração de um texto argumentativo bem estruturado.

Segundo o *Dicionário Houaiss da língua portuguesa* (Houaiss; Villar, 2009), a palavra *argumento* significa: "1. raciocínio que conduz à indução ou dedução de algo. 2. prova que serve para afirmar ou negar um fato. 3. recurso para convencer alguém, para alterar-lhe a opinião ou o comportamento" [grifo nosso].

Ainda segundo o *Houaiss* (Houaiss; Villar, 2009), esse termo vem do latim *argumentum*, a partir do radical primário grego *argiri(o)*, cujo sentido é "prateado, cor de prata". Por analogia, temos as formas *brilhante, resplandecente*. Do mesmo radical provém o substantivo *argúcia*, que significa "agudeza de espírito, sagacidade" e, ainda, "sutileza e engenhosidade de raciocínio, de argumento".

Como você observou, argumentar está diretamente relacionado à capacidade de o indivíduo expor com "brilho" suas ideias, seu raciocínio. Dessa forma, fica evidente que, desde a Antiguidade, os estudos filosóficos, que englobavam o estudo da linguagem, valorizavam a capacidade humana de explicitar com clareza o pensamento ao falar ou redigir.

Vamos identificar o desenvolvimento das ideias em outro texto.

a estrutura do texto

O MOVIMENTO EJ

Uma parte importante do desemprego nas economias modernas decorre da inadequação entre as necessidades das empresas e a formação dos candidatos ao emprego. O sistema educacional nos países desenvolvidos tem dificuldades de conseguir essa adequação, embora ela seja uma necessidade vital para as economias. [...]

O problema não é muito diferente no Brasil, apesar de um custo de trabalho ainda inferior. Nascida de iniciativas particulares de estudantes universitários, a Empresa Júnior representa uma resposta interessante para os jovens universitários e o mundo econômico. O sucesso nacional e internacional da Empresa Júnior se deve às suas características particulares: é uma alternativa interessante no vínculo necessário entre as universidades, faculdades, instituições de ensino, mundo econômico e o mercado de trabalho. Este vínculo é um fator essencial à adequação procurada por todos.

[...]

Fonte: Lafeuille, citado por Matos, 1997, p. 13-15.

A tese apresentada pelo autor está contida na seguinte frase-núcleo:

Nascida de iniciativas particulares de estudantes universitários, a Empresa Júnior representa uma resposta interessante para os jovens universitários e o mundo econômico.

Vamos perguntar: Por quê? Temos como resposta:

> O sucesso nacional e internacional da Empresa Júnior se deve às suas características particulares: é uma alternativa interessante no vínculo necessário entre as universidades, faculdades, instituições de ensino, mundo econômico e o mercado de trabalho. Este vínculo é um fator essencial à adequação procurada por todos.

Ou seja, essa é a síntese da argumentação que o autor desenvolve para comprovar a sua tese.

Assim, a partir do terceiro parágrafo, tem início o desenvolvimento desses argumentos. Perceba como o autor deseja provar a declaração inicial, como ele "lança luz" sobre o assunto.

> A Empresa Júnior dá oportunidade aos jovens universitários de colocar em prática os mais modernos ensinamentos divulgados em suas universidades. Esse complemento de formação é fundamental para desenvolver a prática dos conceitos ensinados.
>
> A Empresa Júnior constitui um espaço onde se aprende o voluntarismo, a iniciativa, a criatividade e a responsabilidade para executar um projeto e apresentar resultados concretos.
>
> A Empresa Júnior abrange a concorrência e a negociação comercial e está atuando no mercado corporativo. Todas essas características permitem desenvolver a personalidade e a experiência dos

a estrutura do texto

estudantes universitários, dando uma nova dimensão à formação negligenciada nos cursos superiores. Para as empresas, as vantagens também são significativas:

- A curto prazo, elas têm acesso a estudos e projetos diversos cujo preço, dada a natureza das Empresas Juniores, é acessível especialmente para as pequenas empresas, já que o trabalho é feito de acordo com as últimas tendências repassadas aos alunos por seus professores.
- As empresas têm a possibilidade de observar jovens universitários e, eventualmente, fazer contratações baseadas na competência individual e na qualidade dos projetos desenvolvidos. Essa é uma forma de os executivos renovarem o quadro de funcionários em condições mais seguras.
- A longo prazo, estão participando da formação prática dos estudantes e permitem, assim, que se eleve o nível de competência da população universitária, atributo indispensável às necessidades de nossa economia crescente.

Portanto, a Câmara de Comércio França-Brasil se orgulha de ter participado desse movimento em São Paulo. A estrutura particular da economia brasileira, bem como as milhares de pequenas e microempresas que necessitam de apoio e de profissionalismo, devem favorecer a expansão rápida da Empresas Juniores em todo o país.

Fonte: Lafeuille, citado por Matos, 1997, p. 13-15.

Veja que a argumentação foi apresentada com clareza e, no último parágrafo, temos a conclusão do texto.

3.2.1
Modelos de argumentação

É preciso ter sempre em mente que a argumentação é o corpo do texto. É por meio dela que apresentamos nosso ponto de vista, **cujo propósito é convencer alguém a mudar de opinião ou a alterar um comportamento.** Por essa razão, seguem algumas sugestões que você pode utilizar na construção de seu texto.

3.2.1.1 Argumentação por citação de autoridade

Para dar credibilidade ao argumento proposto, podem ser citadas pessoas de prestígio, conhecedoras do assunto.

Exemplo:

> O diretor-executivo da Associação Brasileira de Consultores de Engenharia (ABCE), Hélio Amorim, considera que o cenário atual é estimulante e que a demanda de consultoria de engenharia para estudos de projetos industriais e de infraestrutura é elevada e crescente. "O gerenciamento de obras importantes nos setores de eletricidade, petróleo, gás, transportes e saneamento está mobilizando equipes multidisciplinares de empresas de consultoria em todo o país". Entretanto, o diretor observa que a atividade de engenharia consultiva não é devidamente valorizada no setor público.

Fonte: Algebaile, 2011, p. 23.

Observe que a ideia central do parágrafo é informar que cresce no país a procura por consultoria de engenharia.

Com o objetivo de dar credibilidade a essa informação, o autor do texto citou a opinião do diretor-executivo da Associação Brasileira de Consultores de Engenharia, profissional especializado no assunto.

a estrutura do texto

3.2.1.2 Argumentação por comprovação

É possível sustentar a argumentação por meio da apresentação de dados, estatísticas e percentuais. Esse recurso deve ser utilizado quando o objetivo é contestar um ponto de vista equivocado.

Exemplo:

> A indústria, vedete da economia em 2010, teve crescimento minguado em 2011 e retração nos últimos cinco meses. O mercado de trabalho no setor encolheu 0,7% entre 2009 e 2011, mostra levantamento exclusivo feito pelo IBGE para *O Globo*.

Fonte: Oswald et al., 2012, p. 31.

3.2.1.3 Argumentação por raciocínio lógico

A criação de relações de causa e efeito é um recurso utilizado para demonstrar que uma conclusão (afirmada no texto) é necessária, e não fruto de uma interpretação pessoal que pode ser contestada.

Exemplo:

> O fumo é o mais grave problema de saúde pública no Brasil. Assim como não admitimos que os comerciantes de maconha, crack ou heroína façam propaganda para os nossos filhos na TV, todas as formas de publicidade do cigarro deveriam ser proibidas terminantemente para os desobedientes.

Fonte: Varella, 2012b.

3.2.1.4 Argumentação por causa e consequência

Para comprovar uma tese, podem ser destacadas as relações de causa (os motivos, os porquês) e de consequência (os efeitos) associados ao problema discutido no texto.

- Algumas expressões indicadoras de causa: *porque, por causa de, graças a, em virtude de, em vista de, em razão de*.
- Algumas expressões indicadoras de consequência: *consequentemente, em decorrência, como resultado, por isso* etc.

Exemplo:

> Nas últimas décadas, os investimentos em educação avançaram, mas ainda figuram como inexpressivos se considerarmos os milhões investidos em outras áreas. A remuneração dos professores da rede pública há muito não é economicamente viável, causando a migração desses profissionais para atividades mais rentáveis. Mesmo os professores mais motivados perdem o estímulo diante das dificuldades do sistema educacional brasileiro, e essa insatisfação, quase generalizada, desencadeia longos períodos de greves na tentativa de obter melhorias salariais.
>
> O professor perdeu a autoestima, razão pela qual o magistério não figura entre as carreiras mais procuradas. Muitos jovens, potencialmente dotados para a profissão, optam por carreiras que lhes acenam com a possibilidade de ganhos bem mais atrativos, além da garantia de ascensão profissional mediante concursos internos e promoções.

Veja a seguir a explicitação do argumento:

- Causa: "A remuneração dos professores da rede pública há muito não é economicamente viável".
- Consequências: "[...] a migração desses profissionais para atividades mais rentáveis" e "[...] e essa insatisfação, quase generalizada, desencadeia longos períodos de greves na tentativa de obter melhorias salariais".

a estrutura do texto

3.2.1.5 Argumentação por exemplificação ou ilustração

A exemplificação consiste no relato sucinto de um fato. Esse recurso argumentativo é amplamente usado quando a tese defendida é muito teórica e carece de esclarecimentos com dados concretos.

Exemplo:

> Depois [...] [da tragédia que] aconteceu no Japão, aumentou a preocupação do governo brasileiro com a segurança das usinas nucleares. [...] Das 54 usinas [...] [japonesas], 14 estão localizadas na região afetada pela catástrofe [...] [e] foram projetadas para resistir a esforços provocados por uma aceleração correspondente a 0,3 vezes a aceleração da gravidade, o que corresponderia a um terremoto de 8,2 na Escala Richter e a uma onda tsunami de 5,7 metros. No entanto, essas usinas sofreram os efeitos de um terremoto de 9 graus seguido de um tsunami de [...] 10 metros de altura, muito superior àqueles eventos naturais severos considerados no projeto. Apesar disso, dez dessas 14 usinas resistiram adequadamente. A primeira lição já aprendida [...] é que as usinas nucleares são as construções humanas mais [...] [bem preparadas para resistir a esse tipo de catástrofe]. [...] Outra lição é que os critérios dos projetos para usinas nucleares localizadas em áreas de alto risco sísmico, especialmente aquelas em zonas costeiras, devem ser reavaliados e, eventualmente, reforçados.

Fonte: Amorim, 2011, p. 36.

3.3 A conclusão

A conclusão é o encerramento de todo o texto, e não apenas do último argumento. Ela nunca pode apresentar informações novas. Enquanto houver argumentos em discussão, não a inicie. Procure terminar a redação com ideias consistentes. A conclusão deve estar de acordo com o encaminhamento que você deu a seu texto.

Você pode iniciar o parágrafo conclusivo com um dos seguinte termos: *logo, portanto, assim, dessa forma, por conseguinte.*

Conheça, na sequência, algumas possibilidades de conclusão de um texto. Observe, nos exemplos apresentados, que existe relação entre a declaração inicial e a conclusão apresentada.

3.3.1
Conclusão por retomada da tese

É a confirmação da ideia central. Reforça a posição apresentada no início do texto. Contudo, deve-se evitar a redundância ou a mera repetição da tese.

No exemplo a seguir, o articulista desenvolveu um texto cuja tese é a seguinte: para poder governar, a presidente Dilma recuou na "faxina política". Depois de explanar com detalhes as pressões sofridas por ela e ilustrar o assunto com fatos e nomes, o autor concluiu o texto, reforçando a posição apresentada desde o primeiro parágrafo:

> Por isso, mesmo a presidente tendo dito que "não tem aqueles que estão acima da lei, a lei é igual para todos", a faxina foi suspensa, frustrando as expectativas que ela própria tinha criado na sociedade.

Fonte: Moisés, 2011, p. 43.

3.3.2
Conclusão com a apresentação de perspectiva(s) de solução

Trata-se de, com base em questões levantadas na argumentação, apresentar uma proposta ou sugestão de soluções para os problemas discutidos.

a estrutura do texto

Um articulista, por exemplo, discorre sobre a importância da reciclagem do lixo – fala das mudanças no ambiente, da preocupação com higiene e saúde, da renovação das áreas, do consumo consciente etc. Ao concluir seu texto expositivo, ele apresenta uma alternativa para que todo o projeto de renovação ambiental seja incorporado aos hábitos dos cidadãos:

> Mas, para que ocorram tais mudanças no panorama atual, é indispensável que o cidadão altere seu modo de pensar e agir em relação à educação, à cultura e ao desenvolvimento consciente das potencialidades do país. Uma das alternativas é disseminar, na educação de ensino básico, a mentalidade de respeito e preocupação com o planeta. Projetos educacionais das diferentes áreas devem incluir em seus currículos pesquisas, debates e, principalmente, trabalhos práticos que sejam determinantes para a construção de uma consciência transformadora.

3.3.3 Conclusão com o uso de uma interrogação

Essa estratégia só deve ser utilizada quando trouxer implícita uma crítica que instigue a reflexão por parte do leitor. É preciso evitar concluir a redação com perguntas que repassem ao leitor a incumbência de encontrar respostas que deveriam estar contidas no próprio texto, ao longo da explanação.

Por exemplo: após ter discutido, em texto opinativo, que o atual modelo de educação brasileiro, em quantidade e em qualidade, não responde aos nossos anseios, o articulista conclui seu texto com uma pergunta:

> Falta um elo importante na cadeia educativa. Sempre recordamos a visita feita à Universidade de Estocolmo, quando ouvimos do seu reitor que um dos três cursos superiores mais importantes da instituição era o de formação de pensadores. E nós? Que educação queremos?

Fonte: Niskier, 2011, p. 51.

No capítulo anterior, questionamos a presença de coerência e coesão numa redação de vestibular cujo título era "O homem como fruto do meio" (p. 110-111). Voltamos a essa redação para fazer alguns comentários pertinentes ao assunto que acabamos de analisar. A tese da redação propunha o seguinte:

> O homem é produto do meio social em que vive. Somos todos iguais e não nascemos com o destino traçado para fazer o bem ou o mau.

Agora, compare com a conclusão:

> A solução é a longo prazo, é cuidando das crianças, mostrando a elas a escala de valores que deve ser seguida. E isso vai depender de uma conscientização de todos nós.

Note que o autor não retomou a tese, porque na conclusão ele afirma que devemos cuidar das crianças e que é importante nossa conscientização para esse fato.

O que a introdução e a conclusão apresentam em comum? Nada! Isso significa que, ao desenvolver a argumentação para provar que o homem é produto do meio em que vive, o autor se perdeu. E, mais grave ainda: o tema solicitado para a produção textual dos candidatos era a violência.

a estrutura do texto

Verifique seu aprendizado

1. (UFPR)* Em 1996, um artigo publicado na *Revista da Folha*, de 7 de abril, garantia a seus leitores os avanços tecnológicos que para nós, hoje, são uma realidade:

"É evidente que o desenvolvimento da tecnologia, em pouco tempo, vai unir televisão, telefone e computador numa única máquina. Assim, a possibilidade de escolha, no sentido de cada ser humano poder se desvencilhar das emissões idiotizantes, é componente certo do futuro."

Que alternativas dariam sequência coerente a esse trecho, de acordo com as relações estabelecidas em cada caso?
   a) Consequentemente, as emissoras de TV, desde já, devem se preparar para o grande desafio de atender a uma demanda por programas bastante heterogênea.
   b) Portanto, a passividade diante da TV vai ser uma opção, e não mais uma imposição.
   c) Pois nenhum cidadão tem o direito de escolher o que quer ver na televisão.
   d) No futuro não haverá emissões idiotizantes.
   e) Com isso, o telespectador não precisará se preocupar com a escolha do programa, pois o computador selecionará o que é melhor para se ver.

2. (PUC-SP)* Leia o trecho a seguir:

"Outra ideia, não – um sentimento cruel e desconhecido, o puro ciúme, leitor das minhas entranhas. Tal foi o que me mordeu, ao repetir comigo as palavras de José Dias: 'Algum peralta da vizinhança'.

---
* Citado por Melo e Pagnan (2008, p. 86).

[150]

Em verdade, nunca pensara em tal desastre. Vivia tão nela, dela e para ela, que a intervenção de um peralta era como uma noção sem realidade; nunca me acudiu que havia peraltas na vizinhança, vária idade e feitio, grandes passeadores das tardes" (Assis, 2009, p. 125).

Releia o seguinte período: "Vivia tão nela, dela e para ela, que a intervenção de um peralta era como uma noção sem realidade [...]".

Há recursos na língua portuguesa que permitem várias construções para um período composto. Na reconstrução do período em questão, seria inaceitável, do ponto de vista de manutenção do sentido, apenas uma das propostas a seguir. Indique-a:

a) Como vivesse tão nela, dela e para ela, a intervenção de um peralta era como uma noção sem realidade.
b) A intervenção de um peralta era como uma noção sem realidade, já que vivia tão nela, dela e para ela.
c) Se vivesse tão nela, dela e para ela, a intervenção de um peralta seria como uma noção sem realidade.
d) Era como uma noção sem realidade e intervenção de um peralta, uma vez que vivia nela, dela e para ela.
e) Porque vivesse tão nela, dela e para ela, a intervenção de um peralta era como uma noção sem realidade.

3. (UFPR)* O trecho a seguir contém os dois primeiros parágrafos de um texto maior de Zuenir Ventura:

---

* Citada por Nicola (2005, p. 443).

* Citada por Nicola (2005, p. 137).

a estrutura do texto

"Que eles são problemáticos, todo mundo sabe. Que eles se sentem inseguros, já se desconfiava. Que eles são descrentes, já se supunha. Que são despolitizados, também. O que não se sabia era até onde iam seus preconceitos contra negros, homossexuais, prostitutas, enfim contra todos os que apresentam alguma diferença, sem falar no desencanto em relação à democracia, um sistema que muitos chegam a achar igual à ditadura.
Esse retrato dos jovens cariocas dos anos 90, obtido por meio de uma ampla pesquisa da Unesco e da Fundação Oswaldo Cruz com mais de mil adolescentes entre 14 e 20 anos, preocupa principalmente quando se admite que eles não devem ser muito diferentes dos seus companheiros de idade em outras cidades" (Ventura, 2010).

Que alternativas apresentam temas que poderiam constituir o desenvolvimento do texto, de modo a preservar sua unidade e coerência?

a) A história institucional da Fundação Oswaldo Cruz em ordem cronológica.
b) A comparação entre os dados da capital carioca e os depoimentos de jovens de outras capitais brasileiras.
c) O relato de outras participações de Zuenir Ventura em outras pesquisas realizadas pela Unesco.
d) O grau de preconceito em diferentes períodos da abertura política no Brasil.

e) A enumeração de previsões em relação ao comportamento dos jovens nas capitais brasileiras.
f) A indicação das possíveis causas históricas ou sociológicas para as formas de pensar dos jovens.

4. (UFPR) Identifique as alternativas em que b conserva o mesmo sentido de a.

I.
a) O administrador de empresas G. C. prefere o supermercado X em virtude do conforto proporcionado pelo estacionamento coberto.
b) O conforto proporcionado pelo estacionamento coberto é a causa da preferência do administrador de empresas G. C. pelo supermercado X.

II.
a) O fumo encurta a vida de 50% de seus consumidores.
b) O fumo encurta em 50% a vida de seus consumidores.

III.
a) Segundo o IBGE, em 1998, nas maiores regiões metropolitanas do país, 14,4% dos jovens entre 18 e 24 anos estavam desempregados.
b) Segundo o IBGE, em 1998, 14,4% dos desempregados das maiores regiões metropolitanas do país eram jovens entre 18 e 24 anos.

IV.
a) E, no final da conversa, ele mencionou o fato casualmente.
b) E, no final da conversa, ele mencionou o fato por causalidade.

a estrutura do texto

V.
a) Na França, o índice de jovens de 15 a 24 anos empregados caiu de 38,7%, em 1985, para 24,4%, em 1997.
b) Na França, 38,7% dos jovens de 15 a 24 anos estavam desempregados em 1985; em 1997, apenas 24,4%.

5. Ao escrever uma mensagem aos condôminos de um edifício, o síndico produziu o seguinte texto, muito confuso:

Antes demais nada, quero agradecer o comparecimento dos condôminos a reunião e sabemos que houve pessoas impossibilitadas a comparecerem nesta reunião as quais considero onde as mesmas comunicaram antecipadamente.

Tal trecho pode ser reescrito, tornando-se claro e adequado à norma culta, da seguinte forma:

a) Quero, antes de mais nada, agradecer aos condôminos que compareceram à reunião.
b) Algumas pessoas, impossibilitadas de comparecer, comunicaram antecipadamente sua ausência e, por isso, agradeço a elas também.
c) Quero, antes de mais nada, agradecer aos condôminos que compareceram à reunião, onde houve pessoas impossibilitadas de comparecer nela. Considero as mesmas porque comunicaram antecipadamente.
d) Antes de mais nada, quero agradecer o comparecimento dos condôminos à reunião. Quero expressar também minha consideração pelas pessoas que, impossibilitadas de comparecer, comunicaram antecipadamente sua ausência.

e) Antes de mais nada, quero agradecer o comparecimento dos condôminos à reunião. Sabemos que houve pessoas impossibilitadas de comparecerem, as quais considero porque as mesmas comunicaram antecipadamente.

f) Antes de mais nada quero agradecer ao comparecimento dos condôminos à reunião. Sabemos que houve pessoas impossibilitadas de comparecerem nesta reunião, onde as mesmas comunicaram antecipadamente, as quais expresso minha consideração.

A partir da seção seguinte, vamos estudar as principais formas de comunicação empresarial e pública. Com a expansão da internet, muitos gêneros textuais foram simplificados, a fim de se adaptarem ao formato do *e-mail* e, assim, permitirem agilidade nos contatos interpessoais.

Com o estudo dos gêneros textuais que vamos propor na sequência, pretendemos orientá-lo na elaboração de uma correspondência elegante e eficiente. No entanto, você precisa estar ciente de que não existem fórmulas miraculosas. Não adianta caprichar no formato do texto se não houver textualidade. O que faz a correspondência ser eficiente, clara, objetiva e concisa é a construção das ideias, a ausência de vícios de linguagem e de frases e parágrafos mal construídos. Portanto, invista na qualidade do seu texto.

Agora podemos começar!

3.4
Produção textual: o *e-mail*

Conforme nos explicam os autores Odacir e Mariúsa Beltrão (2007, p. 227-228) no livro *Correspondência: linguagem e comunicação*,

a estrutura do texto

O correio eletrônico (*e-mail*) surgiu em outubro de 1971, nos Estados Unidos, com a escolha do símbolo @ (arroba) – em inglês *at*, como a preposição de lugar – para separar a identificação de uma caixa-postal no nome do local que a hospeda. O pai do *e-mail* é o engenheiro norte-americano Ray Tomlinson, que mandou a primeira carta eletrônica toda escrita em letras maiúsculas.

Com a expansão da internet, o *e-mail* tornou-se a forma mais rápida, barata e cômoda de comunicação entre pessoas e empresas, que, de modo geral, mundo afora, já aboliram a troca de papéis entre si, dando preferência ao computador para enviar e receber informações por meio do correio eletrônico. Por essa razão, o *e-mail* apresenta características de outros gêneros textuais, como o memorando e a carta.

A importância dos *e-mails* na comunicação moderna é tanta que eles são vistos pela lei como documentos e valem até como prova em juízo. Portanto, quando utilizados na comunicação empresarial, devem obedecer a algumas regras e princípios éticos.

1. *E-mails*, como qualquer correspondência, são confidenciais.

Evite escrever mensagens de *e-mails* com conteúdos longos. No geral, mensagens de *e-mails* têm vida curta; normalmente elas são apagadas após a leitura. Levando isso em consideração, o ideal é que você escreva uma mensagem breve e objetiva, pois o destinatário terá tempo suficiente apenas para decidir se irá apagá-la, respondê-la ou guardá-la.

2. Não use pontuação excessiva em seus *e-mails* ("!!!", "???", "...", "!?!", "?!?") pelas seguintes razões:
   - Você poderá dissimular o objetivo do texto, ou seja, poderá fugir do foco principal, alterando o sentido de frases e

- parágrafos, fazendo com que o leitor desvie a atenção do propósito da mensagem.
- O excesso de sinais permite que suas mensagens sejam filtradas como *spam*.
- Não existe, de acordo com a norma culta, valor alterado de sentido no uso do mesmo sinal de pontuação repetidas vezes, isto é, se você estiver fazendo uma pergunta, basta usar uma única vez o ponto de interrogação (?). Aprendemos pela literatura que o uso excessivo dos pontos de interrogação e exclamação (!), bem como o das reticências (...), confere ao texto sentido subjetivo, emocional e, portanto, inadequado à objetividade necessária ao texto corporativo.

3. É importante indicar no campo *Assunto* qual é o tema a ser tratado. Uma informação clara nessa linha ajuda na recepção da mensagem. Lembre-se de que seu destinatário pode receber muitas mensagens. Colocar, por exemplo, apenas a palavra *informações* no campo *Assunto* não ajuda em nada. Especifique claramente o conteúdo. Por exemplo:

- *Informações sobre novo horário de atendimento.*

4. Convém ressaltar que existe outro campo que você pode utilizar ao enviar uma cópia para outra pessoa (como o chefe de sua seção), de modo que o endereço dela não seja exibido. É o campo *Cco* (cópia carbono oculta).

5. Não se esqueça de revisar os *e-mails* antes de remetê-los, evitando erros de digitação, como troca de letras e letras repetidas.

6. Quanto ao uso de imagens, convém considerar o seguinte:
    - Não importa o quão interessante é o conteúdo de sua mensagem. Pesquisas mostram que algumas pessoas enxergam

a estrutura do texto

apenas as imagens das mensagens que recebem. Isso se deve à tendência a responder mais rapidamente aos estímulos visuais. Ocorre com uma parcela muito pequena de leitores, mas é preferível que você selecione imagens que despertem o interesse para o conteúdo de sua mensagem. Use apenas aquelas que estejam relacionadas ao assunto e ao objetivo de sua mensagem. Não use imagens em excesso, apenas uma ou duas é o suficiente.

- Não use imagens de fundo (*background*) que dificultem a visualização do texto.

7 Para *e-mails* nos quais é importante o aspecto do documento apresentado, como currículos, projetos, propostas e relatórios, o melhor é colocá-lo no espaço reservado aos anexos.

8 No cabeçalho, não utilize expressões muito formais ou arcaicas nem formas mais íntimas. O indicado, principalmente quando não conhecemos o interlocutor, é:

- Senhor, Senhor Cliente, Prezado Senhor etc.

9 Use formas de cortesia, que são atributos de pessoas bem-educadas, principalmente quando estamos nos dirigindo a alguém que não conhecemos.

10 Deixe linhas em branco entre a saudação, os parágrafos e a assinatura. Escrever tudo em letra maiúscula evidencia um tom agressivo e usar apenas minúsculas dá a impressão de descaso ou, mesmo, de preguiça. Procure sempre digitar a mensagem observando as maiúsculas no início das frases e deixando o restante em minúsculas.

11 Capriche na escrita: observe a pontuação, a ortografia e as demais normas gramaticais.

12. Coloque em destaque (negrito, sublinhado ou itálico) os aspectos principais do *e-mail*.

13. Digite o seu nome completo ou o nome da empresa. Abaixo, digite o seu *e-mail*, no caso de o destinatário querer responder para você ou guardar seu endereço.

14. Utilize fonte *Times New Roman*, tamanho 12, fonte Arial, tamanho 11, ou fonte Verdana, tamanho 11.

15. Por fim, há dois problemas quando se utiliza a frase "Clique aqui":
    - Durante a visualização do texto, embora essa frase seja uma ligação, não descreve nada e pode passar despercebida ou ser desconsiderada, porque a vemos o tempo todo na internet. Ela é comum e rotineira.
    - Apesar de a maioria dos servidores dar suporte a mensagens HTML, muitos não o fazem. Nesse caso, a ligação que você deseja estabelecer não será ativada.

Lembrete

Nos termos da legislação em vigor, para que a mensagem de correio eletrônico tenha valor documental, isto é, para que possa ser aceita como documento original, é necessário existir certificação digital que ateste a identidade do remetente, na forma estabelecida em lei.

Vamos comentar o seguinte *e-mail*, enviado pela secretária do presidente de uma empresa de planos de saúde:

a estrutura do texto

De: fulanadetal@xxx.com.br
Para: beltranodetal@xxx.com.br
Assunto: FELIZ NATAL!!!
Enviado: domingo, 23 de dezembro de 2012, 09:26:34

Natal...

Há 2011 anos atrás nascia JESUS DE NAZARÉ e...

Mais uma vez estamos vivendo o clima... O ambiente... Os sentimentos... E as emoções de uma grande festa.

Faltam apenas alguns dias para o Natal. As luzes já estão acesas decorando a cidade, na natureza se veste de gala ostentando as luzes e cores diversas.

É o Menino Jesus que vem ao nosso encontro procurando outra vez um lugar para nascer... Vamos abrir espaços em nossos corações e deixemos que o Menino Deus faça dele a sua morada e realize em nossas vidas seu plano de amor, para que assim, o verdadeiro sentido de Natal não se perca nas trocas de presentes e algumas palavras frias e sem sentido.

> Aproveito este clima de festa para desejar a você um Natal cheio de AMOR... E de PERDÃO... AMOR porque é no amor que encontramos o verdadeiro sentido da VIDA. PERDÃO porque é através do perdão que damos ao amor o sentido mais pleno.
>
> Mas, sobretudo, desejo que, quando todos se reunirem para celebrar o nascimento de Cristo, você receba dos céus todas as bênçãos, e que estas bênçãos se estendam por toda sua família, pois só a família é o símbolo de um Natal feliz!
> FELIZ NATAL!
> Saudações,
>
> Fulana de tal
> Secretária da Presidência
> (41) xxxx-xxxx
> (41) xxxx-xxxx
> BOAS FESTAS

Comentário: É muito importante que as empresas não se esqueçam de enviar mensagens a clientes, fornecedores e amigos por ocasião do Natal e do Ano Novo. Contudo, é necessário atenção a alguns aspectos:

- Nessa época do ano, mais do que em outras, o volume de correspondência enviado e/ou recebido é enorme. Por isso, escreva mensagens curtas e objetivas, das quais constem palavras-chave que definam com clareza a intenção de cumprimentar o destinatário pela chegada do Natal. Veja como o texto enviado pela secretária é longo e sem disposição visual atrativa.

a estrutura do texto

- Há muitos erros gramaticais no texto. Vamos citar apenas um, que ocorre já na primeira frase:
- "Há 2011 anos atrás nascia JESUS DE NAZARÉ e..."

  O emprego do verbo *haver* nessa frase indica tempo decorrido, isto é, tempo que já ficou para trás. Nesse caso, é uma redundância a presença da preposição *atrás*. Diga-se apenas: "Há 2011 anos nascia [...]".
- A secretária envia essa mensagem de seu *e-mail* pessoal, em nome da presidência da empresa. Não convém que seja feito dessa forma. O ideal seria que ela tivesse usado o *e-mail* que a empresa lhe forneceu. O cuidado com o texto deveria ser redobrado, porque é a imagem da empresa que está em evidência.
- O texto é cheio de clichês e o uso excessivo de reticências não se justifica. Além disso, o tom subjetivo compromete a polidez da mensagem:
  - "Mais uma vez estamos vivendo o clima... O ambiente... Os sentimentos ..."
  - "É o Menino Jesus que vem ao nosso encontro [...]"
  - "Vamos abrir espaços em nossos corações [...]"
  - "[...] pois só a família é o símbolo de um Natal feliz!"

Melhor seria se a secretária tivesse ampliado a imagem do presépio e escrito apenas uma mensagem simples e cortês.

Portanto, atenção a esses detalhes, nos quais menos é mais.

Veja o exemplo a seguir.

De: pensare@pensarelogistica.com.br
Para: mlucia@lucia.com.br
Assunto: Confirmação do processo de seleção
Enviada: segunda-feira, 26 de maio de 2013, 11:43:07

Prezada Candidata,

A PENSARE Logística vem, por este e-mail, pedir desculpas pelo transtorno causado, mas, devido a imprevistos técnicos, o processo de seleção terá seu calendário alterado.

Aguardamos você, para a realização da prova, no próximo dia 25, domingo, das 8h às 12 horas, no auditório da empresa, no 8º andar. É importante que você chegue com 30 minutos de antecedência.

Neste dia, os candidatos concorrerão às seguintes vagas:

- Digitador;
- Frentista;
- Chefe de Departamento Pessoal;
- Analista de Recursos Humanos;
- Gerente Administrativo.

O conteúdo programático da prova prioriza uma abordagem técnica e geral na área específica da vaga e cada candidato só pode concorrer a 01 (uma) vaga.

No dia da prova, você deverá levar e entregar para qualquer fiscal uma cópia dos documentos a seguir relacionados:

a estrutura do texto

> - Comprovantes de escolaridade (formação acadêmica e/ou cursos afins);
> - Uma cópia atualizada do *curriculum vitae*.
>
> Caso tenha dúvidas, haverá profissionais da empresa capacitados para ajudá-la desde sua entrada na unidade.
>
> <u>Importante:</u> Não se esqueça de levar caneta azul ou preta para realizar a prova.
>
> Você deve respeitar a data e o horário informados, pois não será permitida a entrada de ninguém após o fechamento das portas do salão.
>
> Este é um e-mail automático, portanto, não envie resposta.
>
> Atenciosamente,
> PENSARE Logística

Observe como não há formalidades no texto, mas a comunicação foi feita de forma objetiva e concisa, em linguagem polida e correta. Segundo a professora Miriam Gold (2005), "o maior problema observado hoje em dia nas empresas é que a informalidade chegou a um extremo tão grande que o assunto é redigido como se fosse uma fala despreocupada, apresentando má organização das ideias e falta de clareza".

Lembrete

Embora o *e-mail* seja um texto sem formalidades, ainda assim ele é um documento empresarial.

Verifique seu aprendizado

1. O *e-mail* a seguir apresenta sérios erros. Identifique-os e corrija-os.

De: mlucia@lucia.com.br
Para: jjadvogado@jj.com.br
Enviada: sexta-feira, 26 de outubro de 2012, 10:26:10

Excelentíssimo Doutor,

No mês passado, fui demitida da empresa na qual eu trabalhei por três anos e meio e vivia fazendo hora-extra até tarde da noite, inclusive nos finais de semana SEM NUNCA TER RECEBIDO POR ESSA TAREFA!! UM ABSURDO TOTAL!!!

Por essa razão estou lhe escrevendo porque tenho uma amiga que é sua cliente e ela super elogia o seu trabalho e a sua competência nas causas trabalhistas e essa é exatamente a minha necessidade de ajuda nesse momento bem difícil da minha vida, em que estou sem emprego e por isso V. Sª me será de grande ajuda.

Por isso eu gostaria que o senhor marcasse um horário para que a gente possa conversar sossegado.
Fico no aguardo do seu retorno.
Um grande abraço para o senhor e a todos os seus também.

Muito obrigado,

Maria

a estrutura do texto

Grafia de siglas e acrônimos

Sigla é a representação de um nome por meio de suas iniciais: FGTS, INSS, IBGE etc.

- Grafam-se em caixa-alta as siglas que, apesar de compostas de consoante e de vogal, são pronunciadas mediante a acentuação das letras: IPTU, IPVA etc.
- A sigla não forma uma palavra ou uma sílaba, devendo cada letra ser pronunciada separadamente.
- Apesar de obedecerem às mesmas regras dispostas para as siglas, os acrônimos são distintos delas, ou seja, são palavras formadas das primeiras letras ou de sílabas de outras palavras: Bradesco, Embrapa, Ibama, Pasep, Unicamp, Uninter, Unesco.
- Tanto as siglas quanto os acrônimos, se forem constituídos por até três letras, devem ser escritos com todas as letras maiúsculas: ONU (um acrônimo: O-NU), OAB, OEA, PUC, ABI.
- Siglas e acrônimos devem vir precedidos do respectivo significado e de travessão em sua primeira ocorrência no texto: Diário Oficial do Estado – DOE; Ordem dos Advogados do Brasil – OAB.

Grafia de expressões que envolvem números, numerais, tempo e quantidade

- Existem três possibilidades para abreviar a grafia de datas:
    - com traço: 18-03-2012;
    - com barra: 12/11/2010;
    - com ponto: 21.10.2011.

> **Lembrete**
>
> Os números cardinais devem ser escritos sem ponto ou espaço entre o milhar e a centena na indicação de anos. Exemplo: *2012* (e não 2.012).
>
> O ano pode ser registrado com os dois últimos dígitos. Exemplo: *12/11/11*.

- Grafe o primeiro dia do mês sempre em numeral ordinal. Exemplo: *Hoje é 1º de abril.*
- O emprego de zero antes do dia ou do mês formado de um só algarismo não é de rigor. Exemplo: *02/02/11* ou *2/2/11*.

  Atualmente, no entanto, a anteposição de um zero é prática corrente, pois atende a objetivos estéticos. Além disso, é sempre aconselhável quando se quer evitar fraude.

- Quando se escrevem as datas por extenso, o dia e o ano são obrigatoriamente indicados por algarismos. Exemplo: *Procure o documento no arquivo de 20 de novembro de 2011.*
- Use sempre o *h* minúsculo para abreviar hora. Não use ponto após o *h*. Os minutos não têm abreviatura. Exemplos: *17h45, 23h56, 13h05.*
- Grafe *zero hora* sempre por extenso.
- Diga sempre *meio-dia e meia*: *12h30.*
- Expresse a duração de um fato ou de quantidade por extenso até nove. Daí em diante, use os numerais cardinais 10, 11, 12 etc. Exemplos:
  - *A reunião com a gerência durou cinco horas.*

a estrutura do texto

- *Deslizamento de terra à margem da rodovia paralisou o trânsito por 15 horas.*
- *Foram gastos sete milhões de reais na execução da obra, e não 17 milhões, como a imprensa noticiou.*

- Refira-se a artigos, parágrafos e incisos da seguinte maneira:
  - Os artigos (representados pela abreviatura *art.*) e os parágrafos (pelo símbolo §) são seguidos de numerais ordinais até o 9º. A partir daí, use os números cardinais. Exemplos: *art. 9º, art. 10, § 5º, § 11*.
  - Os incisos são sempre grafados em algarismos romanos. Exemplo: *Inciso I do Artigo 29 da Lei 9.610/98*.

- Use numeral ordinal para referir-se a reis, papas, séculos, capítulos etc. se o numeral vier depois do substantivo e indicar um valor até dez. De onze em diante, sempre use os cardinais. Exemplos: *Capítulo V (quinto), Século X (décimo), Papa Bento XVI (dezesseis), Volume XIII (treze)*.

  Contudo, se o numeral vier antes do substantivo, use sempre o ordinal, em qualquer situação. Exemplos: *V capítulo (quinto), X século (décimo), XIII volume (décimo terceiro)*.

- Grafe sempre o ano com quatro algarismos. Dois algarismos só podem ser utilizados quando incorporados a uma expressão. Exemplos:
  - *Ele trabalhou nesta empresa entre 2008 e 2010.*
  - *Na Copa de 70, o Brasil foi tricampeão.*
  - *Meu avô contava muitas histórias sobre a Revolução de 64.*

- Não use o termo *anteontem* em seus textos. Opte sempre pela data em que ocorreu o fato. Exemplo: *Não participei da reunião de terça-feira (e não de anteontem); por isso, não posso adiantar-lhe nenhuma decisão do Conselho.*

- Lembre-se de que as palavras *milhar* e *milhão* são substantivos do gênero masculino, e isso tem de ser levado em conta na concordância. Exemplos:
  - *Ele fez um apelo aos milhares de pessoas que o ouviam.*
  - *A internet é uma enciclopédia cujos milhares de páginas nos revelam o mundo.*
  - *Muitos milhões de pessoas vivem em estado de miserabilidade.*
- Não use *um* antes de *mil*. Exemplo: *O serviço custaria mil reais.* "Um mil" e "hum mil" são formas tradicionais no preenchimento de cheques e devem limitar-se a esse uso.

Verifique seu aprendizado

1. Escreva por extenso os numerais das expressões a seguir:
   a) Rei Felipe II: _____
   b) Capítulo VI: _____
   c) XII faraó do Egito: _____
   d) Rei Luís XV: _____

2. (Fundação Valeparaibana-SP)* Indique o item em que os numerais estão corretamente empregados:
   a) Ao papa Paulo Seis sucedeu João Paulo Primeiro.
   b) Após o parágrafo décimo, virá o parágrafo onze.
   c) Antes do artigo dez vem o artigo nono.
   d) O artigo vigésimo segundo foi revogado.
   e) Depois do capítulo seis, pulei para o capítulo oito.

---

* Citada por Ferreira (1992, p. 111).

a estrutura do texto

3. Indique o item em que se cometeu erro no emprego dos numerais *milhão* e *milhar*:
   a) os dois milhões de doses de vacina.
   b) os vinte milhões de mulheres.
   c) as três milhares de mudas de árvores.
   d) os cinco milhões de liras.
   e) os dois milhares de crianças.

4. (Ufam)* Assinale o item em que não é correto ler o numeral como vem indicado entre parênteses:
   a) Pode-se dizer que, no século IX (nono), o português já existia como língua falada.
   b) Paulo reside na Casa 22 (vinte e duas) do antigo Beco do Alferes, em Aparecida.
   c) Abram o livro, por favor, na página 201 (duzentos e um).
   d) O que procuras está no art. 10 (décimo) do código que tens aí à mão.
   e) O Papa Pio X (décimo) foi canonizado em 1954.

5. Indique a frase em que não há erro quanto à grafia ou ao emprego de números e numerais:
   a) Não passei do capítulo três deste livro.
   b) A consulta foi marcada para as 14hrs.
   c) Moro no Paraná desde 97.
   d) O relógio da estação marcava 5h30 quando o trem partiu.
   e) Reveja o artigo 6 do Código Penal.

---

* Citada por Cipro Neto e Infante (1998, p. 309).

Artigo

MENDONÇA, F. M. Um ícone se desmancha no ar. Carta Capital, São Paulo n. 689, p. 62-63, 23 mar. 2012.

Já que falamos, no início deste capítulo, sobre enciclopédias que faziam sucesso nos anos 1990, leia, a seguir, parte da matéria publicada na revista *Carta Capital*.

UM ÍCONE SE DESMANCHA NO AR

A Enciclopédia Britannica chegou ao fim. Na quarta-feira, 14, o presidente da companhia responsável pela enciclopédia anunciou que não será mais oferecida a versão física. A última edição é datada de 2010, com 32 volumes e quase 60 quilos de peso. "Isso não tem nenhuma relação com a Wikipedia ou o Google, mas com o fato de que agora a Britannica vende produtos digitais para um grande número de pessoas", disse o presidente da companhia, Jorge Cauz, em entrevista.

É uma tentativa admirável de defender um produto com uma história de 244 anos, vendido a 1,4 mil dólares na versão impressa. A primeira versão veio a público em 1768, publicada em Edimburgo, na Escócia. Com o tempo, os editores decidiram que o melhor modelo seria atualizar os verbetes constantemente e assegurar que eles tivessem um texto limpo e conciso, escrito por especialistas de renome contratados mundo afora. As vendas chegaram ao auge em 1990. Hoje, um terço das cópias impressas da edição 2010 ainda está por ser vendida.

É um produto de qualidade indiscutível, mas obsoleto. [...] "Uma enciclopédia fica obsoleta no momento em que é impressa, enquanto nossa edição online é atualizada constantemente. As vendas de enciclopédias têm sido insignificantes por muitos anos, sabíamos que isso aconteceria", sustentou o executivo.

Fonte: Mendonça, 2012.

a estrutura do texto

Revista

CONHECIMENTO PRÁTICO LÍNGUA PORTUGUESA. Disponível em: <http://conhecimentopratico.uol.com.br/linguaportuguesa>. Acesso em: 15 maio 2013.

Procure conhecer a revista *Conhecimento Prático Língua Portuguesa*, publicada pela editora Escala Educacional e também disponível nas bancas de jornal. Acesse o *site* indicado para ler o artigo a seguir na íntegra.

UMA PIZZA DE MUÇARELA, POR FAVOR!

A LÓGICA DUVIDOSA DE UMA DAS MAIS CONHECIDAS PEGADINHAS DA LÍNGUA PORTUGUESA

Estranhou o título do artigo? "pizza de muçarela". Você também não sabia? Pois é. Mas o que está dicionarizado é "muçarela", "mozarela" e até "muzarela". Nenhum verbete "mussarela" é encontrado nos dicionários, muito embora esteja em todos os outros lugares. Estranho, não é? Como é que deixaram "mussarela" de fora, se é uma palavra escrita por 101% da população brasileira? No mínimo, os que elaboram os dicionários estão bem equivocados. Se a maior parte da população escreve "mussarela", por que então não incluí-la em seus dicionários? A opção de escrevê-la com "ss" seria uma a mais; dessa forma, teríamos quatro opções: muçarela, mozarela, muzarela e mussarela. Simples assim! Se existem três outras opções, por que não incluir a que realmente usamos? E não me digam: "Ah, porque a língua é assim!" Não, não é. A língua é "mussarela", porque nós (o povo – quem faz a língua) escrevemos mussarela. E não é o povo que alguns podem pensar... São todos: garis, professores, professores universitários, advogados, médicos, secretários, bombeiros etc.

Ainda tem mais: ortografia não é língua, é decreto. É uma lei. Por isso, não pode ser considerada língua. Então, já que é uma lei, poderia ser facilmente incluída a forma mussarela. [...]

> Enfim, basta que alguém passe a caneta e registre mussarela (forma que todos nós brasileiros usamos)... Mas aí teriam uma pegadinha a menos para colocar nas provas de concurso, não é mesmo?

Fonte: Rodrigues, 2011.

Síntese

Neste capítulo, demos continuidade ao estudo da textualidade e vimos que textos dissertativos/argumentativos devem conter uma introdução, um desenvolvimento e uma conclusão. Na introdução, apresentamos, por meio de uma frase chamada *tópico frasal*, o tema de nosso texto. É o lugar onde deixamos clara ao leitor a nossa linha de pensamento, a tese que vai ser exposta. No desenvolvimento, por meio de argumentos bem fundamentados (citações, exemplos, dados estatísticos, discurso de autoridade etc.), defendemos nossa posição ante o tema. Por fim, vem a conclusão do texto, que pode variar de acordo com o assunto: podemos confirmar os argumentos apresentados ou propor soluções, mas sempre tendo em mente que o desfecho precisa manter a sintonia com a tese enunciada na introdução.

Em seguida, vimos a primeira modalidade textual: o *e-mail*. Muitas informações sobre ele lhe foram passadas, para garantir que você não se esqueça de que o *e-mail* trocado entre seções e entre empresas é um documento, devendo, por isso, respeitar os padrões da norma culta.

Na seção "Não erre mais", examinamos assuntos que no dia a dia nos causam dúvidas e são motivo constante de nossas preocupações ao produzir textos.

quatro

erros mais frequentes e dúvidas mais comuns na produção textua

Neste capítulo, o objetivo é dirimir as principais dúvidas que os usuários da língua em geral têm quanto ao emprego de letras e palavras na produção textual oral ou escrita.

Inicialmente, leia o texto a seguir.

erros mais frequentes e dúvidas mais comuns na produção textual

SECRETARIADO, ATUAÇÃO MULTIFUNCIONAL

Vivemos em tempos de globalização, mudanças de paradigmas, novos cenários no mundo pessoal, político, econômico, religioso e por que não no mundo do trabalho? [...]

Não há como atuar, com sucesso, em um mercado novo e competitivo sem as devidas competências e habilidades profissionais. Não está existindo, no mundo do trabalho, espaço para aqueles que não têm domínio de conhecimentos, de ferramentas tecnológicas modernas e de seus próprios impulsos, para que se crie no ambiente de trabalho um clima de cordialidade, harmonia e eficácia na busca de resultados.

Atualmente, espera-se muito do profissional de secretariado! [...] ele deve estar preparado para atender às expectativas do mercado e exercer, nas organizações públicas ou privadas, um papel multifuncional. [...]

E para que esse profissional possa realizar tantas atividades exigidas no mundo das organizações, precisa estar preparado, qualificado! [...]

O domínio de tecnologias modernas, avançadas, constitui-se em outro fator importante na eficácia de suas ações. O mundo avança em todas as direções, surgindo, quase que diariamente, novas ferramentas de trabalho, que não podem ser ignoradas. Elas, associadas à capacidade de um bom relacionamento, podem ajudar o profissional de secretariado a alcançar seus objetivos com mais facilidade. Também nessa área do conhecimento prático, todo profissional deve estar em busca de aperfeiçoamento, adquirindo novas habilidades.

As universidades, no Brasil todo, estão oferecendo novos cursos na área de secretariado tanto em nível de bacharelado como em nível tecnológico. Com a facilidade da internet, pode o profissional localizar palestras, cursos de extensão, seminários, simpósios, congressos que não deixam de ser um aliado forte na qualificação profissional, além de uma oportunidade de fazer bons relacionamentos, ampliando sua *networking*. Um profissional bem preparado deverá ficar atento a novas oportunidades de trabalho, pois no mundo corporativo elas estão surgindo inesperadamente. [...]

Fonte: Toscano, 2008.

Com a finalidade de fazer distinção entre o uso de verbos no gerúndio e o *gerundismo*, nome pelo qual os gramáticos identificam o emprego inadequado dessa forma verbal, transcreveremos algumas frases do texto "Secretariado, atuação multifuncional".

Antes de tudo, vamos esclarecer que o gerúndio é uma forma verbal dita *nominal* porque ele pode exercer a função de adjetivo, ao indicar uma característica do ser/elemento ao qual se refere:

- *água fervendo* = fervente.
- *sol brilhando* = brilhante.

Veja que o gerúndio informa o estado da água e do sol no momento em que isso está acontecendo.

Vamos, então, analisar as frases do texto:

- "Não está existindo, no mundo do trabalho, espaço para [...]".
- "O mundo avança em todas as direções, surgindo, quase que diariamente, novas ferramentas de trabalho [...]".
- "[...] deve estar em busca de aperfeiçoamento, adquirindo novas habilidades".
- "As universidades, no Brasil todo, estão oferecendo novos cursos na área de secretariado [...]".
- "[...] além de uma oportunidade de fazer bons relacionamentos, ampliando sua *networking*".

- "[...] pois no mundo corporativo elas estão surgindo inesperadamente".

Observe que, em todos os exemplos destacados, o autor empregou corretamente verbos no gerúndio para indicar uma ação que está em curso, isto é, que está acontecendo no momento em que é informada ao leitor. São ações que acontecem simultaneamente a outras.

A norma culta rejeita construções com o gerúndio quando ele não indica ação que está em curso. Veja:

- *Um acidente envolvendo um trem, uma bicicleta e um trator paralisou ontem a Marginal do Pinheiros.*
- *Recebeu uma carta incluindo instruções sobre como agir.*
- *Procura-se um repórter sabendo escrever.*

Não existe simultaneidade com outras ações: logo, não é necessário empregar o gerúndio. As frases devem ser reescritas. Confira:

- *Um acidente ocorrido com um trem, uma bicicleta e um trator, paralisou [...].*
- *Recebeu uma carta que trazia instruções sobre como agir.*
- *Procura-se um repórter que saiba escrever.*

4.1 Principais vícios de linguagem

Constituem vícios de linguagem as incorreções no uso da língua falada ou escrita. Resultam do descaso de quem se expressa ou do desconhecimento das exigências linguísticas da norma-padrão. Veja, a seguir, quais são os principais vícios de linguagem.

4.1.1
Gerundismo

A rejeição ao gerúndio se concentra na construção em que a forma gerundial vem antecedida pela dupla *vou estar/vamos estar*. O modismo parece ter sido disseminado no português pelos operadores de *telemarketing* e daí migrado para outras faixas da linguagem oral (curiosamente, há muito poucos exemplos dele nos textos escritos).

Esse tipo de construção é, de fato, ruim e deve ser combatido, sobretudo por duas razões:

1. a primeira é a presença de *vou estar* em lugar de *estarei* – *vou* é um auxiliar determinativo que remete a ação expressa pelo verbo ao futuro;
2. a segunda é o emprego do gerúndio em um contexto em que não ocorre simultaneidade.

Quando a simultaneidade ocorre, o uso da forma gerundial é pertinente. Veja um exemplo:

- *Não me telefone amanhã à tarde, pois estarei estudando para uma prova difícil.*

Nessa frase, o emissor dá a entender que o estudo se prolongará por toda a tarde e seria perturbado pelo eventual telefonema.

Veja exemplos de uso incorreto do gerúndio:

- *Não vamos estar fazendo a vistoria dos carros.* (vamos fazer)
- *Senhora, vou estar transferindo a sua ligação para a diretoria.* (vou transferir)
- *Amanhã, vocês vão estar se desculpando pelas grosserias ditas hoje.* (vão se desculpar)
- *Ninguém sabe quando o Doutor Fulano vai estar voltando do almoço.* (voltará)

Como dissemos anteriormente, locuções como essas ganharam notoriedade no *telemarketing*, em que atendentes se comunicam com clientes para oferecer produtos, dar atenção pós-venda etc.

O jornalista e autor do *Manual de redação e estilo de O Estado de S. Paulo*, Eduardo Martins Filho (1997, p. 114), explica: "Isso é uma influência mal digerida do inglês em frases como *I will be sending* (*vou mandar*, e não *vou estar mandando*)".

Portanto, o que estamos criticando aqui é o gerundismo, o vício de usar o gerúndio numa inusitada locução verbal. Em geral, ela se compõe de um verbo qualquer no presente do indicativo – é muito frequente o uso do verbo *ir* (*vou/vamos/vão*) – seguido do verbo *estar* no infinitivo e, por fim, do verbo principal no gerúndio (terminação *-ndo*).

4.1.2
Pleonasmo

Entende-se por *pleonasmo* a repetição desnecessária de uma ideia. Exemplos:

- *é proibido barulho sonoro;*
- *baseado em fatos reais;*
- *opinião individual de cada um;*
- *plebiscito popular;*
- *repetir de novo;*
- *almirante da Marinha;*
- *monopólio exclusivo;*
- *anexar junto;*
- *ganhar grátis.*

4.1.3
Clichês

Um clichê, chavão ou lugar-comum é uma expressão idiomática que, de tão utilizada e repetida, desgastou-se ou perdeu o sentido. O uso dessa expressão empobrece o texto e demonstra falta de criatividade ao redigi-lo.

Os clichês destacados a seguir foram extraídos do *Manual de redação e estilo de O Estado de S. Paulo* (Martins Filho, 1997, p. 115).

Antes de mais nada	Extrapolar
Ataque fulminante	Familiares inconsoláveis
Atirar/lançar farpas	Fazer por merecer
Aparar as arestas	Fazer uma colocação
A todo vapor	Fonte inesgotável
A toque de caixa	Fortuna incalculável
Atuação impecável	Gerar polêmica
Avançada tecnologia	Importância vital
A voz rouca das ruas	Inserido no contexto
Bater de frente com alguém	Inundar (a vida, o coração etc.)
Caixinha de surpresas	Joia da coroa
Calorosa recepção	Líder carismático
Caloroso abraço	Literalmente tomado
Calorosos aplausos	Luz no fim do túnel
Caminho já trilhado	Na vida real
Cardápio da reunião	No fundo do poço
Carreira meteórica	Os quatro cantos do mundo
Catapultar	Pavoroso incêndio

4.1.4
Barbarismo

O barbarismo consiste no uso errado da pronúncia, da forma ou da significação de uma palavra. Exemplos:

- *Ele me disse que a empresa iria pedir concordância.* (em vez de *concordata*)
- *As casas eram geminadas.* (em vez de *geminadas*)
- *Uma senhora entrou num restaurante e pediu ao garçom:*
  — *Quero um camarão na moringa!* (em vez de *moranga*)
- *Espero que você seje meu amigo.* (em vez de *seja*)

Também constituem barbarismos:

Errado	Certo
rubrica	rubrica
gratuito	gratuito
mortadela	mortadela
ruim	ruim

4.1.5
Cacofonia

É o uso de palavras que formam som desagradável ou sentido ridículo, quando unidas numa frase. Exemplos:

- *Paguei por cada livro R$ 25,00.*
- *Meu coração por ti gela; meus amores de ti são.*
- *Má mão a sua; o bolo sempre fica solado.*

4.2
Problemas na construção das frases

Além da atenção que você precisa dar à construção dos parágrafos, é importante que a redação das frases não comprometa a clareza do texto. Pensando nisso, segue a indicação dos problemas mais comuns que ocorrem nesse processo e a maneira de evitá-los.

4.2.1
Sujeito como complemento

Considere a frase:

- *É tempo do Congresso votar a emenda.*

Nessa frase há duas orações:

1. *É tempo;*
2. *do Congresso votar a emenda.* (de que o Congresso vote a emenda)

A segunda oração é o sujeito da primeira, constituída por um predicado. A maioria dos gramáticos concorda que o sujeito de uma oração não deve ser precedido de preposição. Entretanto, é o que aconteceu quando, na frase em questão, a preposição foi contraída com o artigo que antecede o substantivo *Congresso*:

de + o = do

Por isso, é necessário desfazer a contração para liberar o artigo. Teremos, portanto:

- *É tempo de o Congresso votar a emenda.*

Agiremos da mesma maneira nas frases seguintes:

- *Apesar das relações entre os países serem amistosas...*
  Apesar de as relações entre os países serem amistosas...

- *Não vejo mal no Governo proceder assim...*
  Não vejo mal em o Governo proceder assim...

- *Em virtude da Assessoria não ter disponibilizado a informação...*
  Em virtude de a Assessoria não ter disponibilizado a informação...

4.2.2
Frases fragmentadas

Esse problema ocorre quando separamos com um ponto final a oração principal da sua subordinada. Confira:

- *O programa recebeu a aprovação da empresa. Depois de ser longamente debatido.*

A segunda oração indica quando o programa recebeu a aprovação da empresa. Essa oração mantém uma relação de tempo com a primeira; portanto, não podem vir separadas, como vemos em:

- *O programa recebeu a aprovação da empresa, depois de ser longamente debatido.*

O mesmo problema está presente neste exemplo:

- *O cliente fará hoje o depósito da quantia estipulada no contrato. Ainda que ele disponha de uma semana para fazê-lo.*

A segunda oração estabelece uma relação de concessão com a primeira. Portanto:

- *O cliente fará hoje o depósito da quantia estipulada no contrato, ainda que ele disponha de uma semana para fazê-lo.*

Veja outro exemplo:

- *Todo o trabalho ficou comprometido. Porque o programa em que o salvamos foi pirateado pela concorrência.*

A segunda oração estabelece uma relação de causa com a primeira. Portanto:

- *Todo o trabalho ficou comprometido, porque o programa em que o salvamos foi pirateado pela concorrência.*

4.2.3
Ausência de paralelismo

Paralelismo é o nome que se dá à ocorrência de ideias similares em idêntica estrutura gramatical. É uma construção frasal que dá coesão ao texto. Veja:

- *Pelo memorando, recomendou-se aos funcionários a economia de* (substantivo) *energia e a elaboração de* (substantivo) *um plano de redução de despesas.*

Existe paralelismo, porque se criou a mesma estrutura gramatical – no caso, com dois substantivos – para indicar o que foi recomendado aos funcionários: *economia de* e *elaboração de*. Não haveria paralelismo se, por exemplo, a frase fosse redigida da seguinte maneira:

- *Pelo memorando, recomendou-se aos funcionários a economia de* (substantivo) *energia e que elaborassem* (verbo) *um plano de redução de despesas.*

Vamos a mais exemplos:

- *No discurso de posse, o administrador mostrou determinação* (substantivo), *não ser inseguro* (verbo + adjetivo), *inteligência* (substantivo) *e ter ambição* (verbo + substantivo).

Correção:

- *No discurso de posse, o administrador mostrou determinação, segurança, inteligência e ambição* (somente substantivos para garantir o paralelismo).

- *O presidente visitou Paris, Londres, Roma* (nomes de cidades) *e o Papa* (nome que identifica uma pessoa).

Correção:

- *O presidente visitou* Paris, Londres e Roma, **onde** se encontrou com o Papa.

- *O projeto tem mais de* cem páginas (característica objetiva) *e muita* complexidade (característica subjetiva).

Correção:

- *O projeto é* extenso e complexo (dois adjetivos que estabeleceram o paralelismo).

- *Ou Vossa Senhoria* apresenta (só há um verbo na frase, portanto, não temos alternativa de ações) *o projeto, ou uma alternativa.*

Correção:

- *Ou Vossa Senhoria* apresenta *o projeto, ou* propõe *uma alternativa.*

Na sequência, leia o texto contido neste cartaz:

> PROCURA-SE
>
> Uma boa mulher que saiba cozinhar, limpar peixes, catar minhocas e que seja proprietária de um barco a motor.
>
> FAVOR ENVIAR FOTO DO BARCO E DO MOTOR

Você identificou o erro de paralelismo? Agora, confira se você acertou:

> PROCURA-SE
>
> Uma boa mulher que saiba cozinhar, limpar peixes, catar minhocas e possua um barco a motor.
>
> FAVOR ENVIAR FOTO DO BARCO E DO MOTOR

É preciso que a mulher (que está sendo procurada) saiba cozinhar, limpar peixes, catar minhocas e possua um barco a motor.

4.2.4
Erros de comparação

Ao fazermos uma comparação, a omissão de certos termos, própria da língua falada, deve ser evitada na língua escrita, pois compromete a clareza do texto: nem sempre é possível identificar, pelo contexto, qual o termo omitido e, dessa forma, o sentido que se quer dar a uma frase.

Veja o seguinte exemplo:

- *O salário de um professor é mais baixo do que um médico.*

Da forma como foi escrita, a comparação ocorre entre o tamanho do salário e o tamanho do médico. Sem coerência, não é mesmo?

Vamos redigi-la corretamente:

- *O salário de um professor é mais baixo do que o salário de um médico.*
  ou
- *O salário de um professor é mais baixo do que o de um médico.*

Vejamos mais um exemplo:

- *O alcance do decreto é diferente da portaria.*

Correção:

- *O alcance do decreto é diferente do alcance da portaria.*
ou
- *O alcance do decreto é diferente do da portaria.*

4.2.5
Uso excessivo da palavra *que*

Inicialmente, vamos identificar duas classificações da palavra *que* muito importantes para a coesão textual.

Se você pesquisar em uma boa gramática a classificação da palavra *que*, vai descobrir que ela pertence a muitas classes gramaticais (aproximadamente 13) e exerce muitas funções sintáticas. Mas a palavra *que* é empregada nos textos com mais frequência quando pertencente a duas dessas classes: pronome relativo e conjunção integrante.

Veja:

- *Gostei muito do livro que você escreveu, porque ele nos deu as informações de que precisávamos.*

Nas duas ocorrências, a palavra *que*, gramaticalmente, é um pronome relativo. Como saber?

1. Substitui um substantivo ou um pronome pessoal que se encontra na oração anterior.
2. É um elemento de coesão textual.
3. Exerce função sintática.

Vamos desmontar a frase do exemplo anterior. Observe que ela apresenta quatro verbos. O número de orações é sempre igual ao número de verbos, explícitos ou implícitos. Assim, temos:

- *Gostei muito do livro que você escreveu, porque ele nos deu as informações de que precisávamos.* (Há quatro verbos, portanto quatro orações).

Agora, vamos entender por que nesse período temos pronome relativo. Quais são os termos que o pronome relativo *que* substitui nas suas duas ocorrências? Pergunte ao verbo: você escreveu o quê? Resposta: um livro.

Assim, concluímos:

- *Gostei do livro.*
- *Você escreveu o livro.* (objeto direto)

Somente o pronome relativo substitui um termo antecedente. Mas e quanto à função sintática que ele exerce na frase? É simples! Ele não está substituindo o substantivo *livro*? Então, ele é o objeto direto da segunda oração.

Passemos para a próxima oração.

Pergunte: precisávamos de quê? Resposta: do livro.

Temos, agora, a oração completa:

- *Nós precisávamos do livro.* (objeto indireto)

Portanto, o pronome relativo é o objeto indireto da oração. Na próxima unidade, aprofundaremos o estudo dos pronomes relativos.

A seguir, outra frase para continuarmos nosso estudo da palavra *que*:

- *Você sempre afirmou que ele nos ajudaria.*
  Se temos dois verbos, há duas orações:

erros mais frequentes e dúvidas mais comuns na produção textual

- *Você sempre afirmou...*
- *...que ele nos ajudaria.*

Vamos entender a razão de a palavra *que* ser uma conjunção nessa frase.

Você deve ter percebido que, nesse caso, não há nenhum termo substantivo antecedente. Na verdade, a conjunção *que* inicia uma oração que completa o sentido do verbo da primeira oração.

Observe que a oração não tem sentido completo. Pergunte ao verbo: afirmou o quê? Como resposta, temos uma oração inteira com valor de objeto direto:

- *Você sempre afirmou que ele nos ajudaria.*

Nesse caso, a palavra *que* é uma conjunção integrante, porque inicia uma oração que completa sintaticamente a anterior.

Agora, vamos tratar do uso excessivo da palavra *que* nas frases.

Muitos autores e professores se referem a esse problema identificando-o como *queísmo*. O uso exagerado da palavra *que* como elemento de conexão entre as orações torna o texto "duro" e desarmonioso. Mas existe solução. É possível eliminar o queísmo das seguintes maneiras:

1. Substituindo o verbo da oração iniciada pelo pronome relativo *que* por um substantivo equivalente:
   - *O jornalista, que redigiu a matéria sobre as eleições presidenciais, foi muito tendencioso.*
   - *O jornalista, redator da matéria sobre as eleições presidenciais, foi muito tendencioso.*

2. Substituindo toda a oração iniciada pelo pronome relativo *que* por um adjetivo correspondente:

- *Esta é uma proposta de trabalho que não se pode recusar.*
- *Esta é uma proposta de trabalho irrecusável.*

3 Substituindo o verbo da oração iniciada pelo pronome relativo *que* por outro no particípio:
- *As histórias que ele contou têm muita graça.*
- *As histórias contadas por ele têm muita graça.*

4 Substituindo o verbo da oração iniciada pela conjunção integrante *que* por outro no infinitivo:
- *Penso que estou preparado para o concurso.*
- *Penso estar preparado para o concurso.*
- *Foi à festa sem que fosse convidado.*
- *Foi à festa sem ser convidado.*

Agora é a sua vez! Elimine o uso excessivo da palavra *que* nas frases a seguir. Deixe apenas as ocorrências que são indispensáveis à coerência das ideias.

- *Vários cientistas dizem que a clonagem humana, que é um avanço científico inevitável, tem de ser explorada de maneira que a dignidade das pessoas seja respeitada.*
- *Espero que você me responda, a fim de que se esclareçam as dúvidas que dizem respeito ao assunto que estávamos discutindo.*

A seguir, confira! Não há uma única forma de correção. Veja a sugestão mais simples:

- *Vários cientistas dizem que a clonagem humana, avanço científico inevitável, necessita ser explorada de maneira a respeitar a dignidade das pessoas.*
- *Espero que você me responda, a fim de esclarecer as dúvidas relativas ao assunto discutido por nós.*

erros mais frequentes e dúvidas mais comuns na produção textual

Verifique seu aprendizado

1. A propaganda a seguir, encontrada na porta de um restaurante, tem sentido ambíguo. Isso é proposital, fruto da criatividade de quem escreveu a frase.

    AQUI DAMOS IMPORTÂNCIA À MASSA!

    a) Qual é a palavra responsável pela ambiguidade na frase?
    b) Indique os significados que essa palavra apresenta, de acordo com os contextos possíveis.

2. Reescreva as frases, eliminando os casos de repetição desnecessária:
    a) Cada aluno, individualmente, terá direito apenas a dois convites para o baile dos formandos. A razão para isso é porque o salão de festas da escola não comporta muita gente.
    b) Há muitos boatos na cidade. Os fatos reais, porém são outros.
    c) A esfera terrestre é dividida em dois hemisférios, duas metades iguais do planeta.
    d) O planejamento antecipado de 2013 já está sendo divulgado pelos funcionários.
    e) A miséria do povo é sintoma indicativo da má distribuição da renda.

3. Em painéis colocados estrategicamente nas saídas de Londrina, cidade do Paraná, uma propaganda, em que se destaca a logomarca de uma empresa de telecomunicações, apresenta o seguinte texto:

    Agora você já sabe por que todo mundo fala de Londrina.

A respeito da ambiguidade desse texto publicitário, considere as seguintes afirmações:

I. A ambiguidade da frase decorre do fato de todas as expressões usadas terem sentido genérico.
II. Os locais onde foram afixados os painéis e o fato de se tratar de anúncios de uma empresa de telecomunicações constituem o contexto que facilita a percepção de diferentes leituras.
III. Existe uma interpretação mais ligada ao serviço de telefonia. Nesta, a expressão *de Londrina* deve ser entendida como lugar de procedência da chamada telefônica.

Sobre as afirmativas anteriores, é correto afirmar que:
a) apenas as afirmativas I e III são verdadeiras.
b) apenas a afirmativa I é verdadeira.
c) apenas a afirmativa II é verdadeira.
d) apenas as afirmativas I e II são verdadeiras.
e) apenas as afirmativas II e III são verdadeiras.

4. Um grave erro que se comete ao escrever é quebrar o paralelismo da frase. Dê nova redação às frases, tendo em vista a obtenção de paralelismo.
   a) O que ele mais admira em seus comandados é competência, não fumar, lealdade e franqueza.
   b) Uma moça aprende muito sobre crianças quando cuida de seus irmãos ou como babá nos sábados e domingos.
   c) Não deveríamos julgar um candidato pelo fato de ele ser advogado, fazendeiro ou qualquer outra ocupação.
   d) Ela passa todo o seu tempo estudando ou nas compras.
   e) Senhores jurados, espero que as provas permitam a vocês distinguir entre morte intencional e matar totalmente por acidente.

f) As pessoas naturalmente se dividem em dois grandes grupos: as trabalhadoras e as que preferem explorar as outras.
g) Determinaram às testemunhas que saíssem pela porta dos fundos e não prestar declarações à imprensa.
h) O professor mandou Pedro fechar o livro e que pegasse uma folha de papel.
i) Em público, ele demonstra insociabilidade, ser irritável, desconfiança e não ter segurança.
j) A nova secretária é educada, competente e ainda fala três idiomas com fluência.

5. Em 2009, o governo promoveu uma campanha a fim de reduzir os índices de violência. Noticiando o fato, um jornal publicou a seguinte manchete:

CAMPANHA CONTRA A VIOLÊNCIA DO GOVERNO DO ESTADO ENTRA EM NOVA FASE

A manchete tem um duplo sentido, o que dificulta o seu entendimento. Considerando-se o objetivo da notícia, esse problema poderia ter sido evitado com a seguinte redação:

a) Campanha contra o Governo do Estado e a violência entram em nova fase.
b) A violência do Governo do Estado entra em nova fase de Campanha.
c) Campanha contra o Governo do Estado entra em nova fase de violência.
d) A violência da campanha do Governo do Estado entra em nova fase.
e) Campanha do Governo do Estado contra a violência entra em nova fase.

6. "A função do artista é esta: meter a mão nessa coisa essencial do ser humano, que é o sonho e a esperança. Preciso ter essa ilusão: a de que estou resgatando esses valores" (Severo, citada por Aquino, 2004, p. 56).

    A expressão *meter a mão*:
    a) pertence ao linguajar culto.
    b) pode ser substituída, sem alteração de sentido, por *intrometer-se*.
    c) tem valor pejorativo.
    d) é coloquial e significa, no texto, "tocar".
    e) é um erro que deveria ter sido evitado.

7. Leia o texto a seguir.

    A INTELIGÊNCIA ANIMAL

    Há muito vem sendo estudada a possibilidade de haver, no reino animal, outros tipos de inteligência além da humana. Vejam, por exemplo, o golfinho. Dizem que esses simpáticos mamíferos pensam mais rápido do que o homem, têm linguagem própria e também podem aprender uma língua humana. Além disso, chegam a adquirir úlceras de origem psicológica e sofrem stress por excesso de atividade.

    Fonte: Moreno, citado por Aquino, 2004, p. 325.

    Ao dizer "Vejam...", o autor do texto refere-se:
    a) aos amigos que o escutam.
    b) a todos os homens.
    c) aos que não creem no que diz.
    d) aos possíveis leitores.
    e) aos biólogos, em geral.

8. A palavra que, no texto, refere-se a *golfinho*, evitando sua repetição, é:
   a) animal.
   b) mamíferos.
   c) inteligência.
   d) reino.
   e) linguagem.

4.3
Produção textual: a carta comercial

A carta é um tipo de comunicação impressa, acondicionada em envelope e endereçada a uma ou mais pessoas. Na correspondência empresarial, é um documento utilizado pelo comércio, pela indústria, por bancos, empresas prestadoras de serviços, profissionais liberais e, ainda, entre pessoas físicas e jurídicas que têm interesses em comum. A carta está para a empresa privada assim como o ofício está para o serviço público.

Esse tipo de comunicação sofreu muita influência dos modelos americanos, tanto na forma quanto no estilo. Por essa razão, o padrão denteado – utilizado no Brasil – caiu em desuso. Modernamente, utilizamos o alinhamento pela esquerda, conhecido como *padrão em bloco*.

Veja o modelo a seguir.

(1)

D/CS – 17 (2)
Curitiba, 18 de abril de 2012. (3)
COLÉGIO PRESIDENTE PRUDENTE (4)
At.: S. Risovaldo Ferreira
Ref.: Suas cartas 113/03 e 117/03 – Reunião de 10-04-12 (5)

Prezado Senhor, (6)

Informamos que o jogador Juninho Kiss não comparecerá à palestra de 22 de abril do corrente, pois está em viagem pela América do Sul, com os demais jogadores de futebol da equipe, cumprindo a agenda de amistosos acertada com a Federação Brasileira de Futebol. Assim, enviaremos dois substitutos: os jogadores Carlinhos Silva e Lucas Souza. (7)

Em relação à solicitação de um orientador para o projeto "JUVENTUDE EM AÇÃO", indicamos o Sr. Celso Araújo dos Santos. (7)

Atenciosamente, (8)

Francisco Soares (9)
Presidente da Associação Atlética Novo Mundo (10)

Os componentes da carta são os seguintes:

(1) Timbre da empresa.
(2) Tipo e número (à esquerda e no alto da página) não obrigatórios.

(3) Local e data (de preferência à esquerda, seguindo o alinhamento do texto; mas há quem prefira colocá-los à direita, conforme era exigido no modelo tradicional).

(4) Designação do destinatário.

Lembrete

Não se usa mais colocar o endereço do destinatário logo após a designação deste, como vemos no exemplo a seguir, por uma questão lógica: ele sabe onde fica a empresa, porque é lá que ele trabalha.

À
COMPANHIA PARANAENSE DE ENERGIA – COPEL – Rua Coronel Dulcídio, 800 – Batel
CEP 80420-170 – Curitiba-PR

Na hora de abreviar, não escreva *Att.* porque, em língua portuguesa, *atenção* não apresenta consoante geminada. Essa ocorrência pertence à língua inglesa: *Att.* = *attention*.

Também não abrevie com *A/C* (aos cuidados), porque essa forma deve ser utilizada apenas no envelope, quando houver uma pessoa intermediando o contato entre o remetente e o destinatário.

(5) Informação da referência ou do assunto: a referência diz respeito ao número do documento mencionado pelo remetente e o assunto, ao tema a ser tratado na carta.

Ref.: Carta nº 21/DJ (nº do documento emitido pelo Departamento Jurídico)
Ass.: Quebra de patente

(6) Vocativo.
(7) Corpo do texto (introdução e desenvolvimento).
(8) Fecho.

Lembrete

Use, em geral, a forma *Atenciosamente*.

Quando o destinatário ocupa um cargo mais elevado que o do remetente, deve ser usada a forma *respeitosamente*.

Quando o destinatário é um subordinado do remetente, deve ser usada a forma *cordialmente*.

(9) Assinatura do remetente.
(10) Cargo do remetente.

Emprego de letras

O emprego das letras em nosso idioma não é tarefa fácil, uma vez que um mesmo som pode ser representado por mais de uma letra (por exemplo, *asa/azar*). Portanto, sem a pretensão de esgotar o assunto, apresentamos a seguir orientações básicas para empregar corretamente algumas letras que costumam gerar dúvidas.

Emprego do S

1 Depois de ditongos (dois sons vocálicos, pronunciados juntos) jamais usamos a letra *z*. Exemplos:
- *coisa* (coi-sa).
- *pausa* (pau-sa).

Exceção: *paizão* (a palavra primitiva *pai* não apresenta a letra *s*).

2. Nas terminações *-ês*, *-esa*, *-isa*, com as quais formamos palavras que indicam títulos de nobreza, origem ou profissão. Exemplos:
   - *marquesa, duquesa, holandês, japonesa, sacerdotisa, profetisa.*

3. Nas formas dos verbos *pôr* e *querer*. Exemplos:
   - *Se eu quisesse participar da festa, teria confirmado presença....*
   - *Quando nós pusermos em ordem os livros, limparemos a sala....*
   - *Você não quis o doce, por quê?...*

4. Nas palavras derivadas de outras cujo radical (parte fixa) termina em *s**. Exemplos:
   - *casa: casinha, casario, casebre.*
   - *atrás: atrasado, atrasar.*

5. Quando os verbos apresentam no radical *-nd* ou *-pel*, os substantivos derivados são escritos com *s*. Exemplos:
   - *pretender = pretensão (-nd).*
   - *suspender = suspensão (-nd).*
   - *expandir = expansão (-nd).*
   - *impelir = impulsão (-pel).*
   - *expelir = expulsão (-pel).*

Emprego do Z

1. Nas palavras derivadas de uma primitiva grafada com *z*. Exemplos:
   - *juiz = juízes, ajuizado.*
   - *deslize = deslizar, deslizamento.*

2. Nos sufixos *-ez*, *-eza*, formadores de substantivos abstratos femininos a partir de adjetivos. Exemplos:

---

* Atente para estas formas que fogem à regra: *catequese, catequizar.*

- *rápido = rapidez.*
- *mesquinho = mesquinhez.*
- *áspero = aspereza.*
- *delicado = delicadeza.*

3 No sufixo *-izar*, formador de verbos. Exemplos**:
- *hospital = hospitalizar.*
- *canal = canalizar.*
- *humano = humanizar.*

Emprego do X

1 Depois da sílaba inicial *en*. Exemplos:
- *enxoval, enxurrada, enxaqueca.*

Exceção: o verbo *encher* e seus derivados: *enchente, preencher, enchimento.*

2 Normalmente, depois de ditongo. Exemplos:
- *caixa, ameixa, peixe, frouxo.*

3 Sempre que estivermos seguros de que a palavra é de origem indígena ou africana. Exemplos:
- *abacaxi, xavante, Caxambu, orixá, xaxim.*

Emprego do SS

1 Quando o radical do verbo apresenta *ced-, gred-, prim-, tir-*, os substantivos derivados são escritos com *ss*. Exemplos:
- *ceder = cessão (ced-).*
- *retroceder = retrocesso (ced-).*
- *agredir = agressão (gred-).*

** Em palavras como *analisar* e *avisar*, observe que a palavra primitiva já apresenta a letra *s* no radical: *análise* e *aviso*. Portanto, na formação do verbo, acrescentou-se apenas *-ar*.

Verifique seu aprendizado

1. Assinale a alternativa cujas letras completam corretamente as lacunas das frases a seguir:
   I. Fiz a supre__ão de umas palavras no texto.
   II. Tamanha nobre__a de caráter é raro hoje em dia.
   III. Há um pássaro exótico chamado rou__inol.
   IV. A noiva comprou todo o en__oval em Paris.
   a) ss, z, x, x.
   b) ç, s, x, x.
   c) ss, z, ch, x.
   d) ç, z, ch, x.
   e) ç, s, x, x.

2. Assinale a alternativa em que todas as palavras podem ser completadas sem erro com a letra *x*:
   a) __odó, __aveiro, en__oval.
   b) en__urrada, tre__o, cai__eiro.
   c) ca__imbo, __oramingar, apro__imação.
   d) en__ame, me__ilhão, rou__inol.
   e) a__atamento, col__ão, __amego.

3. Tendo como modelo os dois primeiros exemplos, forme verbos a partir das palavras a seguir, considerando o uso de *s* ou *z* na terminação:
   - *análise*: *analisar*
   - *canal*: *canalizar*
   a) suave: _____
   b) improviso: _____
   c) pesquisa: _____
   d) popular: _____
   e) individual: _____

4. Assinale a alternativa que apresenta as palavras que completam corretamente a frase a seguir:

Mesmo que _____, não conseguiríamos _____ na equipe de trabalho o nosso _____ colega.

   a) quiséssemos – encaichar – pretencioso.
   b) quiséssemos – encaixar – pretensioso.
   c) quiséssemos – encaxar – pretencioso.
   d) quizéssemos – encaixar – pretensioso.
   e) quizéssemos – encaichar – pretensioso.

5. Reescreva as frases, eliminando, quando possível, a presença da palavra *que*:
   a) Quase que eu cometo uma injustiça e as pessoas que estavam conosco seriam prejudicadas.
   b) Constatei que são numerosas as reclamações que recebemos em nosso *site*.
   c) É preciso que conheçamos os planos da nova diretoria para que sejam feitas as modificações que forem necessárias.
   d) Mandei que ele ficasse para que comprovasse que eu sou inocente.
   e) O homem da Renascença, que é antropocêntrico, enxerga que a condição humana é grande e passa a glorificá-la numa espécie literária que tem origens ocidentais greco-latinas.

6. Assinale a frase que não apresenta vício de linguagem:
   a) O orvalho noturno da noite brilhava nas pequenas flores.
   b) O cachorro do seu irmão avançou sobre o amigo.
   c) Quero meias para senhoras claras.
   d) Ao toque da campainha, desceu para a sala de visitas.
   e) Na boca dela estava a marca da agressão que sofrera.

erros mais frequentes e dúvidas mais comuns na produção textual

7. Aponte a frase cuja redação apresenta paralelismo:
   a) Ele declarou não ter tido qualquer participação no caso e que esteve fora durante toda a semana.
   b) Não fui trabalhar não apenas por estar chovendo, mas ainda por estar gripado.
   c) Recusei-me a ajudá-lo não só porque estava muito ocupado, mas por ele não merecer.
   d) Ele passa todo o seu tempo ouvindo música ou no *shopping*.
   e) Tenho a impressão de estar sendo seguido e logo me surpreenderão.

8. Identifique o tópico frasal no parágrafo a seguir:

   Na Praça Vermelha, na região central de Moscou, os tempos do comunismo parecem um ponto distante na história. Vinte anos depois do fim da União Soviética, em dezembro de 1991, o capitalismo se infiltrou por todos os flancos. Na entrada principal, um grupo de camelôs, outrora vistos como expressão do "individualismo burguês" e proibidos pelo regime, vende livremente lembranças aos turistas.

   Fonte: Fucs, 2011, p. 74.

9. Reescreva as frases a seguir substituindo os termos em destaque por palavras e expressões sem sentido figurado:
   a) O Rio recebe os turistas de braços abertos.
   b) Os passageiros iam empilhados dentro do trem.
   c) Os vereadores saem mais barato para o país que os deputados.
   d) O governo fechou os ouvidos aos apelos da população.
   e) Suas ilusões foram transformadas em pó.

10. Na carta comercial seguinte, foram cometidos, propositalmente, cinco erros. Identifique-os e corrija-os:

Paladar Refinado Comércio de Alimentos

Curitiba, 2011.

À COMPANHIA PARANAENSE DE GÁS – Compagas
Rua Pasteur, 463 – Edifício Jatobá, 7º andar – Batel
CEP 80250-080 – Fone 41 3312-1900
A/C: Sr. Fernando de Morais
Ref.: Solicitação de instalação de rede para gás natural.

Prezado Senhor,

Somos uma pequena empresa, a ser inaugurada em breve, que pretende atuar na área de alimentos, fornecendo refeições de qualidade e bom preço a outras empresas e a particulares. Estamos em fase de conclusão das obras e, por essa razão, solicitamos a instalação de rede que estabeleça a conexão entre nossa empresa e a tubulação de rua onde o gás canalizado já está disponível.
Provisoriamente, estamos atendendo pelo telefone 41 XXXX-1100, pelo qual aguardaremos o seu contato.
Sem mais no momento, despedimo-nos.
Respeitosamente,
Carlos Sampaio
Gerente

Livros

JORNAL O DIA. Manual de redação e texto jornalístico. Rio de Janeiro, 1996.

De acordo com esse manual do jornal *O Dia*, bastante conhecido no Estado do Rio de Janeiro, devemos evitar as impropriedades de linguagem. Veja, a seguir, algumas dessas inadequações e as expressões corretas para substituí-las.

erros mais frequentes e dúvidas mais comuns na produção textual

1. Não podemos empregar como se fossem sinônimas as palavras *nação*, *povo*, *país*, porque:
   - *nação* = é o país do ponto de vista político e étnico;
   - *povo* = é o conjunto de habitantes;
   - *país* = é a entidade jurídica e territorial.

2. Vale lembrar que *nação* não tem chefe; quem tem chefe é Estado ou Governo. As palavras *nação* e *país* devem ser grafadas com inicial maiúscula quando em substituição à palavra *Brasil*.

3. Quando nos referirmos ao dinheiro que autoridades recebem mensalmente como remuneração ao trabalho executado, dizemos:
   - *vencimentos*, para funcionários públicos na ativa (os aposentados recebem *proventos* e *benefícios*);
   - *pensões*, quando se referem ao pagamento feito a viúvos e herdeiros de aposentados;
   - *salários*, que consistem no valor pago a trabalhadores regidos pela CLT;
   - *subsídios* ou *vencimentos*, que se referem aos ganhos de vereadores, prefeitos, deputados e senadores;
   - *subsídios* e *ajudas de representação*, que constituem os ganhos de governadores e do presidente.

4. Na referência a orçamentos, a despesa é fixada e a receita, estimada.

5. Quando nos referimos a ocorrências relativas ao Judiciário, dizemos que:
   - o juiz vota, dá a sentença ou julga (juiz não dá parecer);
   - *habeas corpus* são requeridos;
   - mandados de segurança são impetrados;
   - recursos são interpostos;
   - sentenças são proferidas;
   - multas são aplicadas;

- injunções são feitas;
- prisões preventivas são decretadas ou pedidas.
- funcionários da Justiça são chamados de serventuários.

Lembrete

Atenção aos parônimos!
mandado = prescrição, ordem de uma autoridade superior.
Exemplos:

- "mandado de citação (ordem enviada por autoridade judicial informando à parte interessada a propositura de uma ação judicial e concedendo-lhe prazo para se definir a respeito dessa ação)".
- "mandado de segurança (1. ação movida por pessoa com vistas a garantir um direito seu que está ameaçado por ato inconstitucional e ilegal da autoridade constituída 2. ordem emanada do juiz para que se suspenda ou se revogue determinado ato)".
- "mandato (1. aquilo de que se está encarregado 2. concessão de poderes para desempenho de uma representação)".

Fonte: Houaiss; Villar, 2009.

MENDES, G. F.; FORSTER JÚNIOR, N. J. Manual de redação da Presidência da República. 2. ed. rev. e atual. Brasília: Presidência da República, 2002. Disponível em: <http://www.planalto.gov.br/ccivil_03/manual/ManualRedPR2aEd.PDF>. Acesso em: 10 ago. 2012.

Procure conhecer o *Manual de redação da Presidência da República*, cuja segunda edição revista e ampliada foi autorizada pela Portaria nº 91, de 4 de dezembro de 2002.

Síntese

Neste capítulo, examinamos os problemas que comprometem a qualidade de um texto. apontamos alguns vícios de linguagem e, principalmente, mostramos como evitar a redação de frases mal estruturadas. Recordamos o emprego de algumas letras que causam dúvidas e finalizamos a unidade com a análise da carta comercial. Foram apresentados muitos exercícios para a fixação dos conhecimentos. Não deixe de fazê-los.

cinco

pontuação

Os sinais de pontuação cumprem a função de separar palavras, expressões e orações que devem ficar destacadas no texto. Servem ainda para assinalar as pausas e a entonação da voz durante a leitura.

Como não há uniformidade de critérios entre os escritores quanto ao uso dos sinais de pontuação, daremos destaque apenas às regras estabelecidas pela gramática normativa para a variante padrão.

A seguir, leia um poema de Eduardo Alves da Costa*.

No caminho, com Maiakóvski

[...]
Na primeira noite, eles se aproximam
e roubam uma flor
do nosso jardim.
E não dizemos nada.

---

* Eduardo Alves da Costa nasceu no Estado do Rio de Janeiro, em 1936. Formou-se advogado e tem muitos livros publicados.

pontuação

Na segunda noite, já não se escondem:
pisam as flores,
matam nosso cão,
e não dizemos nada.
Até que um dia
o mais frágil deles
entra sozinho em nossa casa,
rouba-nos a luz, e,
conhecendo nosso medo,
arranca-nos a voz da garganta.
E já não podemos dizer nada.

Fonte: Costa, 2003.

Muitas pessoas pensam que esse poema foi escrito por Vladimir Maiakóvski, um dos mais importantes poetas russos do início do século XX, que nasceu em 1893 e faleceu em 1930. Na verdade, é uma homenagem de Eduardo Alves da Costa ao poeta que sempre lutou pela liberdade de expressão de seu povo.

O tema gira em torno da oposição entre autoritarismo e passividade. Mostra a necessidade de reagirmos contra tudo o que invade nosso espaço, controlando nossas ações e ditando nosso comportamento.

Observe que as vírgulas nos obrigam a fazer pequenas pausas, impedindo que a leitura inexpressiva comprometa a compreensão das ideias do texto. O poeta deseja que reflitamos sobre as verdades contidas nos versos.

Outro aspecto importante é a repetição do conectivo *e*, que confere sentido de adição às ideias. Essa conjunção inicia orações que informam sobre nossa passividade diante da atitude invasiva "deles". Cada vez mais "eles" testam nossos limites e nós abrimos a guarda para que se aproximem e façam o que quiserem. Por fim, já sem voz, não é possível dizer mais nada, nem que agora o queiramos.

Para Maiakóvski, era importante conscientizar sua pátria, a Rússia, do perigo iminente que o sistema político totalitário representava para a liberdade de sua gente.

5.1
Emprego da pontuação

A pontuação está a serviço da compreensão e, para isso, vale-se de sinais gráficos que devem ser utilizados de acordo com a estrutura interna do enunciado.

A leitura atenta do poema que abre o capítulo confirma a importância das pausas breves e longas, marcadas, respectivamente, pelas vírgulas e pelos pontos finais. O leitor vai sendo conduzido na construção do ritmo, ao mesmo tempo que as emoções afloram em resposta à progressão das ideias: da fragilidade ao aniquilamento do indivíduo.

Vamos ver as principais regras que norteiam o uso adequado da pontuação de textos.

5.1.1
Ponto [.]

1 É usado para indicar o final de uma frase declarativa. Exemplo:
- *Meu time foi rebaixado para a segunda Divisão.*

2 Também aparece nas abreviaturas. Exemplos:
- *Sr. (senhor), d.C. (depois de Cristo), prof. (professor).*

5.1.2
Vírgula [,]

No período simples, a vírgula é usada:

1. Para separar datas e endereços. Exemplo:
   - *A Semana de Arte Moderna ocorreu em São Paulo, entre 13 e 19 de fevereiro de 1922.*

2. Para separar os elementos de enumeração. Exemplos:
   - *Marcela, Clara, Ana, alguém me ajude.*
   - *Comprou maçãs, bananas, laranjas e pêssegos para fazer uma salada.*

3. Para separar o vocativo (o chamamento) das frases. Exemplos:
   - Dr. Otávio, *deixei em sua mesa todos os recados anotados.*
   - *Sejam bem-vindos,* senhores palestrantes.
   - *A minha alegria,* queridos filhos, *é vê-los felizes e realizados.*

4. Para isolar o aposto (termo explicativo) nas frases. Exemplos:
   - *Castro Alves,* famoso poeta do Romantismo brasileiro, *nasceu na Bahia.*
   - Satélite da Terra, *a Lua não é mais dos namorados.*

5. Para marcar a ausência do verbo na frase. Exemplos:
   - *O dia estava nublado; o mar, cinza e a vida, triste.* (estava)
   - *Nas ruas, poucas pessoas.* (havia)

6. Para separar expressões de valor adverbial, explicativas ou retificativas. Isso quer dizer que qualquer termo que separe os elementos relacionados entre si exigirá a vírgula (sujeito + predicado + complementos). Exemplos:

- *Ultimamente*, **tudo parece andar mais rápido.**
- **A venda de carros usados,** durante a última feira, **foi um sucesso.**
- **O amor,** isto é, **o mais forte dos sentimentos humanos, tem seu princípio em Deus.**
- Coberto pela neve da madrugada, **estava o telhado das casas.** (O telhado das casas estava coberto pela neve da madrugada.)
- Com muita calma, **ele lia o relatório.** (Ele lia o relatório com muita calma.)

No período composto, a vírgula é usada:

1. Para separar orações iniciadas por conjunções subordinativas (exceto as integrantes). Exemplos:
   - *Enquanto* **o marido pescava, a mulher pintava a paisagem.**
   - **O grupo realizará um trabalho excelente,** se **puder contar com a orientação de um líder.**
   - *Ainda que* **eu esteja ocupada, vou levá-los ao teatro.**

2. Para separar orações iniciadas por pronomes relativos, quando estas apresentam sentido explicativo. Exemplos:
   - **Pelas 11h do dia,** que foi de sol ardente, **alcançamos a margem do rio.**

A oração contida entre vírgulas tem valor explicativo e, por essa razão, pode ser retirada da frase sem comprometer-lhe o sentido:
- *Pelas 11h do dia, alcançamos a margem do rio.*
- *Jorge Amado,* que nos brindou com romances inesquecíveis, *nasceu na Bahia.*

ou
- *Jorge Amado nasceu na Bahia.*

pontuação

Lembrete

Ainda sobre as orações iniciadas por pronome relativo, dê atenção ao sentido, porque ele pode diferir quando a oração vier entre vírgulas. Observe:

- *O professor, que é competente, estimula os alunos a estudar.*
- *O professor que é competente estimula os alunos a estudar.*

Você percebeu a diferença de sentido?

No primeiro caso, entre vírgulas, a oração apresenta sentido explicativo de uma situação genérica: qualquer professor é uma pessoa competente. A competência é característica comum a todos os professores.

No segundo caso, sem a vírgula, somente o professor que é competente é capaz de estimular os alunos. O sentido é restritivo, é particular, e não genérico.

Por isso, esteja atento a casos como esses. Veja se a informação que você acrescentou apresenta sentido explicativo ou restritivo antes de utilizar as vírgulas.

3 Para separar orações coordenadas, sem conjunção entre elas. Exemplos:
- *As crianças corriam no quintal, soltavam gritos felizes, alegravam-se com as brincadeiras.*
- *"Vim, vi, venci."*

4 Para separar orações intercaladas. Exemplos:
- *A família, dizia o palestrante, é a primeira célula social do indivíduo.*

🖎 *Prefiro ler* Dom Casmurro *porque, embora seja um romance melancólico, a riqueza do estilo de Machado de Assis encanta-me sempre.*

Lembrete

De preferência, não use a vírgula antes de *et cetera* — etc. — porque essa expressão latina começada pela letra *e* significa "e outras coisas mais". Portanto, a letra *e* inicial justamente faz a união entre o último elemento e o restante dos elementos enumerados.

Um bom texto exige objetividade, clareza, concisão etc. (e mais outras características importantes). Também não use o termo *etc.* ao redigir documentos.

5.1.3
Ponto e vírgula [;]

É usado:

1. Para separar duas orações coordenadas que já contêm vírgulas, mas que mantêm uma relação de sentido entre si. Exemplo:
   🖎 *Uns lutam, criam oportunidades; outros, porém, só sabem explorar os inocentes.*

2. Para separar os diversos itens de enunciados enumerativos (em leis, decretos, regulamentos). Exemplo:

pontuação

DECRETO Nº 42.999, DE 02 DE JUNHO DE 2011
INSTITUI, NO ÂMBITO DO ESTADO DO RIO DE JANEIRO, O PROGRAMA RENDA MELHOR JOVEM E DÁ OUTRAS PROVIDÊNCIAS.

O GOVERNADOR DO ESTADO DO RIO DE JANEIRO, no uso de suas atribuições constitucionais e legais,

CONSIDERANDO:
— a instituição do Programa RENDA MELHOR, por intermédio do Decreto nº 42.949 de 10 de maio de 2011;
— as taxas de abandono e reprovação do ensino médio no Estado do Rio de Janeiro apesar dos avanços obtidos na promoção do desenvolvimento econômico e social;
— o desempenho do Estado do Rio de Janeiro com relação ao Índice de Desenvolvimento da Educação Básica (Ideb); e
— a necessidade de promover a inclusão social e econômica dos jovens em situação de pobreza extrema, vulnerabilidade e risco social.

DECRETA:

Art. 1º Fica instituído, no âmbito do Estado do Rio de Janeiro, o Programa **RENDA MELHOR JOVEM**.

Art. 2º O Programa tem como objetivos:

I – contribuir para a superação da pobreza extrema no Estado do Rio de Janeiro, levando em consideração os aspectos multidimensionais que a compõe;

II – incentivar os jovens beneficiários a se manterem no sistema educacional e a concluírem o Ensino Médio;

III – aumentar a taxa de conclusão do Ensino Médio;

IV – reduzir os índices de vulnerabilidade econômica e social dos jovens;
V – reduzir os índices de criminalidade entre os jovens.
   [...]

Fonte: Rio de Janeiro, 2011.

5.1.4
Dois pontos [:]

Esse sinal de pontuação deve ser usado:

1 Para iniciar uma enumeração. Exemplos:
   - *Tudo foi verificado: os freios, os faróis, os pneus, o motor.*
   - *"O uso desses servidores públicos federais se deveu a três de suas qualidades: o poderio de repressão [...]; sua desvinculação dos vícios do sistema [...] e a utilização decisiva de instrumentos de inteligência policial."* (Abrucio, 2011).

2 Para introduzir a fala de uma pessoa. Exemplo:
   - *Pela rua deserta, vinha um homem que repetia aflito:*
     — Fui roubado... fui roubado!

3 Para indicar o início de uma exposição ou explicação. Exemplos:
   - *"O combate à corrupção no Brasil é uma questão de ira santa, de saúde mental, de urgência política. Com um detalhe: também é uma questão de meteorologia."*
   - *"Sua bandeira, não obstante, é sólida: uma vassoura verde e amarela, bem fotogênica, bem televisiva, [...]."*
   - *"Ele não logrou acabar com a roubalheira, apenas nos legou um folclore divertido e esta metáfora persistente: que a improbidade administrativa é uma sujeira."* (Bucci, 2011)

5.1.5
Reticências [...]

As reticências são usadas, principalmente:

1. Para indicar suspensão ou interrupção do pensamento ou ainda, nos diálogos, corte da frase de um personagem pelo interlocutor. Exemplos:

- *"Por fim, com um suspiro, remexeu uma garrafa de champanhe dentro do balde em que ela gelava, encheu outro copo, murmurando: — Um calor... Uma sede!... — Mas não bebeu."* (Queirós, 2002, p. 42)

- *"Sinto que o tempo sobre mim abate
Sua mão pesada. Rugas, dentes, calva [...]."* (Drummond de Andrade, 2009)

- *"— Eu asseguro, dizia o agente do Correio, que... Por aí, o mestre-escola intervinha com mansuetude evangélica:
— Não diga 'asseguro', Senhor Bernardes; em português é 'garanto'."* (Barreto, 1969, p. 23)

- *"— Aqui é a sala de estar e a sala de jantar, e ali é...
— Kezia!
— Oh, que pulo elas deram!"* (Mansfield, 2003, p. 85)

2. Para sugerir a ideia de movimento ou de continuação de um fato. Exemplo:

- *"— Dona Encarnação é uma pessoa solitária, não teve filhos, o marido morreu, não tem parente, ao que consta. Bem... recebe pensão... possui outros bens... E... isso... nós teremos de arcar com as despesas do enterro."* (Fidelis, 2003, p. 70)

> **Lembrete**
> As reticências são sinais gráficos subjetivos, de grande poder de sugestão, empregados pela linguagem poética e afetiva. Por essa razão, devem ser evitadas em textos da correspondência empresarial.

5.1.6
Travessão [–]

O travessão é muito utilizado pela linguagem literária para indicar o início da fala de um personagem. Contudo, nos textos informativos, o travessão deve ser usado apenas para isolar palavras ou orações que pretendemos realçar ou enfatizar. Exemplo:

- *"Impossível esquecer o caso do Orkut, em que a adesão maciça de brasileiros gerou reação negativa dos usuários norte-americanos, que se incomodaram com a presença constante do português no site e debandaram para outras redes, como o Facebook – hoje com quase a mesma força do Orkut no Brasil, registrava 12,11 milhões de brasileiros."* (Guerreiro; Pereira Junior, 2011)

5.1.7
Aspas [" "]

1. Devem ser usadas antes e depois de uma citação textual: palavra, expressão, frase ou trecho. Exemplo:
   - *Segundo o jornalista e autor Reinaldo Azevedo, "a arte engajada costuma ser um cemitério de talentos ou uma coleção de inutilidades. Consome algumas das melhores vocações e alça*

pontuação

à condição de 'artista' gente que, no geral, não tem nada a dizer." (Revista Bravo!, 2005)

2 Também são usadas para pôr em evidência termos ou expressões: gírias, palavras estrangeiras, títulos de obras, nome de jornais e revistas, palavras com o sentido deslocado etc. Exemplo:

- *No texto anterior, a palavra "artista" aparece entre aspas simples porque, ao citarmos um trecho do artigo de Reinaldo Azevedo, fomos obrigados a usar as aspas duplas. Observe que o autor empregou aspas para destacar sua ironia ao dizer que uma pessoa inexpressiva artisticamente é chamada de "artista".*

5.1.8
Parênteses ( )

1 Devem ser usados para isolar palavras ou frases com finalidade explicativa em um período. Normalmente, o tom com que pronunciamos essas palavras é sempre mais baixo. Exemplo:

- *A educação familiar e escolar (áreas de interesse do psiquiatra Içami Tiba) piorou na proporção inversa aos avanços tecnológicos.*

Lembrete

Evite usar parênteses ao redigir documentos. Use-os somente quando a informação for secundária ou de caráter explicativo. A presença constante de informações entre parênteses compromete a clareza e a objetividade do texto.

O exemplo a seguir foi retirado do *Manual de redação da Presidência da República*, do capítulo que normatiza as técnicas de elaboração, redação e alteração das leis:

[...]
IV – o mesmo assunto não poderá ser disciplinado por mais de uma lei, exceto quando a subsequente se destine a complementar lei considerada básica, vinculando-se a esta por remissão expressa.
Art. 8º A vigência da lei será indicada de forma expressa e de modo a contemplar prazo razoável para que dela se tenha amplo conhecimento, reservada a cláusula "entra em vigor na data de sua publicação" para as leis de pequena repercussão.

§ 1º A contagem do prazo para entrada em vigor das leis que estabeleçam período de vacância far-se-á com a inclusão da data da publicação e do último dia do prazo, entrando em vigor no dia subsequente à sua consumação integral. (Parágrafo incluído pela Lei Complementar nº 107, de 26.4.2001)

§ 2º As leis que estabeleçam período de vacância deverão utilizar a cláusula 'esta lei entra em vigor após decorridos (o número de) dias de sua publicação oficial'. (Parágrafo incluído pela Lei Complementar nº 107, de 26.4.2001)

Fonte: Mendes; Forster Júnior, 2002, p. 120.

- Muitos autores empregam os parênteses para substituir as funções da vírgula ou do travessão. Exemplo:
    - *"Ora (direis) ouvir estrelas! Certo Perdeste o senso!"* [...] (Bilac, 2002, p. 47-55)

pontuação

Lembrete

O ponto de exclamação deve ser evitado na correspondência empresarial, porque ele exprime surpresa, espanto, susto, indignação, ordem, súplica etc., ou seja, situações que expressam reações emocionais. A pontuação de caráter subjetivo é inadequada à objetividade e à clareza necessárias nos textos empresariais.

Verifique seu aprendizado

1. Explique a diferença de sentido entre as frases a seguir:
   a) O tribunal condenou; eu não absolvo.
   b) O tribunal condenou; eu não, absolvo.

2. Empregue as vírgulas corretamente:

   Ninguém sabia de onde viera aquele homem. O agente do Correio pudera apenas informar que acudia ao nome de Raimundo Flamel, pois assim era subscrita a correspondência que recebia. E era grande. Quase diariamente o carteiro lá ia a um dos extremos da cidade onde morava o desconhecido sopesando um maço alentado de cartas vindas do mundo inteiro grossas revistas em línguas arrevesadas livros pacotes [...].

   Fonte: Barreto, 2010, p. 63.

3. Assinale a frase em que o emprego da vírgula é inadequado:
   a) Colhiam café bandos de moças alegres, cantadoras, muito bonitas.
   b) Menino pobre, Zezinho não tinha roupa nova para ir à festa.

c) Para lá da via férrea, meninos empinavam papagaios.
d) A tartaruga, espécie ameaçada de extinção, vem à terra para a desova.
e) Mugidos tristes de reses famintas, cortavam o silêncio da noite.

4. A seguir, você tem três segmentos de uma frase (Ferreira, 1992):

Segmento 1: O equipamento era
Segmento 2: guardado em grandes caixas
Segmento 3: com muito cuidado

Observando a necessidade de uso da vírgula, reconstitua a frase como se indica nos três itens seguintes:

a) Segmento 1 + segmento 3 + segmento 2.
b) Segmento 3 + segmento 1 + segmento 2.
c) Segmento 1 + segmento 2 + segmento 3.

5. Empregue os sinais de pontuação no parágrafo a seguir:

Segundo Bakhtin os gêneros têm três características tratam de um tema (o que significa que eles estão ligados a um campo religião política ciência direito literatura etc.) têm uma forma relativamente estável (que pode, portanto, modificar-se segundo as "necessidades" das sociedades e dos campos) têm um estilo próprio (petições judiciais têm um estilo léxico sintaxe que não se encontra nas receitas culinárias nos artigos científicos nos poemas ou nas piadas).

Fonte: Possenti, 2011, p. 21-23, grifo nosso.

pontuação

5.2
Produção textual: o memorando e o ofício

As comunicações oficiais devem ser sempre formais, isto é, obedecer à exigência do uso do padrão culto de linguagem e de certa formalidade de tratamento. Muitas vezes, escrevemos de acordo com a norma-padrão, porém fugimos da contemporaneidade, isto é, empregamos termos arcaicos e em desuso.

Contudo, alguns aspectos da modernidade, como o uso de gíria e de ironia, devem ser abolidos. Também nada acrescenta ao texto o emprego de palavras supérfluas e de termos e expressões sem qualquer proveito prático. Devem ser evitados, ainda, a adjetivação excessiva e fechos extensos demais ou redundantes.

Mais importante que o correto emprego da forma de tratamento exigida por uma autoridade deve ser o respeito à polidez e à civilidade no enfoque dado ao assunto do qual trata a comunicação. Lembre-se de que clareza, precisão e sobriedade são essenciais.

5.2.1
O memorando

Conforme nos informa Francisco Balthar Peixoto (2001), "a palavra memorando resulta de uma adaptação do termo latino *memorandum*, cujo significado é 'o que deve ser lembrado'. Com esse sentido, o memorando transformou-se de um simples papel contendo um lembrete em documento utilizado na comunicação dentro das empresas e dos órgãos públicos".

O memorando é a forma de comunicação que deve ser utilizada quando:

- as várias seções e departamentos de uma empresa ou de um órgão público trocam informações;
- as filiais de uma empresa ou agência trocam informações com a matriz;
- os órgãos públicos e governamentais comunicam-se entre si.

Atualmente, na comunicação empresarial interna ou externa, o memorando vem sendo substituído pelo *e-mail*.

5.2.1.1 Partes de um memorando

(1) Timbre da empresa ou do órgão público.
(2) Identificação: número/departamento remetente e data por extenso, na mesma linha.
(3) Identificação do destinatário.
(4) Síntese do assunto.
(5) Vocativo.
(6) Desenvolvimento do assunto.
(7) Fecho.
(8) Nome e cargo do remetente.

Veja o modelo a seguir.

pontuação

A

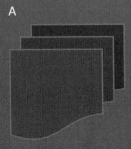

B   C (1)
LOGÍSTICA
Memorando nº 78/RH (2)   Em 18 de novembro de 2011.

Ao Sr. Chefe do Departamento Administrativo (3)

Assunto: Instalação de equipamentos de informática (4)

Prezado Senhor, (5)

De acordo com o plano de estratégia, estabelecido na reunião mensal de setembro deste ano, solicitamos que Vossa Senhoria autorize a licitação de empresas para o fornecimento de novos equipamentos de informática para o Departamento de Recursos Humanos, a saber:

- Copiadora Multifuncional Jato de Tinta Colorida Deskjet 3050;
- Computador VIA C7 4GB/RAM, 500GB/HD, DVD-RW, SIM;
- Monitor LCD 15.6" E1621SW. (6)

Ressaltamos que, quanto a programas, haverá necessidade de dois tipos: um processador de textos e outro gerenciador de banco de dados.

Solicitamos, ainda, que seja providenciado o treinamento de pessoal para a operação dos novos equipamentos.

Mencionamos, por fim, que a informatização dos trabalhos deste Departamento ensejará racional distribuição de tarefas entre os servidores e, sobretudo, uma melhoria na qualidade dos serviços prestados.

Atenciosamente, (7)

Fulano de Tal
Gerente de Recursos Humanos (8)

5.2.2
O ofício

Ofício é o meio de comunicação escrita utilizado pelos órgãos públicos.

As instituições civis, religiosas ou comerciais não enviam ofícios. O que define um documento como *ofício* não é apenas a formatação, mas o caráter oficial de seu conteúdo. Isso não significa que a linguagem deva ser sofisticada. Ela deve ser sóbria, mas clara e objetiva.

Segundo Odacir e Mariúsa Beltrão (2007, p. 279), "nos processos administrativos, as citações, notificações e intimações são feitas, em geral, por meio de ofício. A citação judicial é feita por mandado, edital, precatória ou rogativa".

O papel em que é redigido o ofício deve conter timbre, símbolo, armas ou apenas o carimbo do órgão público que o expede.

Em 1991, a Presidência da República criou uma comissão para escrever um manual de redação oficial, cujo objetivo era padronizar e simplificar as normas que regulamentam a produção escrita de documentos e atos oficiais.

pontuação

O trabalho dessa comissão resultou na Instrução Normativa nº 4, de 6 de março de 1992 (Brasil, 1992), e trouxe a público o *Manual de redação da Presidência da República*.

5.2.2.1 Partes de um ofício

(1) Timbre do órgão público.
(2) Tipo e número do documento no alto da folha, à esquerda, seguidos da sigla do órgão remetente.
(3) Local e data por extenso.
(4) Vocativo seguido de vírgula (recorra à explicação do emprego de pronomes de tratamento, no próximo capítulo).
(5) Corpo do texto, estruturado da seguinte maneira: parágrafo de abertura, no qual é apresentado o assunto que vai ser tratado.

Lembrete

Não inicie o ofício com fórmulas antiquadas como:

- *Tenho a honra de...*
- *Tenho o prazer de...*

Diga:

- *Informo Vossa Excelência que...*
- *Cumpre-me informar que...*
- *Encaminho a Vossa Senhoria...*

(6) Os parágrafos devem ser numerados a partir do segundo, com o detalhamento do assunto. Se houver muitas informações

sobre o assunto, deve ser redigido um parágrafo para cada uma delas.

(7) Conclusão, na qual deve ser reafirmada a posição recomendada para o assunto tratado.

(8) Fecho: deve conter uma saudação ao destinatário.

(9) Assinatura do autor do ofício.

(10) Identificação do signatário (aquele que envia o documento).

De acordo com a Instrução Normativa nº 4 (Brasil, 1992), a folha de papel deve ser diagramada da seguinte maneira:

- Margem esquerda: 2,5 cm ou dez toques de espaço no teclado.
- Margem direita: a 1,5 cm ou seis toques da borda.
- Tipo e número do ofício ficam a 5,5 cm ou seis espaços duplos da borda superior. À esquerda, devem se distanciar 2,5 cm ou dez toques de teclado.
- Local e data: o término da data deve coincidir com o término da margem à direita e verticalmente deve ficar a 6,5 cm ou sete espaços duplos da borda superior.
- Vocativo: a 10 cm ou dez espaços duplos da borda superior e a dez toques da borda esquerda.
- Parágrafos: avanço da esquerda para o centro de 2,5 cm ou dez toques no teclado. O primeiro parágrafo deve se posicionar a 1,5 cm do vocativo ou a três espaços simples.
- Entre os parágrafos o espaço é de 1 cm ou um espaço duplo.
- O fecho do texto deve estar centralizado, a 1 cm ou um espaço duplo do final do texto.
- A identificação do signatário deve ficar a 2,5 cm ou três espaços duplos do fecho.

Veja o modelo a seguir.

TIMBRE (1)
Ofício nº ____/PRT 1ª/CODIN (2)

Rio de Janeiro, 10 de agosto de 2012. (3)

Prezado Senhor, (4)

1. O MINISTÉRIO PÚBLICO DO TRABALHO, pela Procuradora in fine assinada, usando das atribuições que lhe são conferidas pelos arts. 129, incisos III e VI, da Constituição da República, 8º, incisos II e VII, e 84, inciso II e da Lei Complementar 75/93, vem REITERAR os termos do OFÍCIO PRT1ª/CODIN/nº*/2009, o qual REQUISITA a Vossa Senhoria a remessa de cópia dos contratos de terceirização de entrega de medicamentos farmacêuticos, bem como lista de trabalhadores que realizam essa atividade, com indicação das funções exercidas, CPFs e endereço residencial. (5) (6)

2. Por oportuno, esclarece-se que, nos termos do art. 10 da Lei 7.347/85, "constitui crime, punido com pena de reclusão de 1 (um) a 3 (três) anos, mais multa de 10 (dez) a 1.000 (mil) Obrigações do Tesouro Nacional – OTN, a recusa, o retardamento ou a omissão de dados técnicos indispensáveis à propositura da ação civil, quando requisitados pelo Ministério Público." (7)

Atenciosamente, (8)

Fulano de Tal (9)
Procurador do trabalho
Coordenadoria da Defesa dos Interesses Coletivos (10)

Emprego de palavras

Porque, porquê, por que, por quê

- Porque
    - Empregamos essa forma sempre que ela apresentar sentido de explicação ou de causa. Exemplos:
        - *Choveu durante a noite, porque as ruas amanheceram molhadas.* (explicação)
        - *Pedro quebrou a mão, porque caiu da árvore.* (causa)

- Porquê
    - Essa variação da palavra deve ser utilizada sempre que for substantivada, isto é, valer pelos substantivos *razão, motivo, causa*. Nesse caso, será precedida de artigo definido. Exemplos:
        - *O diretor não nos informou o porquê dessa reunião urgente.*
        - *Já falamos sobre os porquês de a infância ser uma fase tão bonita*

- Por que
    - Empregamos essa forma para introduzir uma interrogativa direta. Exemplo:
        - *Por que você não compareceu à reunião?*

    - Empregamos *por que* com o sentido de "o motivo pelo qual" ou somente "pelo qual". Nesse caso, há sempre uma interrogativa indireta sendo feita na frase. Exemplos:
        - *Desconheço por que ele não compareceu à capacitação dos funcionários.*
        (Quem desconhece quer saber: Por que ele não compareceu à capacitação dos funcionários?)

- *As crianças queriam as razões por que deveriam ficar em casa naquela linda manhã de sol.*
  (As crianças perguntam: Por que devemos ficar em casa nesta linda manhã de sol?)
- Por quê
  - Empregamos *por quê* no final das frases interrogativas e afirmativas ou sozinho, em uma interrogação direta. Exemplos:
    - *Você não veio, por quê?*
    - *Por quê?*

Mas/Mais

- A palavra *mas* é uma conjunção que inicia uma frase com sentido contrário ao da oração anterior. Exemplos:
  - *A capacitação da equipe seria hoje, mas foi adiada sem justificativa.*
  - *Não estudei a matéria, mas fui bem na prova.*

- A palavra *mais* deve ser empregada sempre que o seu sentido for de adição, acréscimo ou intensidade. Exemplos:
  - *Precisamos de mais pessoas trabalhando nesta seção.* (adição)
  - *Estude mais, meu jovem!* (intensidade)

Onde/Aonde

A palavra *onde* indica lugar. A palavra *aonde*, por sua vez, indica movimento, direção.

Por isso, devemos dizer:

- *Não sei onde você mora.*
- *Onde vamos guardar o dinheiro?*

Note que a ideia em ambas as frases é de espaço físico, objeto em repouso.

- *Quero saber aonde você vai tão apressado.*
- *Aonde você me leva agora?*

Note que, agora, as formas verbais *vai* e *leva* indicam movimento.

Lembrete

Já que a palavra *onde* indica lugar, espaço físico, estão incorretas frases como:

- *Preciso resolver a situação onde me encontro.*
- *Havia muitos problemas onde uma solução rápida era necessária.*
- *Tudo isso aconteceu em 2005, onde o Governo não agiu com firmeza.*

Correção:

- *Preciso resolver a situação em que (ou na qual) me encontro.*
- *Havia muitos problemas para os quais era necessária uma solução rápida.*
- *Tudo isso aconteceu em 2005, quando o Governo não agiu com firmeza.*

Através de/mediante/por meio de

Em uma frase como "O governo aplacou a inflação através de medidas provisórias", está inadequado o uso da expressão em negrito.

Por quê?

A expressão *através de* significa "de um lado a outro", "pelo centro de", "por entre". Portanto, refere-se a tudo o que pode ser "atravessado". Assim, o adequado na frase seria:

pontuação

- *O governo aplacou a inflação mediante medidas provisórias.*
- *Consegui uma audiência com o prefeito por meio da intervenção de amigos.*

Veja outros exemplos:

- *A luz passava através da vidraça.*
- *A bala varou-lhe o corpo, através do tórax.*

Em vez de/ao invés de

- A expressão *em vez de* significa "em lugar de". Exemplo:
  - *Em vez de irmos ao cinema, preferimos jogar futebol.*

- A expressão *ao invés de* significa "ao contrário de". Exemplo:
  - *Ao invés do que previu a meteorologia, choveu muito ontem.*

Veja outros exemplos*:

- *Foi jogar sinuca, em vez de ir à praia.*
- *Em vez de vir para casa, Pedro ficou conversando com amigos.*

A nível de/em nível de

As expressões *a nível* e *em nível*, as quais comumente estão acompanhadas da preposição *de*, geram polêmicas e dúvidas entre os falantes e são bastante criticadas pelos que prezam a norma culta.

Embora de uso generalizado, essas locuções são condenadas por todos os mestres e estudiosos da língua portuguesa. São consideradas um modismo que se introduziu na linguagem jornalística e contagiou outros canais de comunicação, inclusive a linguagem médica.

---

* Em ambas as frases, não existe sentido contrário nas ações praticadas.

Inicialmente, atentemos para o significado do substantivo *nível* = altura, âmbito, categoria, *status*. Portanto, quaisquer frases que mantenham os sentidos citados estão corretas. Exemplos:

- *A cidade de Paraty fica ao nível do mar.* (no nível do mar, na mesma altura do mar)
- *Esta lei entrou em vigor no nível municipal.* (no âmbito do município apenas)
- *Certos vícios rebaixam o homem ao nível dos brutos.* (à categoria, ao *status*)
- *Este fato será avaliado em nível nacional.* (no âmbito da nação)

Por essa razão, são inaceitáveis frases como:

- *A reunião se deu a nível de ministros.*
- *A nível de empresa, esse candidato não possui as qualificações necessárias.*
- *A nível sentimental, o que devo fazer?*
- *A crise deve acabar a nível social.*
- *Estamos satisfeitos a nível de funcionários.*

Essas locuções, além de erradas, ocupam o lugar de locuções adverbiais adequadas ao sentido, tais como: *do ponto de vista de*, *em relação a*, *no que se refere a* e *no que tange a*.

Há como corrigir essas frases?

Somente se as reorganizarmos de outra forma. Vamos às alterações:

- *Ocorreu uma reunião somente com os ministros.*
- *Houve uma reunião ministerial.*
- *Para ocupar o cargo nesta empresa, esse candidato não apresenta as qualificações necessárias.*

pontuação

- *Em se tratando de meus sentimentos, o que devo fazer?*
- *Em relação à minha vida sentimental, o que devo fazer?*
- *A crise social deve acabar.*
- *Estamos satisfeitos com nossos funcionários.*
- *No que tange a nossos funcionários, estamos satisfeitos.*

Mau/mal

Mau é adjetivo, contrário de *bom*. *Mal*, por sua vez, é advérbio, contrário de *bem*.

Confira nos exemplos:

- *Chapeuzinho Vermelho fugia do lobo mau.*
- *Rapaz, sua resposta ficou mal elaborada.*

Há/a

Na indicação de tempo, emprega-se:

- A forma *há* para o passado (equivale a *faz*). Exemplos:
    - *Há dois meses que ele não aparece.*
    - *Ele chegou da Europa há um ano.*
- A forma *a* para o futuro. Exemplos:
    - *Daqui a dois meses ele aparecerá.*
    - *Ela voltará daqui a um ano.*

Lembrete

Nunca diga "há um ano atrás", "há duas semanas atrás", porque o advérbio de tempo *atrás* gera redundância de sentido; a forma verbal *há* já informa que se trata de tempo decorrido, de tempo que ficou para trás. Diga somente: "Há um ano", "Há duas semanas".

Ao encontro de/de encontro a

- A expressão *ao encontro de* significa "a favor de". Exemplo:
  - Suas palavras vão ao encontro da minha opinião.
- A expressão *de encontro a* significa "contra". Exemplo:
  - Sua atitude veio de encontro ao que eu esperava.

Acerca de/há cerca de/a cerca de

- *Acerca de* equivale à expressão *a respeito de*. Exemplo:
  - Discutimos acerca de uma melhor solução para o caso.

- *Há cerca de* é uma expressão em que o verbo *haver* está indicando tempo transcorrido, equivalendo a *faz*. Exemplo:
  - Há cerca de uma semana, discutíamos uma melhor solução para o caso.

- *A cerca de* ou *cerca de* significam "aproximadamente", "mais ou menos". Exemplo:
  - Ela estava a cerca de duas quadras do local onde aconteceu o crime.

Verifique seu aprendizado

1. Utilize *mal* ou *mau* para preencher corretamente as lacunas das frases seguintes:
   a) Você agiu _____ por não repreender aquele _____ elemento.
   b) Tenha certeza de que não te quero _____.
   c) Agora é um _____ momento para comprar dólares.
   d) Trata-se de uma questão muito _____ resolvida.
   e) Aquele povoado foi atacado por um _____ terrível.

pontuação

2. Complete os pontilhados das frases a seguir usando adequadamente *onde* ou *aonde*:
   a) _____ estão aqueles livros?
   b) Não sei _____ te encontrar.
   c) Não sei _____ te levar para jantar no dia do teu aniversário.
   d) Não conheço o lugar _____ vou passar as férias.
   e) _____ você vai amanhã?

3. Complete com *porque/porquê/por que/por quê*:
   a) Pense nos ideais _____ batalhamos há tanto tempo.
   b) Eles não vieram à reunião, _____?
   c) Não sei _____ faltaram, mas sei o _____ da minha preocupação.
   d) Ainda vou descobrir o _____ dessa polêmica.
   e) Desconheço as razões _____ a diretoria tomou essa decisão radical.

4. Complete as frases com uma das expressões apresentadas:
   a) Sem dúvida, a garota é a _____ simpática da turma. (mas/mais)
   b) Ele chegou da Europa _____ um ano. (há/a)
   c) Vejo vocês daqui _____ uma semana. (há/a)
   d) O motorista perdeu o controle do carro que foi _____ _____ muro. (ao encontro do/de encontro ao)
   e) Você devia rir _____ de chorar. (em vez de/ao invés de)

5. Assinale a frase em que se cometeu erro no emprego da palavra destacada:
   a) A jovem queria comprar uma bicicleta, mas não tinha dinheiro.
   b) Através de *habeas corpus*, o advogado vai conseguir que o acusado seja posto em liberdade.
   c) Há cerca de cem pessoas na fila de espera.
   d) De Curitiba a Morretes são menos de 150 quilômetros.
   e) Apreciávamos a paisagem através da vidraça.

Livros

MELO NETO, J. C. de. Agrestes. Rio de Janeiro: Alfaguarra, 1985.

Leia o poema "Questão de pontuação", contido na obra citada. Nele, o poeta João Cabral de Melo Neto* usou os sinais de pontuação como ponto de partida para as reflexões sobre a vida.

ABI – Associação Brasileira de Imprensa. Campanha dos 100 anos da ABI. Rio de Janeiro, 2008.

Veja como uma única vírgula muda completamente o sentido das frases contidas no texto a seguir, retirado da Campanha dos 100 anos da Associação Brasileira de Imprensa (ABI).

---

* O poeta João Cabral de Melo Neto nasceu em Pernambuco, em 1920, e morreu no Rio de Janeiro, em 1999. Foi embaixador do Brasil em muitos países de língua espanhola. Seu lugar preferido era Sevilha, na Espanha, cidade que aparece como inspiração de belos poemas. Sua poesia também falava do Nordeste, sua gente e seus problemas.

pontuação

A vírgula pode ser uma pausa... ou não.
Não, espere.
Não espere.
Ela pode sumir com seu dinheiro.
23,4.
2,34.
Pode ser autoritária.
Aceito, obrigado.
Aceito obrigado.
Pode criar heróis.
Isso só, ele resolve.
Isso, só ele resolve.
E vilões.
Esse, juiz, é corrupto.
Esse juiz é corrupto.
Ela pode ser a solução.
Vamos perder, nada foi resolvido.
Vamos perder nada, foi resolvido.
A vírgula muda uma opinião.
Não quero ler.
Não, quero ler.

Fonte: ABI, 2008.

CURIOSIDADE

Como você pontuaria a frase a seguir para que ela tivesse sentido coerente?

- *Maria toma banho porque sua mãe disse ela pegue a toalha.*
  Resposta:
- *Maria toma banho porque sua. Mãe, disse ela, pegue a toalha.*

CARVALHO, J. C. de. A vírgula não foi feita para humilhar ninguém. In:
_____. Os mágicos municipais. Rio de Janeiro: J. Olympio, 1984. p. 44-45.

Leia o conto "A vírgula não foi feita para humilhar ninguém", no qual o escritor José Cândido de Carvalho* ironiza o tradicionalismo nos textos da redação oficial.

MACHADO DE ASSIS, J. M. Memórias póstumas de Brás Cubas. Alfragide: Dom Quixote, 2010.

Machado de Assis, no romance *Memórias póstumas de Brás Cubas*, publicado em 1881, conta a história do milionário Brás Cubas, desocupado e *bon-vivant*. Brás foge de relacionamentos sérios até o dia em que conhece Virgília. Namoram, mas, indeciso, perde a moça para Lobo Neves, rapaz ambicioso, iniciante na carreira política. O casal vai morar em São Paulo. Anos depois, de volta ao Rio, ambos passam a frequentar os salões da sociedade carioca e Virgília reencontra Brás. Mais ousada agora, a moça aceita o assédio de Brás e os fatos conduzem a história para a consumação do adultério. O Capítulo 55 do livro não contém diálogos; Machado preferiu deixar em branco a conversa mantida pelo casal no auge da paixão.

Como o narrador mesmo disse ao final de outro capítulo desse livro: "há coisas que melhor se dizem calando". Mas você, leitor, pode construir o diálogo das personagens usando a criatividade. Basta, para isso, respeitar os espaços indicados e observar a pontuação.

---

* José Cândido de Carvalho nasceu em Campos dos Goytacazes, em 1914 e faleceu em Niterói, em 1989, ambas cidades do Estado do Rio de Janeiro. Foi advogado, jornalista e escritor brasileiro, mais conhecido pela obra *O coronel e o lobisomem*.

pontuação

Capítulo LV – O velho diálogo de Adão e Eva

Brás Cubas

— _____?

Virgília

— _____.

Brás Cubas

— _____. _____.

Virgília

_____!

Brás Cubas

— _____.

Virgília

— _____, _____? _____.

Brás Cubas

— _____.

Virgília

— _____.

Brás Cubas

— _____! _____! _____!

Virgília

— _____?

Brás Cubas

— _____!

Virgília

— _____!

Fonte: Machado de Assis, 2010, p. 112-113.

Síntese

Para escrever com elegância e clareza, o uso da pontuação é indispensável. Uma vírgula fora do lugar muda completamente o sentido de uma frase, como você aprendeu. Procure usar a ordem direta nas frases, principalmente em documentos. Muitas interrupções à linearidade da frase – pelo acréscimo de termos de natureza explicativa – podem comprometer a clareza das ideias.

Estudamos, ainda, neste capítulo, o emprego de palavras e expressões semelhantes, muito frequentes na comunicação do dia a dia das empresas. Você percebeu que a troca de uma por outra traz consequências para a coerência das frases.

Na produção textual, você aprendeu que empresas privadas não trocam ofícios entre si; elas se comunicam por cartas e memorandos. O ofício é um documento que só pode ser utilizado por autoridades da Administração Pública, entre si ou com empresas particulares.

seis

morfologia I

A morfologia é a parte da gramática que estuda a estrutura, a formação e a classe gramatical das palavras.

Assim, abrimos este capítulo com os parágrafos iniciais do conto *Cem anos de perdão*, de Clarice Lispector*.

CEM ANOS DE PERDÃO

[...]
Começou assim. Numa dessas brincadeiras de "essa casa é minha", paramos diante de uma que parecia um pequeno castelo. No fundo via-se o imenso pomar. E, à frente, em canteiros bem ajardinados, estavam plantadas as flores. Bem, mas isolada no seu canteiro estava uma rosa apenas entreaberta cor-de-rosa-vivo. Fiquei feito boba, olhando com admiração aquela rosa altaneira que nem mulher feita ainda não era.

* Clarice Lispector é uma das mais cultuadas escritoras da língua portuguesa. Nasceu na Ucrânia, em 1920, e veio para o Brasil com dois meses de idade. Morreu no Rio de Janeiro, em 1977.

morfologia I

> E então aconteceu: do fundo de meu coração, eu queria aquela rosa para mim. Eu queria, ah como eu queria. E não havia jeito de obtê-la. Se o jardineiro estivesse por ali, pediria a rosa, mesmo sabendo que ele nos expulsaria como se expulsam moleques. Não havia jardineiro à vista, ninguém. E as janelas, por causa do sol, estavam de venezianas fechadas. Era uma rua onde não passavam bondes e raro era o carro que aparecia. No meio do meu silêncio e do silêncio da rosa, havia o meu desejo de possuí-la como coisa só minha. Eu queria poder pegar nela. Queria cheirá-la até sentir a vista escura de tanta tonteira de perfume.
> [...]

Fonte: Lispector, 1998, p. 60-61.

Volte ao texto e aprecie a beleza de suas frases. Veja como a autora manejou com perfeição os substantivos, os adjetivos e, principalmente, os pronomes, que foram empregados rigorosamente de acordo com as exigências da norma culta. Apesar disso, o texto não soa pedante e a leitura é agradável e fluente. É uma pequena amostra do domínio da autora sobre a linguagem.

A própria Clarice disse certa vez: "A palavra é o meu domínio sobre o mundo".

Procure ler esse conto na íntegra. Ele está disponível em muitos *sites* que contêm a obra da autora.

6.1
Substantivo: dúvidas mais frequentes quanto a gênero e número

Antes de tudo, vamos lembrar que o substantivo é a classe de palavras que utilizamos para dar nome às coisas, aos seres em geral.

O conceito de *seres* deve incluir pessoas, lugares, instituições, grupos, indivíduos e entes da natureza espiritual ou mitológica. Exemplos:

- A *geladeira* enguiçou novamente. *Carlos* vai telefonar para o *técnico* da *oficina*.
- Sem *ideais* e sem *ambição*, a *vida* fica difícil e monótona.
- A *assembleia* marcada pelo *sindicato* será adiada.
- *Gnomos*, *elfos* e *ninfas* dançavam no *palco* durante a *apresentação teatral*.

Os substantivos são palavras variáveis em relação a gênero (masculino ou feminino) e número (singular ou plural) e aceitam a anteposição de artigos e pronomes. Exemplos:

- *a criança* (embora se refira aos dois sexos, é uma palavra feminina).
- *o indivíduo* (refere-se a ambos os sexos, mas é uma palavra masculina).
- **aquela** *pianista* (a anteposição do pronome *aquela* determina que o gênero é feminino).

É comum nossa dúvida acerca do gênero dos substantivos. Por isso, atente para o seguinte:

- São masculinos: *o eclipse, o dó (pena), o champanha, o sósia, o pijama, o suéter, o telefonema, o gengibre, o guaraná*.
- São femininos: *a alface, a cal, a comichão, a sentinela, a dinamite, a omoplata (osso do ombro), a pane (defeito), a mascote*.

Muitos substantivos, ao mudarem de gênero, mudam de significação.

Exemplos:

o cabeça: chefe	a cabeça: parte do corpo
o cinza: a cor	a cinza: resíduos de combustão
o capital: dinheiro	a capital: cidade

morfologia I

o guia: pessoa que guia as outras	a guia: documento
o grama: unidade de quantidade de matéria	a grama: relva
o moral: ânimo	a moral: honestidade, bons costumes
o rádio: aparelho transmissor	a rádio: emissora

Quanto ao número (singular ou plural), não podemos esquecer que os substantivos terminados em *x* ou em *s*, quando paroxítonos, são invariáveis. Exemplos: *os tórax, os atlas, os pires, os bíceps, os vírus*.

Certos substantivos formam o plural com a mudança do timbre da vogal tônica, de fechado para aberto. Sendo esta uma questão fonética, ela não implica problemas de grafia, apenas de pronúncia.

- Pronúncia aberta (ó):
  - *corpos, ossos, caroços, esforços, fogos, fornos, impostos, olhos, ovos, tijolos.*

Quanto ao plural dos substantivos compostos, há duas regras pelas quais se flexiona mais da metade deles:

1. Substantivo, adjetivo e numeral: **são sempre** variáveis.

2. Pronome, verbo, advérbio e prefixo: **são sempre** invariáveis.

Não importa em que posição eles apareçam. Os elementos variáveis vão para o plural. Confira:

- *couve-flor* (dois substantivos): *couves-flores*.
- *cartão-postal* (substantivo + adjetivo): *cartões-postais*.
- *sexta-feira* (numeral + substantivo): *sextas-feiras*.
- *arranha-céu* (verbo + substantivo): *arranha-céus*.
- *abaixo-assinado* (advérbio + adjetivo): *abaixo-assinados*.
- *sempre-viva* (advérbio + adjetivo): *sempre-vivas*.

Se os substantivos forem unidos por uma preposição, somente o primeiro deles irá para o plural. Exemplos:

- *pedra da lua:* pedra*s da lua.*
- *mão de obra:* mão*s de obra.*
- *pão de ló:* pãe*s de ló.*

Se as palavras vierem repetidas ou apresentarem grafia parecida, somente o último elemento irá para o plural. Exemplos:

- *reco-reco*s*.*
- *tique-taque*s*.*

Por fim, se o segundo elemento indicar o tipo ou a finalidade do primeiro, só o primeiro irá para o plural. Exemplos:

- *banana*s*-caturra* (banana é a fruta; caturra é o tipo da banana).
- *caneta*s*-tinteiro* (caneta é o objeto; tinteiro é o tipo da caneta).
- *peixe*s*-espada.*
- *samba*s*-enredo.*

6.2
Adjetivo: dúvidas mais frequentes

Adjetivo é a palavra que caracteriza o substantivo. Pode atribuir-lhe:

- Qualidade: *secretária eficiente, pele aveludada.*
- Defeito: *orçamento deficitário, assaltante cruel.*
- Modo de ser: *corredor estreito, mesa baixa.*

Pode também indicar:

- Aspecto: *parede áspera, calça preta.*
- Estado: *criança febril, céu límpido.*

morfologia I

▣ Origem, nacionalidade: *novelista francesa*, *jogador brasileiro*.

Em língua portuguesa, os adjetivos podem vir antepostos ou pospostos aos substantivos. Quanto a este último caso, temos os seguintes exemplos:

▣ *solo adubado, terras férteis, frutas maduras, alimentos saudáveis*.

No entanto, em atenção à necessidade de clareza, à busca de ênfase ou de equilíbrio da frase, os adjetivos podem aparecer antepostos aos substantivos. Quando isso acontece, é necessário atenção a essa troca de posição, porque, com alguns adjetivos, a mudança de posição implica mudança de sentido. Exemplo:

▣ *Não vejo meu velho amigo há meses.*

Anteposto ao substantivo, o adjetivo *velho* tem sentido de "antigo", "de longa data". Mas, se esse adjetivo aparecer posposto ao substantivo, o sentido muda.

▣ *Não vejo meu amigo velho há meses.*

Nessa posição, o adjetivo *velho* significa "idoso", "de idade avançada".

Portanto, ao utilizar o adjetivo, observe se a posição em que ele se encontra não alterou o sentido que você pretendeu dar a ele.

6.2.1
Plural dos adjetivos simples

O plural dos adjetivos segue as regras do substantivo. Entretanto, quando há a indicação de cor, existe a possibilidade de ele ficar invariável. Quando isso ocorre?

Como nos exemplos a seguir, a flexão de número ocorre, normalmente, de acordo com o substantivo a que o adjetivo se refere:

- *meias pretas, blusas amarelas, gravatas vermelhas, lenços verdes.*

Mas os elementos caracterizadores ficam invariáveis quando usamos substantivos com valor de adjetivo:

- *meias gelo, blusas rosa, gravatas cinza, lenços creme.*

As palavras *gelo*, *rosa*, *cinza* e *creme*, quando sozinhas, identificam seres, isto é, são substantivos, mas, nesses exemplos, estão empregadas com valor de adjetivo e, por isso, ficam invariáveis.

6.2.2
Plural dos adjetivos compostos

Para flexionarmos o adjetivo composto, seguimos duas regras:

1. Quando todos os elementos do composto são adjetivos, somente o último deles vai para o plural. Exemplos:
    - *cabelos castanho-escuros.*
    - *ciências político-sociais.*
    - *esculturas greco-romanas.*
    - *folhas verde-claras.*

Lembrete

Há as seguintes exceções:

- *crianças surdas-mudas* (os dois elementos ficam no plural).
- *blusas azul-celeste* (o último elemento fica invariável).
- *ternos azul-marinho* (o último elemento fica invariável).

morfologia I

2. Quando o segundo elemento do composto é um substantivo, o adjetivo fica invariável. Exemplos:
- *tapetes verde-esmeralda.*
- *blusas amarelo-ovo.*
- *olhos verde-mar.*
- *gravatas verde-garrafa.*

Lembrete

Se você precisa empregar os adjetivos *amigo*, *antigo* e *magro* no grau superlativo absoluto sintético para dar ênfase à característica que eles informam, diga:

- *Somos amicíssimos.*
- *É uma obra antiquíssima.*
- *Você ficou macérrima depois do regime.* (e não *magérrima*, forma muito comum)

Adjetivos terminados pelo ditongo *io* dobram o *i* na formação do superlativo. Exemplo:

- *Problema seriíssimo.*

6.3
O adjetivo na concordância nominal

Concordância é o princípio sintático segundo o qual as palavras dependentes harmonizam suas flexões com as das palavras de que dependem.

Assim, adjetivos, pronomes, artigos e numerais concordam em gênero e número com os substantivos que acompanham. Veja a seguinte frase:

- *Aquelas* (pronome) *duas* (numeral) *senhoras* (substantivo) *elogiaram muito as* (artigo) *roupas* (substantivo) *elegantes* (adjetivo) *da loja.*

Como o adjetivo é a palavra que tem por função caracterizar o substantivo, atribuindo-lhe qualidade ou defeito, modo de ser, aspecto ou estado, é natural que essa relação apresente regras específicas de concordância.

Como nosso objetivo é facilitar seu aprendizado da língua, sugerimos que você empregue o adjetivo sempre posposto ao substantivo, para evitar possíveis erros de concordância.

6.3.1
Principais regras

1. O adjetivo que se refere a substantivos de gênero ou número diferentes deve ir para o masculino plural (mais aconselhável) ou concordar com o substantivo mais próximo. Exemplos:
   - *Os arreios e as bagagens espalhados no chão formam uma roda.*
   - *A ave exibia o peito e a asa matizados de branco.*
   - *Comprei no mercado maçã e pêssego saborosos.*

2. Quando dois ou mais adjetivos se referem ao mesmo substantivo determinado pelo artigo, ocorrem dois tipos de concordância, ambos corretos. Exemplos:
   - *Estudo as línguas inglesa e francesa.*
   ou
   - *Estudo a língua inglesa e a francesa.*

morfologia I

Na verdade, a língua inglesa é uma só. O mesmo se diz da francesa. Seria incoerente dizermos "línguas inglesas e francesas". Veja outro exemplo:

- Com os dedos indicador e médio feridos, o operário não pôde trabalhar.

Se colocássemos os dois adjetivos destacados no plural, estaríamos afirmando que temos mais de um dedo indicador e mais de um dedo médio na mão, o que é incoerente.

3 Os adjetivos *anexo* e *incluso* concordam com o substantivo a que se referem em gênero e em número. Exemplos:
- *Anexa ao pacote, vai a relação das peças que foram consertadas.*
- *Seguem anexos os pareceres das comissões técnicas.*
- *Remeto-lhe inclusa uma fotocópia do recibo.*

Também podemos dizer: "documentos em anexo". Nesse caso, construímos com o auxílio da preposição uma locução adverbial. Como as locuções adverbiais são invariáveis, não é correto dizer: "Mandei os relatórios em anexos".

Diga:
- *Mandei os relatórios nos documentos anexos.*

Nesse caso, *anexo* é adjetivo e pode ser flexionado no plural.

Lembrete

A palavra *alerta* não é adjetivo, é advérbio; por isso, não admite flexão de número. Exemplos:

- *Estamos alerta.* (e não alertas)
- *As equipes ficaram alerta.*

    Há também a locução adverbial *em alerta*. Exemplo:

- *As equipes ficaram em alerta.*

4. Se o sujeito da frase for representado por um pronome de tratamento, a concordância será efetuada com o sexo da pessoa a quem nos referimos. Exemplos:
    - *Vossa Excelência está equivocado, senhor ministro.*
    - *Sua Majestade, a rainha da Inglaterra, sempre procurou ser justa e discreta.*

5. Quando o sujeito da frase for palavra feminina e o predicado for constituído pelo verbo *ser* seguido de adjetivo – como em *é bom*, *é necessário* e *é preciso* –, o adjetivo ficará no masculino. Exemplos:
    - *Pimenta é ótimo para temperar comida baiana.*
    - *É proibido entrada de estranhos.* (O sujeito veio após a expressão formada por verbo + adjetivo.)
    - *Calma é necessário nos momentos difíceis.*

Mas, se o sujeito vier determinado por um artigo, um pronome etc., o adjetivo irá obrigatoriamente para o feminino. Exemplos:
- *A cerveja é boa para temperar alimentos.*
- *É proibida a entrada de pessoas estranhas.*
- *Tua presença é necessária durante o depoimento do acusado.*

morfologia I

Verifique seu aprendizado

1. (Uneb)* Ficou com _____ quando soube que _____ caixa do banco entregara aos ladrões todo o dinheiro _____ clã.
   a) o moral abalado – o – do.
   b) a moral abalada – o – da.
   c) o moral abalado – a – da.
   d) a moral abalado – a – do.
   e) a moral abalada – a – da.

2. (UFAN)** "O atendimento em postos de saúde e prontos-socorros públicos maltrata os usuários." Da vogal tônica das palavras em negrito na frase, é certo afirmar-se que:
   a) ambas são fechadas.
   b) ambas são abertas.
   c) a primeira é aberta e a segunda, fechada.
   d) a primeira é fechada e a segunda, aberta.
   e) a pronúncia de ambas as palavras varia de acordo com a região do país onde se encontre o falante.

3. Em qual alternativa aparecem dois substantivos do gênero masculino?
   a) cal – faringe.
   b) omoplata – eclipse.
   c) sentinela – dó.
   d) champanha – telefonema.
   e) alface – dinamite.

---

* Citada por Ferreira (1992, p. 85).
** Citada por Ferreira (1992, p. 86).

4. Considerando que certos adjetivos têm sentidos diferentes se colocados antes ou depois do substantivo, explique a diferença de sentido entre as frases seguintes:
   a) Ele é um falso advogado./Ele é um advogado falso.
   b) Aquele goleiro é um grande jogador./Aquele goleiro é um jogador grande.

5. Passe as estruturas nominais a seguir para o plural:
   a) Acordo luso-brasileiro.
   b) Arco-íris enorme.
   c) Sapato gelo e bolsa cinza.
   d) Procedimento médico-cirúrgico.
   e) Terno azul-marinho.

6. (Efoa-MG)* "[...] onde predomina o corte de cabelo afro-oxigenado."

   A concordância do adjetivo destacado com o substantivo a que ele se refere manteve-se correta em:
   a) cabelos afros-oxigenado.
   b) cabeleiras afras-oxigenadas.
   c) cabelos afros-oxigenados.
   d) cabeleiras afra-oxigenadas.
   e) cabelos afro-oxigenados.

7. Qual dos substantivos compostos a seguir foi flexionado de modo incorreto?
   a) Mangas-espada.
   b) Salários-família.
   c) Águas-de-colônias.
   d) Tico-ticos.
   e) Beija-flores.

---

* Citada por Ferreira (1992, p. 353).

morfologia I

8. Escreva nos espaços os adjetivos que figuram entre parênteses, fazendo-os concordar corretamente:
   a) Pai e filhas mantiveram-se _____. (calado)
   b) Vai _____ a lista de preços. (incluso)
   c) Visitei os museus e as escolas _____. (recém-fundado)
   d) Encontraremos os soldados e seu comandante _____ a combater até a morte. (disposto)
   e) Vão _____ os comprovantes dos débitos quitados. (anexo)

9. Qual das duas formas do adjetivo destacado a seguir está correta? Por quê?

   Vento e mar agitado deixaram vazias as praias.
   Vento e mar agitados deixaram vazias as praias.

10. Complete com o adjetivo indicado, fazendo a concordância correta:
    a) Essa informação torna _____ nossos argumentos. (desnecessário)
    b) Essa região produz _____ frutas e queijos. (delicioso)
    c) O juiz considerou _____ a ré e seu cúmplice. (culpado)
    d) Eram _____ as manifestações de apoio aos infratores. (absurdo)
    e) Você escolheu _____ hora e lugar para começar um bate-boca. (péssimo)

11. Complete com os adjetivos compostos indicados, fazendo a concordância correta:

    Sabendo que os problemas devem ser analisados nos seus múltiplos aspectos, a questão ecológica precisa ser examinada à luz de suas implicações tanto _____ quanto _____.

a) ético-sociais/econômico-geográficas.
b) ético-sociais/econômicos-geográficos.
c) ética-sociais/econômicas-geográficas.
d) éticas-social/econômicas-geográfica.
e) ético-social/econômico-geográfico.

12. Assinale a opção em que os dois elementos não admitem flexão de gênero:
    a) inglesa pálida.
    b) alguns mestres.
    c) semelhante criatura.
    d) moça ideal.
    e) jovem leitor.

13. Em todos os exemplos a seguir, o diminutivo traduz ideia de afetividade, exceto:
    a) Deixe-me olhar seu bracinho, minha filha.
    b) Para mim você será sempre a queridinha.
    c) Ele é um empregadinho da nossa firma.
    d) Amorzinho, você vem comigo?
    e) Não sei, paizinho, como irei embora.

14. O termo destacado é adjetivo em:
    a) É incapaz de falar sério quando estamos juntos.
    b) Até hoje considera-o muito crédulo para o posto que ocupa.
    c) São profissionais demasiado hábeis para cometer algum erro.
    d) O poeta murmurou discreto algumas palavras e afastou-se.
    e) Dizem que andava meio triste depois do rompimento do noivado.

morfologia I

15. "Talvez seja bom que o proprietário do imóvel possa desconfiar de que ele não é tão imóvel assim". A palavra destacada é, respectivamente:
    a) substantivo e adjetivo.
    b) adjetivo e substantivo.
    c) adjetivo e adjetivo.
    d) substantivo e substantivo.
    e) adjetivo e advérbio.

16. O superlativo sintético não foi utilizado de acordo com a norma culta em:
    a) O pai mostrou-se contraríssimo à decisão da filha.
    b) Um homem humílimo pedia dinheiro aos passantes.
    c) Moram na África pessoas paupérrimas.
    d) Jovens magérrimas podem sofrer de anorexia.
    e) Continua notabilíssimo o desempenho acadêmico desse aluno.

17. Um jornal de Teresina, Piauí, publicou uma notícia sobre um incêndio.
    Complete a manchete a seguir de forma a organizá-la partindo do geral para o específico:

    Espetáculo gratuito promovido pelo fogo destrói _____, queima _____ e deita por terra _____ na cidade de Teresina.

    a) casas – construções – dormitórios.
    b) casas – dormitórios – construções.
    c) dormitórios – construções – casas.
    d) construções – casas – dormitórios.
    e) construções – dormitórios – casas.

18. (PUC-RJ)* Assinale a sequência que completa corretamente os períodos a seguir:
    I. Ela _____ disse que não iria.
    II. Vão _____ os livros.
    III. A moça estava _____ aborrecida.
    IV. É _____ muita atenção para atravessar a rua.
    V. Nesta sala, estudam a terceira e quarta _____ do primeiro grau.
    a) mesmo – anexos – meia – necessário – série.
    b) mesma – anexos – meio – necessária – séries.
    c) mesmo – anexo – meio – necessário – séries.
    d) mesma – anexos – meio – necessário – séries.
    e) mesma – anexos – meia – necessário – séries.

19. (Unifesp)** Leia o anúncio a seguir:

LOJA DE CALÇADOS FEMININO

Vendem-se 3 lojas bem montadas, tradicionais, nos melhores pontos da cidade. Ótima oportunidade!
F: (xx) xxxx-xxxx

O Estado de São Paulo, 15 ago. 2002.

De acordo com as normas gramaticais, particularmente no que se refere às regras de concordância, o título desse anúncio deveria ser:

---

* Citada por Nicola (2005, p. 305).
** Citada por Cipro Neto e Infante (1998, p. 487).

morfologia I

a) *Lojas de calçados feminino*, porque, na sequência, o texto fala em "3 lojas".
b) *Lojas de calçados femininos*, porque, na sequência, o texto fala em "3 lojas".
c) *Lojas de calçados femininos*, porque o título não especifica as outras duas lojas "bem montadas" de calçados, implicitamente, masculinos.
d) *Loja feminina de calçados*, porque o título não se relaciona com o restante do anúncio.
e) *Loja de calçados feminino*, tal como aparece no anúncio, porque o vocábulo "feminino" apenas especifica o tipo de calçado comercializado pelas lojas à venda.

20. A série de palavras que, no plural, mudam o timbre do *o* tônico é:
    a) acordo, transtorno, morro, espelho.
    b) imposto, esforço, corpo, tijolo.
    c) toco, soldo, gorro, fofo.
    d) gafanhoto, globo, bolso, coco.
    e) forro, esposo, sopro, topo.

6.4
Pronome: dúvidas mais frequentes quanto ao emprego e à colocação

Pronomes são palavras que substituem os substantivos ou os determinam, relacionando-os às pessoas do discurso.

Leia os dois versos a seguir, do poema "O anel de vidro", de Manuel Bandeira:

> Aquele pequenino anel que tu me deste,
> — Ai de mim — era vidro e logo se quebrou [...].

Fonte: Bandeira, 1976.

Nesse versos, o eu lírico está falando com a pessoa amada a respeito de um anel que se quebrou.

- Quem fala é a primeira pessoa do discurso ou a primeira pessoa gramatical. Como a identificamos? Mediante a presença dos pronomes *me*, *mim*, que substituem a pessoa do eu lírico.
- O eu lírico fala com a segunda pessoa do discurso ou o ser amado. Como a identificamos? Mediante a presença do pronome *tu*.
- De que assunto o eu lírico fala com a pessoa amada? Do anel de vidro que se quebrou. Desfazendo o sentido figurado, entendemos que o eu lírico se refere ao frágil amor que os unia e que, por essa razão, acabou.
- O assunto corresponde à terceira pessoa do discurso. Vemos isso pela presença do pronome *aquele*, que acompanha o substantivo *anel* no primeiro verso.

No texto "Apelo", de Dalton Trevisan*, é possível identificar a presença das três pessoas do discurso e a presença de pronomes que substituem ou acompanham os substantivos a que se referem.

É uma interessante crônica subjetiva, sob a aparência de uma carta. Nela, o emissor se dirige à esposa que saiu de casa. As frases são curtas e diretas, sem comentários desnecessários. O emissor não está feliz: a intenção é expressar a tristeza causada pela ausência da esposa. Leia os trechos a seguir:

---

* Dalton Trevisan, autor de diversos contos, nasceu em Curitiba, em 1925. Em 1965, publicou a coletânea de contos sob o título *Vampiro de Curitiba*, expressão muito usada pela imprensa ao se referir a ele.

morfologia I

> A notícia de sua perda veio aos poucos: a pilha de jornais ali no chão, ninguém os guardou debaixo da escada. [...] Pra não dar parte de fraco, ah, Senhora, fui beber com os amigos. Uma hora da noite e eles se iam e eu ficava só, sem o perdão de sua presença a todas as aflições do dia, como a última luz na varanda.

Fonte: Trevisan, 1979, p. 73.

A forma de tratamento empregada pelo emissor é respeitosa: *Senhora*. Esse pronome sempre aparece grafado com letra maiúscula para indicar a importância que a esposa tem em sua vida. O emissor é desajeitado ao pedir desculpas. Não sabe falar de seus sentimentos a não ser por meio de referências às coisas da casa, que vão deteriorando-se sem a presença dela. O marido revela-se subjugado pela falta da esposa.

Em "A notícia de sua perda", o pronome *sua* relaciona-se à mulher a quem o apelo é feito.

Na frase "ninguém os guardou debaixo da escada", o pronome em destaque expressa a indeterminação da ação de guardar, isto é, a ação de guardar os jornais não foi praticada por ninguém.

Ainda em "Uma hora da noite e eles se iam e eu ficava só", os pronomes em destaque retomam palavras do texto, isto é, o primeiro refere-se aos amigos e o segundo, ao emissor da carta.

Assim, pronomes são palavras que representam os seres ou se referem a eles. Podem substituir os substantivos ou acompanhá-los, para tornar-lhes claro o sentido.

6.4.1
Pronomes pessoais

Os pronomes pessoais referem-se às três pessoas do discurso, também conhecidas como *pessoas gramaticais*:

- 1ª pessoa – quem fala: eu/nós (emissor).
- 2ª pessoa – com quem se fala: tu/vós (receptor).
- 3ª pessoa – de quem ou de que se fala: ele/eles (assunto).

Toda a comunicação humana se dá em torno desses três elementos. Há sempre alguém falando para uma pessoa a respeito de alguma coisa ou de uma terceira pessoa.

Veja a seguir o quadro dos pronomes pessoais.

	Retos	Oblíquos
Singular	Eu	me, mim, comigo
	Tu	te, ti, contigo
	Ele(a)	se, si, consigo, lhe, o, a
Plural	Nós	conosco
	Vós	convosco
	Eles(as)	se, si, consigo, lhes, os, as
De tratamento	você, senhor, senhora, Vossa Senhoria, Vossa Excelência, Vossa Eminência, Vossa Santidade etc.	

Atualmente, os pronomes pessoais *tu* e *vós* são pouco usados. A tendência dos falantes é substituir essas formas pelo pronome de tratamento *você*.

morfologia I

Na linguagem poética, a 2ª pessoa é representada pelo pronome *tu*, principalmente pelos autores mais antigos. Os mais modernos optam pela forma *você*, mas isso não é uma regra. Confira os exemplos que seguem.

DESPEDIDA

[...]

Meu caminho é sem marcos nem paisagens.
E como o conheces? — me perguntarão.
— Por não ter palavras, por não ter imagens.
Nenhum inimigo e nenhum irmão.

Que procuras? Tudo. Que desejas? — Nada.
Viajo sozinha com o meu coração.

[...]

Fonte: Meireles, 1972, p. 100.

As formas verbais *conheces*, *procuras*, *desejas* estão na 2ª pessoa do singular. No poema, o eu lírico é tratado por *tu* pelo interlocutor.

Veja agora a mudança na forma de tratamento:

desta vez não vai ter neve como em Petrogrado aquele dia
[...]

nem casacos nem cossacos como em Petrogrado aquele dia
apenas você nua e eu como nasci
eu dormindo e você sonhando.
[...]

Fonte: Leminski, 1980, p. 34.

Nos versos do poema de Paulo Leminski*, o eu lírico trata a mulher amada por *você*: "eu dormindo e você sonhando".

Os pronomes pessoais retos exercem geralmente a função de sujeito e, na maioria das vezes, não aparecem precedidos de preposição; já os pronomes pessoais oblíquos exercem sempre a função de complemento dos verbos, isto é, objeto direto e objeto indireto. Exemplos:

- *Ele e eu* (sujeito) *nos conhecemos desde a pré-escola.*
- *Ontem, a secretária não lhe* (objeto indireto) *enviou os relatórios porque eu não os* (objeto direto) *concluíra a tempo.*
- A secretária não enviou a quem? = a ele ou "lhe".
- Eu não concluíra a tempo o quê? = os relatórios ou "os".

Veja as frases seguintes:

- Os pais contavam para eles lindas histórias.
- O namorado mandou para ela lindas rosas vermelhas.

Nessas frases, os pronomes pessoais aparecem precedidos de preposição e não exercem a função de sujeito – são complementos verbais. Se escrevermos as frases de outra maneira, esses pronomes serão substituídos pelas formas oblíquas. Observe:

- Os pais contavam-lhes lindas histórias.
- O namorado mandou-lhe lindas rosas vermelhas.

---

* "Paulo Leminski nasceu em Curitiba, em 1944, onde veio a falecer em 1989. Foi escritor, tradutor, poeta e professor, além de lutador de judô faixa preta. Tornou-se reconhecido por ter inventado seu próprio jeito para escrever poesias, fazendo trocadilhos ou brincando com ditados populares. Foi professor de História e Redação em cursos pré-vestibulares, além de professor de judô. Teve poemas e textos publicados em diversas revistas, escreveu letras de músicas com uma grande influência de MPB (Música Popular Brasileira), chegando até a fazer parceria com Caetano Veloso" (Pensador.info, 2012).

6.4.1.1 Emprego dos pronomes pessoais

Nunca inicie uma frase em documento empregando um pronome oblíquo. Exemplo:

- *Prezado senhor,
  Lhe informamos que...*

Observe as seguintes normas no que se refere ao uso dos pronomes *eu/mim* e *tu/ti*:

1 *Eu* e *tu* devem ser usados somente para indicar o sujeito, isto é, aquele do qual se faz uma declaração. Exemplos:
   - *Pedro trouxe o livro para eu ler.* (O pronome *eu* é sujeito do verbo *ler*.)

   mas
   - *Pedro trouxe o livro para mim.* (O pronome *mim* não é sujeito de verbo.)
   - *É preciso que tu escrevas o relatório.* (O pronome *tu* é sujeito do verbo *escrever*.)
   - *Gosto muito de ti.* (O pronome *ti* não é sujeito de verbo.)

   Assim, devemos dizer:
   - *Não há problemas entre mim e ti.* (Esses pronomes não são sujeitos.)
   - *A cozinheira preparou o jantar para mim e Ana.* (O pronome não é sujeito; o sujeito da frase é o substantivo *cozinheira*.)

Ao empregarmos os pronomes oblíquos *o, a, os, as* depois do verbo, procedemos da seguinte forma:

1 Quando o verbo termina em vogal, acrescentamos normalmente o pronome. Exemplos:
   - *enviei-o, organizava-as.*

2. Quando o verbo termina em *m* ou som nasal, acrescentamos um *n* aos pronomes. Exemplos:
   - *enviaram-no, organizavam-nas, dão-no.*

3. Quando o verbo termina em *r*, *s* ou *z*, cortamos essas letras e acrescentamos um *l* ao pronome. Exemplos:
   - *enviar + o = enviá-lo.*
   - *organizar + as = organizá-las.*
   - *fiz + os = fi-los.*
   - *compôs + a = compô-la.*

A tendência dos autores modernos é evitar o emprego de formas verbais terminadas em *s* e *z*, quando acompanhadas dos pronomes oblíquos *o, a, os, as*. A explicação é simples: essas construções soam muito artificiais, porque são pouco usadas na norma culta.

A preferência é dizer, por exemplo:

- *Eu os fiz com muito carinho.*
- *A sinfonia, o maestro a compôs em um mês.*

Os pronomes de tratamento pertencem à 3ª pessoa. Por isso, não devemos empregar os verbos que a eles se referirem na 2ª pessoa do plural. Exemplos:

- *Sei que Vossa Senhoria podeis decidir favoravelmente a...* (incorreto)
- *Sei que Vossa Senhoria pode decidir favoravelmente a...* (correto)

O *Manual de redação da Presidência da República* (Mendes; Forster Júnior, 2002, p. 9-11) determina o seguinte para o uso dos pronomes de tratamento:

1. *Vossa Excelência* para:
   - presidente da República;
   - vice-presidente da República;

morfologia I

- ministros de Estado e ministros dos tribunais superiores;
- governadores e vice-governadores de estado e do Distrito Federal;
- oficiais-generais das Forças Armadas;
- embaixadores;
- secretários-executivos de ministérios e demais ocupantes de cargos de natureza especial;
- secretários de estado dos governos estaduais;
- prefeitos municipais;
- deputados federais e senadores;
- conselheiros dos Tribunais de Contas estaduais;
- presidentes das Câmaras Legislativas municipais;
- juízes;
- auditores da Justiça Militar.

2 O vocativo a ser empregado em comunicações dirigidas aos chefes de Poder é *Excelentíssimo Senhor*, seguido do cargo respectivo:
- *Excelentíssimo Senhor Presidente da República.*
- *Excelentíssimo Senhor Presidente do Congresso Nacional.*
- *Excelentíssimo Senhor Presidente do Supremo Tribunal Federal.*

3 As demais autoridades serão tratadas com o vocativo *Senhor*, seguido do cargo respectivo:
- *Senhor Senador,...*
- *Senhor Juiz,...*
- *Senhor Ministro,...*
- *Senhor Governador,...*

4 No envelope, o endereçamento das comunicações dirigidas às autoridades tratadas por *Vossa Excelência* terá a seguinte forma:

A Sua Excelência o Senhor
Fulano de Tal
Ministro de Estado da Justiça
70.064-900 – Brasília-DF

A Sua Excelência o Senhor
Senador Fulano de Tal
Senado Federal
70.165-900 – Brasília-DF

A Sua Excelência o Senhor
Fulano de Tal
Juiz de Direito da 10ª Vara Cível
Rua ABC, nº 123
01.010-000 – São Paulo-SP

Fonte: Adaptado de Mendes; Forster Júnior, 2002, p. 10.

O *Manual* ainda explica que está abolida das comunicações oficiais a forma *digníssimo* (DD), porque "a dignidade é pressuposto para que se ocupe qualquer cargo público, sendo desnecessária sua repetida evocação".

5 *Vossa Senhoria* é empregado para as demais autoridades e para particulares. O vocativo adequado é:
 ⋈ *Senhor Fulano de Tal, ...*

No envelope, escrevemos assim:

Ao Senhor
Fulano de Tal
Rua Visconde de Guarapuava, nº xxx
70.123 – Curitiba-PR

morfologia I

Por esse exemplo, você notou que não se usa mais a forma *ilustríssimo* para as autoridades que recebem o tratamento de *Vossa Senhoria* e para particulares. É suficiente o uso do pronome de tratamento *Senhor*.

Lembre-se de que *doutor* não é forma de tratamento, e sim título acadêmico. Evite usá-lo indiscriminadamente. Empregue-o apenas em comunicações dirigidas a pessoas que tenham tal grau por terem concluído curso universitário de doutorado. É costume designar por *doutores* os bacharéis, especialmente os bacharéis em Direito e em Medicina. Nos demais casos, o tratamento *Senhor* confere a desejada formalidade às comunicações.

A forma *Vossa Magnificência*, empregada, por força da tradição, em comunicações dirigidas a reitores de universidade, corresponde ao vocativo:

- *Magnífico Reitor,...*

Os pronomes de tratamento para religiosos, de acordo com a hierarquia eclesiástica, são:

1. *Vossa Santidade*, em comunicações dirigidas ao Papa. O vocativo correspondente é:
   - *Santíssimo Padre,...*

2. *Vossa Eminência* ou *Vossa Eminência Reverendíssima*, em comunicações aos cardeais. Corresponde-lhe o vocativo:
   - *Eminentíssimo Senhor Cardeal,...*

   ou
   - *Eminentíssimo e Reverendíssimo Senhor Cardeal,...*

3. *Vossa Excelência Reverendíssima* é usado em comunicações dirigidas a arcebispos e bispos.

4. *Vossa Reverendíssima* ou *Vossa Senhoria Reverendíssima* é usado para monsenhores, cônegos e superiores religiosos.

5. *Vossa Reverência* é empregado para sacerdotes, clérigos e demais religiosos.

6.4.1.2 Colocação dos pronomes oblíquos átonos

Chamam-se *átonos* os pronomes oblíquos que são empregados sem o auxílio de preposição. São eles: *me, te, se, lhe, o, a, nos, vos, se, lhe, os, as*.

Há três possibilidades para colocarmos o pronome oblíquo na frase:

1. antes do verbo;
2. no meio do verbo;
3. após o verbo.

Chama-se *próclise* a colocação do pronome antes do verbo, *mesóclise* quando o pronome está no meio e *ênclise* quando o pronome está depois do verbo. Exemplos:

- Próclise: *Eu lhe enviei uma carta.*
- Mesóclise: *Enviar-lhe-ei uma carta.*
- Ênclise: *Envio-lhe uma carta.*

No Brasil, a próclise é a colocação mais comum. Conforme nos alerta o gramático Manoel P. Ribeiro (2004, p. 336) em seu livro *Nova gramática aplicada da língua portuguesa*, "não se pode seguir a norma de Portugal, pois o registro de lá impõe algumas regras diferentes das que temos em voga em nosso território".

Ainda sobre esse assunto, o gramático lembra-nos de que "muitas razões, principalmente de ordem estilística e também psicológica,

morfologia I

determinam uma colocação diferente da que preceitua a gramática normativa". Veja um exemplo das razões estilísticas:

- *Percebi que o rapaz se sentara distante dos amigos.*

Observe como a sequência de sons "se se" é desagradável. Nada impede a próclise, mas, nesse caso, a ênclise é mais adequada à elegância do texto:

- *Percebi que o rapaz sentara-se distante dos amigos.*

A norma culta ou língua padrão exige que respeitemos as regras de colocação pronominal apresentadas na sequência.

Próclise
Sempre que antes do verbo houver elementos atrativos, deve-se usar a próclise. Veja a seguir quais são esses elementos.

1. Palavras de sentido negativo (*não, nem, nunca, jamais*). Exemplos:
   - *<u>Nunca</u> se esqueça de mim.*
   - *Ela <u>não</u> me conhece.*

2. Pronomes relativos, indefinidos e demonstrativos. Exemplos:
   - *Essa é a pessoa <u>que</u> nos ajudou.*
   - *Infelizmente, <u>poucos</u> se interessaram pelo novo produto.*
   - *<u>Isso</u> lhe trará muitas alegrias.*

3. Conjunções ou locução conjuntivas subordinativas. Exemplos:
   - *Não sei <u>quando</u> a verei novamente.*
   - *<u>Ainda que</u> nos peçam, não iremos ao evento de moda.*
   - *O rapaz ainda não disse <u>que</u> a ama.*

4. Advérbios. Exemplo:
   - *Aqui se encontram belas praias.*

   Quando a vírgula estiver isolando o advérbio, usamos a ênclise. Exemplo:
   - *Aqui, sinto-me protegida.*

5. Frases interrogativas ou exclamativas. Exemplos:
   - *Quem nos dirá a verdade?*
   - *Quanto me iludi com você!*

6. Frases optativas, isto é, aquelas pelas quais expressamos nossos desejos. Exemplos:
   - *Deus te proteja!*
   - *Bons ventos o levem!*

Lembrete

Grande número de gramáticos aceita a próclise com pronome pessoal. Exemplo:

- *Ela nos aconselhou a ter cautela.*

Mesóclise

A mesóclise só é empregada quando o verbo da frase estiver no futuro do presente ou no futuro do pretérito do indicativo. Exemplos:

- *Organizar-se-ão outros encontros para a capacitação da equipe.*
- *O presidente da Comissão solicitar-nos-á um parecer se necessário.*

morfologia I

Além disso, não pode haver na frase nenhum termo atrativo. Se houver, a próclise é obrigatória:

- *Não lhe daremos uma segunda oportunidade.*

A ênclise é usada principalmente na linguagem escrita formal, porque na norma culta não se admite a colocação do pronome oblíquo no começo da oração. Exemplos:

- *Auxiliei-os na conclusão do relatório.*
- *Costura-se para noivas.*
- *Ana levantou, trancou a sala, dirigiu-se à saída do edifício.*

Colocação do pronome átono em locução verbal

Se não houver a exigência da próclise, estão corretas as seguintes construções:

1. Verbo auxiliar + particípio. Exemplos:
   - *A fé em Deus tinha-o auxiliado a superar a perda.*
   - *A mãe lhe havia organizado uma festa surpresa.*
   - *Ela se havia disponibilizado a ajudar.*

Lembrete

Não existe a ênclise com verbo no particípio. Exemplo:

- *Meus amigos tinham convidado-me para a festa.* (incorreto)

Se houver uma palavra atrativa, é obrigatória a próclise:

- *Não me havia preparado para tal competição.*

2. Verbo auxiliar + gerúndio. Exemplos:
   - *Estou-me dedicando ao estudo da gramática.*
   - *Estou dedicando-me ao estudo da gramática.*
   - *Eu me estou esforçando.*

   mas
   - *Não me estou esforçando o bastante.*

3. Verbo auxiliar + infinitivo. Exemplos:
   - *Devo preocupar-me com o futuro.*
   - *Devo-me preocupar com o futuro.*

   mas
   - *Não me devo preocupar somente com o presente.*

   ou
   - *Não devo preocupar-me somente com o presente.*

Por que a última colocação está correta se nela existe uma palavra de sentido negativo?

Se a palavra negativa preceder uma locução com verbo no infinitivo, é possível a ênclise.

Veja outros exemplos:

- *Não posso calar-me diante de tamanha injustiça.*
- *Após a consulta, o médico não mandou interná-lo.*

6.4.2
Pronomes possessivos

São aqueles pronomes que usamos para indicar que alguma coisa pertence a uma das três pessoas do discurso. Referem-se, basicamente, aos possuidores. Exemplos:

- *Já guardei minhas roupas no armário.* (O possuidor das roupas é o emissor da frase.)

morfologia I

- *Vossa Excelência vai atender seus eleitores?* (Os eleitores pertencem ao político, identificado pelo pronome de tratamento.)

São pronomes possessivos:

meu, minha, meus, minhas	para a 1ª pessoa do singular (eu)
teu, tua, teus, tuas	para a 2ª pessoa do singular (tu)
seu, sua, seus, suas	para a 3ª pessoa do singular (ele/ela)
nosso, nossa, nossos, nossas	para a 1ª pessoa do plural (nós)
vosso, vossa, vossos, vossas	para a 2ª pessoa do plural (vós)
seu, sua, seus, suas	para a 3ª pessoa do plural (eles/elas)

Os pronomes da 3ª pessoa do singular e da 3ª do plural são os mesmos, porque podemos ter as seguintes possibilidades:
- um possuidor e uma coisa possuída;
- um possuidor e várias coisas possuídas;
- vários possuidores e uma coisa possuída;
- vários possuidores e várias coisas possuídas.

Exemplos:
- *Você esqueceu seus* (um possuidor) *livros* (várias coisas possuídas) *na mesa da recepção.*
- *Vocês* (vários possuidores) *ainda não venderam sua* (uma coisa possuída) *casa?*

6.4.2.1 Emprego dos pronomes possessivos

1. Evite o sentido ambíguo da frase para não cometer erro de coerência. Exemplos:
   - *Pedro, o gerente, informou-me que falará com você em sua sala.*

Correção:

- *Pedro, o gerente, informou-me que falará com você na sala dele.*

- *Carlos me informou que vai sair com sua irmã.*

Irmã de quem? De Carlos? Do interlocutor a quem o emissor da frase se dirige?

Correção:

- *Carlos me informou que vai sair com a irmã dele.*

2. Cuidado com o emprego do pronome possessivo com a intenção de familiaridade, porque essa construção pode soar como irônica. Exemplo:
   - *O nosso homem não se deu por vencido.*

3. Os pronomes possessivos costumam aparecer sem o sentido de posse na linguagem coloquial. Evite-os no texto formal. Exemplos:
   - *Meu professor de Direito Penal deve ter seus 50 anos.* (sentido de *aproximadamente*)
   - *Vou falar com seu José da padaria.* (forma modificada de *senhor*)

Verifique seu aprendizado

1. Corrija, quando necessário, as frases seguintes:
   a) Não houve condições para mim resolver os problemas.
   b) Para mim, resolver os problemas é coisa simples.
   c) Ninguém irá sem eu.
   d) Ninguém irá sem eu autorizar.

morfologia I

2. Era para _____ falar _____ ontem, mas não _____ localizei em parte alguma. Assinale a alternativa que contém a sequência correta:
   a) mim, consigo, o.
   b) eu, com ele, lhe.
   c) eu, com ele, o.
   d) mim, contigo, o.
   e) eu, contigo, lhe.

3. O período em que o pronome possessivo está mal empregado é:
   a) Dirijo-me a ele, a fim de solicitar seu apoio.
   b) Dirijo-me a Vossa Senhoria, a fim de solicitar o vosso apoio.
   c) Dirijo-me a vós, a fim de solicitar o vosso apoio.
   d) Dirijo-me a ti, a fim de solicitar o teu apoio.
   e) Dirijo-me a vocês, a fim de solicitar o seu apoio.

4. Complete as frases a seguir com os pronomes *eu* ou *mim*:
   a) Vim embora, pois lá não havia nada para _____ fazer.
   b) Para _____, voltar para lá é impossível.
   c) Para _____ passar no exame, tive de estudar muito.
   d) Será difícil, para _____, tirar um dia de folga.
   e) Vocês deixaram tudo para _____ resolver sozinho.

5. Na frase a seguir, mude o tratamento *tu* para o tratamento *você*:

   Paulo, se tu voltares hoje, conversarei contigo.

6. Assinale o item que contém a melhor colocação do pronome oblíquo *me* considerando o sentido da frase e a exigência da norma culta:
   a) Esperava-me cartas que custavam a chegar.
   b) Me esperava cartas que custavam a chegar.
   c) Esperava cartas que custavam-me a chegar.
   d) Esperava cartas que me custavam a chegar.
   e) Esperava cartas que custavam me a chegar.

7. (UFS-SE)* "Os projetos que _____ estão em ordem; _____ ainda hoje, conforme _____."
   a) enviaram-me, devolvê-los-ei, lhes prometi.
   b) enviaram-me, os devolverei, lhes prometi.
   c) enviaram-me, os devolverei, prometi-lhes.
   d) me enviaram, os devolverei, prometi-lhes.
   e) me enviaram, devolvê-los-ei, lhes prometi.

6.4.3
Pronomes demonstrativos

Os pronomes demonstrativos são os que indicam o lugar, a posição ou a identidade dos seres, relativamente às pessoas do discurso (eu, tu, ele).

1 *Isto, este(s), esta(s)* dizem respeito a tudo o que está próximo do emissor. Exemplos:
   - *A professora, segurando um objeto, pergunta à classe:*
     — *De quem é esta caneta?*

---
* Citada por Ferreira (1992, p. 432).

morfologia I

- A jovem informa à amiga:
  — Comprei estes sapatos na liquidação.

- Paguei barato por este carro. (O carro está próximo à pessoa que fala.)

2. Quando nos referimos a algo que ainda vai ser dito, usamos as formas *isto, este(s), esta(s)*. Exemplos:
   - Crianças, só lhes peço isto: façam silêncio, por favor.
   - Minhas dúvidas são estas: emprego do pronome oblíquo e uso da vírgula.

3. Também usamos as formas *isto, este(s), esta(s)* quando nos referimos a noções de tempo e espaço atuais. Exemplos:
   - Neste ano, o Natal vai cair na quinta-feira.
   - Trabalho nesta empresa há oito anos.

4. *Isso, esse(s), essa(s)* dizem respeito a tudo o que está próximo do receptor. Exemplos:
   - A professora, apontando para o lindo estojo da aluna, pergunta-lhe:
     — Aninha, onde você comprou esse estojo?
     ou
     — Aninha, onde você comprou isso?

5. Sempre que nos referimos a algo que já foi dito, usamos as formas *isso, esse(s), essa(s)*. Exemplos:
   - Saúde e paz; é disso que eu preciso.
   - O namorado não lhe trazia flores e isso a incomodava. (O pronome *isso* retoma a informação "o namorado não lhe trazia flores".)

- A chuva ácida e o solo improdutivo são consequências da agressão ao meio ambiente. Portanto, esses problemas ambientais precisam de uma solução urgente.
- — Crianças, façam silêncio! Só lhes peço esse favor.

6. Também usamos as formas *isso, esse(s), essa(s)* quando nos referimos a um tempo anterior ou posterior (mas não muito distante) ao momento da fala. Exemplos:
    - O Natal está chegando. Esse dia é muito esperado pelas crianças.
    - Você cresceu nos anos 1980? Eu ainda não era nascido nessa época.

7. Os pronomes demonstrativos *aquilo, aquele(s), aquela(s)* referem-se ao assunto, ser ou objeto do qual emissor e receptor se encontram distantes. Exemplos:
    - Moro naquela casa lá no alto, à direita.
    - Que é aquilo que está pousado sobre o telhado da igreja?

8. Para retomarmos dois elementos anteriormente citados no texto, usamos *aquele* para o elemento citado primeiro e *este* para o elemento citado por último. Exemplos:
    - *Fernando Pessoa e Carlos Drummond são dois grandes poetas da língua portuguesa.* Aquele *é português e* este*, brasileiro.*
    aquele = Fernando Pessoa
    este = Carlos Drummond

morfologia I

Lembrete

Também são pronomes demonstrativos: *mesmo(s)*, *mesma(s)*; *próprio(s)*, *própria(s)*; *o(os)*; *a(as)* quando equivalem a *aquele(s)*, *aquela(s)*.
Exemplos:

- *Nós próprios decoramos o apartamento.*
- *Ela mesma preparou o jantar.*
- *Essas rosas não são as que lhe pedi.*

6.4.4
Pronomes relativos

Segundo as gramáticas ensinam, os pronomes relativos são palavras que representam outras já citadas, com as quais estão relacionados. Daí o nome *relativos*.

Veja este exemplo:

- *Paula comprou a casa que fica perto da praia.*

Há duas orações contidas nesse período:

1. Paula comprou a casa.
2. A casa fica perto da praia.

Observe que, quando desmembramos a frase inicial em duas outras, o substantivo *casa* aparece repetido. Por quê?

A resposta é simples: na frase inicial, foi empregado o pronome relativo *que* para evitar a repetição do substantivo *casa*.

Veja outros exemplos:

- *Há fornos elétricos ou a gás que atingem temperaturas de até mil graus.*
- *A pizzaria que frequento é muito boa.*

Eis o quadro dos principais pronomes relativos:

Variáveis	Invariáveis
o qual, os quais, a qual, as quais	que, quem
cujo(s), cuja(s)	onde

Quanto ao emprego dos pronomes relativos, atente para as normas apresentadas a seguir.

1. O pronome *quem* só se aplica a pessoas e vem sempre antecedido de preposição. Exemplos:
   - *O autor a quem admiro virá a São Paulo.*
   - *Somos gratos a Deus, a quem tudo devemos.*

2. Os pronomes relativos *que* e *quem* equivalem a *o qual/a qual* e suas variações. Exemplos:
   - *O médico de quem (do qual) falo é meu conterrâneo.*
   - *Desconheço os motivos por que (pelos quais) ele desistiu do concurso.*

3. *Onde*, como pronome relativo, deve sempre se referir a lugar e equivaler a *em que/no qual* e suas variações. Exemplo:
   - *A casa onde (em que/na qual) moro foi do meu avô.*

4. Os pronomes relativos *cujo, cuja* significam "*do qual*" e "*da qual*". Estarão corretamente colocados na frase sempre entre dois substantivos. Não se usa artigo entre esses pronomes e os substantivos que acompanham. Exemplos:
   - *Quem será o <u>vencedor</u> (substantivo) cujo <u>nome</u> (substantivo) ainda não foi revelado?* (cujo nome = o nome do qual)
   - *Na Itália, visitei <u>palácios</u> (substantivo) cujas <u>obras de arte</u> (substantivos) são do século XVI.* (cujas obras = as obras de arte dos quais)

morfologia I

5. Em razão da clareza, usa-se *o qual* em vez de *que* quando este vier distanciado de seu antecedente, dando margem a falsos sentidos. Exemplo:

- *Regressando de Ouro Preto, visitei o sítio de minha tia, o qual me deixou encantado.*

Caso fosse empregado o pronome *que*, haveria sentido ambíguo:

- *"[...] que me deixou encantado".* (O sítio ou a tia?)
- *O que a tornou famosa foi a beleza de seu rosto, a qual nenhuma mulher superava.* (O pronome na forma feminina está se referindo à beleza do rosto.)

Lembrete

Os pronomes relativos podem vir antecedidos de preposição, que pode ser exigida:

1. por um verbo. Exemplos:
    - *Estes são os doces de que mais gosto.* (gostar de)
    - *Envie-me ainda hoje as informações de que preciso para o processo.* (precisar de)
    - *O dicionário é o livro a que me dirijo quando tenho dúvidas de ortografia.* (dirigir-se a)

2. por um substantivo ou um adjetivo. Exemplos:
    - *Esta é a pessoa de quem eu mais tinha necessidade.* (necessidade de)
    - *A crise no Oriente Médio é o assunto a que os comentaristas internacionais fizeram referência.* (referência a)
    - *Você conhece as pessoas a quem sou leal.* (leal a)

3. com o pronome *cujo* ou uma de suas variações, a presença da preposição também pode ser exigida. Exemplos:
   - *Este é o diretor a cujo filme assisti ontem.* (assistir ao filme do diretor que exige a preposição)
   - *Quero agradecer ao doutor Solano sem cujas orientações não me seria possível concluir esse trabalho.*
   - *"Tirei um colete velho, em cujo bolso trazia cinco moedas de ouro"* (Machado de Assis, 1998, p. 111) (moedas de ouro no bolso do colete velho)
   - *Ando afastada dos livros de cuja companhia sinto falta.* (falta da companhia dos livros.)

6.4.5
Pronomes indefinidos

São aqueles que se referem à 3ª pessoa do discurso (ele/ela) de modo vago, impreciso, indeterminado, no que se refere à noção de identidade ou de quantidade. Observe os exemplos que seguem.

- *Alguém* (quem?) *roubou várias* (quantas ou quais?) *rosas do nosso jardim.*

A identidade do ladrão e a quantidade de flores estão indefinidas. Os pronomes em destaque se referem à 3ª pessoa: *ele* (o ladrão), *elas* (as rosas).

- *Tudo* (o quê?) *se resolverá satisfatoriamente.*

morfologia I

Os pronomes indefinidos podem ser variáveis e invariáveis.

Variáveis	Invariáveis
algum(ns), alguma(s)	alguém
nenhum(ns), nenhuma(s)	ninguém
todo(s), toda(s)	tudo
outro(s), outra(s)	outrem (em desuso)
muito(s), muita(s)	bastante
pouco(s), pouca(s)	nada, cada
certo(s), certa(s)	algo
tanto(s), tanta(s)	quem
qualquer, quaisquer	menos
	mais

Veja, a seguir, como empregar os pronomes indefinidos.

₪ Algum(ns), alguma(s)

Quando colocados antes do substantivo, esses pronomes têm sentido afirmativo; quando colocados depois do substantivo, apresentam sentido negativo. Exemplos:

₪ *Recebi algum <u>dinheiro</u> pelo serviço.*
₪ *<u>Dinheiro</u> algum me foi pago pelo serviço.*

₪ Certo(s), certa(s)

Quando colocados antes do substantivo, são pronomes indefinidos, mas, se vierem após o substantivo, passam a ser adjetivos. Exemplo:

₪ *Certos* (pronome indefinido) *políticos não são as pessoas <u>certas</u>* (adjetivo) *para defender os interesses do país.*

- Nenhum(a)

Quando aparece em frase negativa, tem a finalidade de dar ênfase à negação. Exemplo:
- *Não a conheço de nenhum lugar.*

- Todo(s), toda(s)

Quando usados no singular e não acompanhados do artigo definido, têm o sentido de *qualquer*. Exemplo:
- *Antigamente, toda (qualquer uma) praça tinha um coreto.*

Quando usados no singular e acompanhados de artigo definido, indicam a totalidade, significando "inteiro(a)". Exemplos:
- *Toda a (a praça inteira) praça recebeu novas mudas de flores.*
- *Ele tinha todo o corpo coberto de tatuagens.*

Caso o artigo não esteja presente, a frase ficará incorreta, porque o sentido é de totalidade e não de "qualquer um".

- Cada

Esse pronome só estará corretamente empregado quando vier seguido de um substantivo que o especifique. Exemplo:
- *Custou R$ 25,00 cada livro.*

- Menos, mais

Essas palavras são pronomes indefinidos quando antecedem um substantivo. Exemplos:
- *Precisa haver mais amor e menos dor.*
- *No mundo inteiro, mais pessoas recorrem aos sites de relacionamento.*

morfologia I

Lembrete

A palavra *menos* é sempre invariável. Portanto, não existe a forma "menas".

- Muito, pouco, bastante

Essas formas e suas variações são pronomes indefinidos quando antecedem um substantivo. Exemplos:
- *Havia muitos candidatos à vaga na Procuradoria da União.*
- *Senti bastantes saudades de todos os amigos quando morei fora do país.*
- *Hoje em dia, pouca gente se interessa por arte clássica.*

Essas palavras são invariáveis quando se classificam como advérbios. Para que tenham valor de advérbio, elas devem se referir a um adjetivo ou a um verbo. Exemplos:
- *Há pessoas muito interessadas na compra desse imóvel.*
- *Estudamos muito hoje.*
- *Alimentos naturais são bastante saudáveis.*
- *Era uma casa pouco arejada.*

Os termos *interessadas*, *saudáveis* e *arejada* são adjetivos. A palavra *hoje* é advérbio de tempo.

A palavra *bastante* pode valer por um adjetivo e flexionar-se em número. Nesse caso, tem o sentido de "suficiente" e é empregada após o substantivo. Exemplo:
- *Havia razões bastantes para eu me retirar da festa.*

Verifique seu aprendizado

1. Por favor, passe _____ caneta que está aí perto de você; _____ aqui não serve para _____ desenhar.
   a) aquela, esta, mim.
   b) esta, esta, mim.
   c) essa, esta, eu.
   d) essa, essa, mim.
   e) esta, esta, eu.

2. Indique a frase em que o pronome relativo está empregado corretamente:
   a) É um cidadão em cuja honestidade se pode confiar.
   b) Feliz o pai cujo os filhos são ajuizados.
   c) Preciso de um pincel delicado, sem o cujo não poderei terminar o quadro.
   d) Os jovens, cujos pais conversei ontem, prometeram mudar de atitude.
   e) Apresentei meu chefe ao jornalista de cujos artigos aprecio.

3. (Fuvest-SP) Dê o significado de *todo* em:

   "Ai, por que todo ser nasce chorando?"

   "Chegou com o corpo todo manchado."

4. Pronomes possessivos e demonstrativos muitas vezes são usados com sentidos específicos, diferentes dos usuais. Indique o sentido expresso por eles nas frases a seguir:
   a) Ela deve ter seus quarenta anos.
   b) Minha mãe me serviu aquele bife acebolado.
   c) O que deseja, meu senhor?
   d) Seu Antônio não parece muito feliz com o presente.
   e) Minha mãe pede que você transmita nossas recomendações a todos os seus.

morfologia I

5. Complete as lacunas com um pronome relativo, precedido ou não de preposição:
   a) Você confia em muitas pessoas _____ não concordo.
   b) Não mataram a cobra _____ o agricultor fora picado.
   c) Todos conhecem o escritor _____ você está falando.
   d) Assistimos ao filme _____ diretor gostamos muito.
   e) Aprecio poemas _____ versos encontro reflexões sobre a vida.

6. Em que alternativa o pronome relativo foi usado corretamente?
   a) Um candidato prometeu triplicar o salário dos funcionários, onde seria muito difícil cumprir a promessa.
   b) O dono da fazenda Santa Bárbara mandou lavrar uma área de 25 hectares onde ele pretendia plantar soja.
   c) O caso que relatei está na mesma revista onde foi publicada a reportagem sobre a mineração do Rio Jequitinhonha.
   d) O professor de Biologia afirmou que fantasmas não existem, onde estou de pleno acordo.
   e) Pedro procurou um médico onde ele recomendou ao rapaz que deixasse de fumar.

7. Considere as frases:
   I. Essa é a pessoa _____ lhe falei.
   II. Apresento-lhe a pessoa _____ casa me hospedei.
   III. Não conheço a menina _____ você falou.

   A sequência que completa corretamente as lacunas está em:
   a) que – cuja – que.
   b) com quem – de cuja – da qual.
   c) da qual – cuja – da qual.
   d) de quem – em cuja – de quem.
   e) com que – cuja – de que.

8. Assinale a frase na qual a palavra *que* é um pronome relativo:
   a) O homem que chegou é meu amigo.
   b) Não sei de que você está falando.
   c) Vão ter que dizer a verdade.
   d) Importa que todos compareçam.
   e) Notei um quê de tristeza em seu rosto.

6.5
Produção textual: a ata

A ata é um documento que tem por finalidade relatar as ocorrências verificadas em uma reunião, uma assembleia, um congresso, uma convenção, tanto na Administração Pública quanto na particular.

Esse tipo de documento deve ser redigido em linguagem clara e direta. Quem o redige deve ter muita atenção e capacidade de síntese de tudo o que foi debatido, proposto, criticado, decidido etc. naquela sessão. É necessário distinguir, em meio a tantas ideias expostas, quais são relevantes e quais podem ser descartadas porque apenas ratificam informações anteriores ou constituem comentários não pertinentes para a pauta em questão.

Para que a seleção das ideias principais seja feita sem problemas, lembre-se sempre de que principais são aquelas ideias que dizem respeito aos assuntos tratados em determinada ocasião. Se a reunião foi convocada, por exemplo, para discutir estratégias de *marketing* para o lançamento de um produto, não interessam comentários acerca da qualidade do produto, se ele é usado pelos profissionais da empresa, se o do concorrente é melhor etc. Esses comentários muitas vezes surgem, mas não são pertinentes para a pauta da reunião: estratégias de *marketing*. O produto vai ser lançado e é necessário pensar nos seguintes aspectos:

morfologia I

- Como fazê-lo?
- Qual é o público-alvo?
- Como atrair consumidores para ele?
- Que qualidades enfatizar?

A discussão não diz respeito às preferências pessoais dos presentes e de seus familiares. Esse é um assunto importante para um momento anterior, ou seja, aquele que diz respeito à necessidade de se criar um produto que vá ao encontro das necessidades e expectativas dos consumidores. Por isso, os testes de qualidade, as opiniões e os comentários devem ser considerados e avaliados.

6.5.1
Elementos indispensáveis em uma ata

Não vamos estudar em detalhes o modelo de ata tradicional. Estamos propondo um modelo atualizado, que respeita as exigências principais desse gênero textual. Muitas empresas o adotam, porque ele é visualmente mais interessante. Além disso, é possível ter impressas várias cópias do modelo, deixando-se espaço suficiente para o registro da pauta, das presenças, dos assuntos tratados e, por fim, das assinaturas.

Em caso de erro ou omissão, percebidos no momento em que esse documento está sendo redigido, empregue a palavra *digo*, seguida da forma correta. Nunca rabisque o erro nem use corretivos de qualquer espécie. Exemplo:

- *Como a situação é delicada, o condomínio solicita descrição, digo, discrição a todos os moradores...*

Se as falhas só forem percebidas depois de a ata ter sido redigida, empregue a expressão *em tempo* para iniciar a frase que dará início à correção. Exemplo:

- *Em tempo: no segundo item das considerações, na terceira linha, onde se lê "o condomínio solicita descrição", leia-se "o condomínio solicita discrição a todos os moradores".*

Essa correção deve ser feita, preferencialmente, antes de a ata ser finalizada pelo(a) secretário(a).

Também é possível que na ata do dia sejam feitas as retificações necessárias à ata anterior. É conveniente que números e valores sejam escritos por extenso. Exemplos:

- *Os condôminos entregaram uma lista com os nomes dos seis moradores acusados de praticar atos de vandalismo.* (*seis* e não *6*)
- *Foi aprovada a cobrança de cota extra, para a conclusão da pintura externa, no valor de oitocentos e cinquenta reais.*

Não use abreviaturas. Exemplo:

- *Foi autorizado o pg. da primeira parc. do décimo terceiro dos porteiros.*

Correção:

- *Foi autorizado o pagamento da primeira parcela do décimo terceiro dos porteiros.*

A expressão latina *ad hoc* ("para isto", "para esta reunião") é empregada para informar que a ata não foi escrita pelo secretário efetivo, e sim por um dos participantes da reunião.

morfologia I

A ata deve ser lavrada em livro próprio se isso for determinado por lei.

O modelo reproduzido a seguir é sugerido pela autora Miriam Gold (2005, p. 121):

(1) Informação da data (dia, mês e ano) e da hora.
(2) Informação do local da reunião.
(3) Identificação da pauta da reunião.
(4) **Nomeação das pessoas presentes e de seus respectivos cargos ou funções.**
(5) Registro sintetizado das principais ocorrências e decisões.
(6) Assinatura dos presentes.
(7) Data e assinatura do(a) secretário(a).

Veja agora uma ata redigida de acordo com o modelo.

ATA DE REUNIÃO DA DIRETORIA

Data: 7-11-2011 (1)
Hora: 19 horas (1)
Local: Associação Atlética Novo Mundo
Avenida xxxxxx s/nº – Novo Mundo – Curitiba-PR (2)

Pauta: (3)

1. Passagem das diretrizes administrativas para a nova diretoria eleita.
2. Organização da agenda de eventos sociais e esportivos para o próximo semestre.

Presentes: (4)

Conselho Diretor

Cargo	Nome
	Sr. ou Sra.
1. Presidente	
2. Vice-Presidente	
3. Diretor Administrativo	
4. Diretor de Patrimônio	
5. Diretor Social	
6. Diretor Financeiro	
7. Diretor Esportivo	

Coordenadores de Área

Cargo	Nome (4)
	Sr. ou Sra.
1. Coordenador de Futebol	
2. Coordenador de Natação	
3. Coordenador de Voleibol	
4. Coordenador de Eventos	
Secretário	

Considerações (5)

1. É urgente a contratação de uma empresa de construção civil para finalizar as obras iniciadas pela diretoria anterior;
2. É necessário incentivar a presença dos associados às atividades do clube;
3. Há necessidade de aumentar a arrecadação do clube.

morfologia I

Deliberações (5)
1. Cada coordenador de área vai iniciar um processo seletivo de profissionais para atuar no clube;
2. Ampliou-se a atuação da Escolinha de Natação, com a abertura de turmas para crianças de 2 a 5 anos;
3. A Diretoria Financeira fica responsável pelo processo de licitação de empresas de construção civil para a conclusão das obras nas dependências do clube;
4. Uma parte da verba mensal arrecadada mediante a contribuição dos sócios será utilizada na organização de jantares dançantes.

Assinatura dos presentes (6)

_____ _____

Curitiba, 7 de novembro de 2011. (7)

_____

Assinatura do secretário (7)

Fonte: Gold, 2005, p. 121.

Gold (2005) sugere que se usem os termos *considerações* e *deliberações* para identificar as ideias registradas.

Segundo o *Dicionário Houaiss da língua portuguesa* (Houaiss, Villar, 2009), *consideração* é "opinião, objeção, observação (sobre algo), feitas após um exame ou reflexão". Assim, você vai registrar nas "considerações" as ideias principais resultantes das reflexões, das análises, dos pontos de vista apresentados pelos presentes.

Você pode iniciar sua frase com:

- *É importante...*
- *Há necessidade...*
- *Convém...*

Também, segundo o referido dicionário, *deliberação* é a "ação empreendida após consulta ou reflexão", ou seja, deliberado é o que "foi decidido, resolvido, firmado".

Veja, a seguir, um modelo de ata tradicional.

Ata da reunião extraordinária para aprovação de despesa imprevista, realizada pela diretoria colegiada e conselho fiscal da Empresa X em nove de março de dois mil e oito, no gabinete da Direção-Geral da empresa, em seu edifício-sede situado em Marília – São Paulo. A reunião foi presidida pelo Diretor-Financeiro, José Luz da Rocha, secretariada por Antônio Meira e contou com a presença do Diretor de Recursos Humanos, Marcelo Firmino, do Diretor de Operações, Afonso Quezada, e de todos os integrantes do Conselho Fiscal da empresa, à exceção do Sr. Rogério Meira, cuja ausência foi previamente justificada. Inicialmente foi lida e aprovada a ata da reunião anterior, à exceção da seguinte ressalva: onde constou "vinte mil unidades de matéria-prima", leia-se "trinta mil unidades de matéria-prima". Em seguida o Diretor-Financeiro solicitou ao Diretor de Operações que apresentasse suas estimativas de necessidade de realização de serviço extraordinário nas unidades fabris do estado do Paraná para o próximo trimestre, sendo atendido na forma de uma

morfologia I

apresentação audiovisual que definiu os motivos para a realização de sete mil e duzentas horas extras por um total de mil e duzentos funcionários no período. Os aspectos relacionados à legislação trabalhista foram integralmente aprovados pelo Diretor de Recursos Humanos, e colocou-se em votação aberta junto ao conselho fiscal a disponibilização dos recursos para pagamento desta despesa não incluída no Plano Plurianual da Empresa X, resultando em aprovação unânime e imediata autorização de desembolso concedida ao Diretor-Financeiro. O Conselheiro Aníbal Pinheiro propôs a recomendação de que uma metodologia para estimativa de realização de serviço extraordinário seja incorporada a futuros planos plurianuais, tendo a moção sido aprovada por todos os presentes, e imediatamente incluída na pauta da próxima reunião ordinária da Diretoria Financeira. Nada mais havendo a tratar, foi lavrada por mim, Antônio Meira, a presente ata, assinada por todos os presentes acima nominados e referenciados.

Fonte: Campos, 2007.

Lembrete

Há *sites* que apresentam textos com erros gramaticais grosseiros e informações incorretas. Certifique-se da qualidade do material apresentado antes de tomá-lo como referência para seu trabalho.

Outras palavras na concordância nominal

Apresentamos, a seguir, outros termos que podem suscitar dúvidas quanto à concordância nominal.

Mesmo

Essa palavra pode ser pronome demonstrativo ou advérbio.

Como advérbio, é invariável e pode ser substituída por *realmente*. Exemplos:

- *Vocês decidiram mesmo mudar de cidade?*
- *Essa história é mesmo muito absurda.*

Como pronome demonstrativo, concorda em gênero e número com a palavra a que se refere. Aparece na frase para dar ênfase ao substantivo ou a um pronome pessoal. Exemplos:

- *Os rapazes mesmos limparam o apartamento.*
- *Nós mesmas organizamos a festa.*

Lembrete

Mesmo(a) e seus plurais não podem exercer a função de sujeito da informação expressa pelo verbo, como exemplificam as seguintes frases:

- *Não entreguem os relatórios enquanto os mesmos não forem corrigidos.*
- *O Dr. Alfredo não pode atendê-los agora, pois o mesmo está coordenando uma videoconferência.*

Correção:

- *Não entreguem os relatórios enquanto não forem corrigidos.*
- *O Dr. Alfredo não pode atendê-los agora, pois está coordenando uma videoconferência.*

Menos, mais

Essas palavras podem ser pronomes indefinidos ou advérbios. Em ambas as ocorrências, ficam sempre invariáveis. Exemplos:

- *Descansem mais um pouco.*
- *Estávamos menos desatentas que das outras vezes.*

Meio

Essa palavra pode ser numeral ou advérbio. Quando é numeral, concorda em gênero e número com a palavra a que se refere e tem o sentido de "metade". Exemplos:

- *Compramos meia dúzia de maçãs.*
- *Não me venha com meias palavras.*
- *A receita do croissant exige meio quilo de manteiga.*

Quando é advérbio, *meio* fica invariável e tem sentido de "um pouco". Exemplos:

- *Deixe as portas e janelas meio abertas.*
- *Essas flores estão meio murchas.*

Só

Essa palavra pode ser adjetivo ou advérbio. Quando é adjetivo, vai para o plural e tem valor de "sozinho". Exemplos:

- *Sairemos sós.*

Quando é advérbio, ela fica invariável e significa "somente", "apenas". Exemplos:

- *Nós só queremos um minuto da sua atenção.*
- *Vocês vão só ao supermercado?*

Verifique seu aprendizado

1. (UFMA)* Assinale a opção que contém advérbio:
   a) Nada impedirá a nossa viagem.
   b) Você nada como um peixe.
   c) Fizemos uma prova nada fácil.
   d) Poucos têm tudo, muitos têm nada.
   e) A certas pessoas, nada lhes tira a calma.

2. Considerando a concordância nominal, assinale a frase correta:
   a) Ela mesmo confirmou a realização do encontro.
   b) Foi muito criticado pelos jornais a reedição da obra.
   c) Ela ficou meia preocupada com a notícia.
   d) Muito obrigada, querido, falou-me emocionada.
   e) Anexo, remeto-lhes nossas fotografias.

---

* Citada por Ferreira (1992, p. 182).

morfologia I

3. Complete as lacunas com *meio* ou *meia(s)*:
   a) Ficaram _____ nervosas com a expectativa do exame.
   b) Não fale por _____ palavras.
   c) De manhã só tomo _____ xícara de leite.
   d) Estão _____ inseguros com a situação inesperada.
   e) Trata-se de pessoas _____ cansadas.

4. (UFMA) A concordância nominal está correta na seguinte alternativa:
   a) Nós mesmos faremos a prova, disseram os rapazes.
   b) Estavam desertas o pátio e as salas.
   c) Sr. Governador, Vossa Excelência é bem-vinda.
   d) Os bondes rolavam barulhento sobre os trilhos.
   e) As mães, contente, reveem seus filhos.

Saiba + Livros

ANDRADE, O. de. Pau brasil. São Paulo: Ed. Globo, 2003.

O escritor modernista Oswald de Andrade* escreveu, em tom de brincadeira, o poema "Pronominais"**, no qual aborda a diferença entre a linguagem coloquial e a variante padrão, modalidade da língua que nos impõe a observância das normas gramaticais.

-----

* Oswald de Andrade nasceu em 1890, em São Paulo, cidade na qual faleceu em 1954. Foi um dos principais artistas da Semana de Arte Moderna. Criou o Movimento Pau-Brasil e a Antropofagia, corrente que pretendia "devorar" a cultura europeia para com ela criar a verdadeira cultura brasileira. A ironia e o humor são características frequentes em sua obra. Ele se notabilizou pelos romances e livros de poesias.

** Procure esse e outros poemas interessantes do autor acessando, por exemplo, o seguinte *site*: RECANTO DAS LETRAS. Disponível em: <www.recantodasletras.com.br>. Acesso em: 21 ago. 2012.

VERISSIMO, L. F. Papos. In: _____. Comédias para se ler na escola. Rio de Janeiro: Objetiva, 2001. p. 65-66.

A seguir, leia o trecho do texto bem-humorado de Luis Fernando Verissimo[***], no qual duas personagens, entre acertos e erros, discutem a melhor forma de empregar os pronomes pessoais, segundo a norma culta da língua.

Papos

— Me disseram...
— Disseram-me.
— Hein?
— O correto é "disseram-me". Não "me disseram".
— Eu falo como quero. E te digo mais... Ou é "digo-te"?
— O quê?
— Digo-te que você...
— O "te" e o "você" não combinam.
[...]

Fonte: Verissimo, 2001, p. 65-66.

FERNANDES, M. Poesia matemática. Rio de Janeiro: Agir, 2009.

O poema a seguir é um dos textos mais conhecidos da obra de Millôr Fernandes[****]. Observe que, com humor, ele conta a história de uma paixão

---

[***] Luis Fernando Verissimo nasceu em Porto Alegre-RS, em 26 de setembro de 1936. É filho do escritor Erico Verissimo. Além de jornalista e colunista, é autor de inúmeras obras conhecidas.

[****] Milton Viola Fernandes, mais conhecido como Millôr Fernandes, nasceu no Rio de Janeiro, em agosto de 1923. Foi desenhista, humorista, dramaturgo, escritor, tradutor e jornalista. Começou a trabalhar ainda jovem na redação da revista *O Cruzeiro*. Em seus trabalhos, costumava valer-se do humor para criticar o poder e as forças dominantes. Seu estilo era singular, o que lhe rendeu elogios da crítica. Sofreu um acidente vascular cerebral no começo de 2011 e faleceu em março de 2012, aos 88 anos.

morfologia I

amorosa e seus percalços. A força narrativa está centrada no emprego de substantivos e adjetivos que pertencem ao universo da matemática. A adequação perfeita da terminologia matemática à história de amor faz desse texto uma das páginas inesquecíveis da poesia contemporânea.

POESIA MATEMÁTICA

Às folhas tantas
do livro matemático
um Quociente apaixonou-se
um dia
doidamente
por uma Incógnita.
Olhou-a com seu olhar inumerável
e viu-a do ápice à base
uma figura ímpar;
olhos romboides, boca trapezoide,
corpo retangular, seios esferoides.
Fez de sua uma vida
paralela à dela
até que se encontraram
no infinito.
"Quem és tu?", indagou ele
em ânsia radical.
"Sou a soma do quadrado dos catetos.
Mas pode me chamar de Hipotenusa."
E de falarem descobriram que eram
(o que em aritmética corresponde
a almas irmãs)
primos entre si.

E assim se amaram
ao quadrado da velocidade da luz
numa sexta potenciação
traçando ao sabor do momento
e da paixão
retas, curvas, círculos e linhas senoidais
nos jardins da quarta dimensão.
Escandalizaram os ortodoxos das fórmulas euclidiana
e os exegetas do Universo Finito.
Romperam convenções newtonianas e pitagóricas.
E enfim resolveram se casar
constituir um lar,
mais que um lar,
um perpendicular.
Convidaram para padrinhos
o Poliedro e a Bissetriz.
E fizeram planos equações e diagramas para o futuro
sonhando com uma felicidade
integral e diferencial.
E se casaram e tiveram uma secante e três cones
muito engraçadinhos.
E foram felizes
até aquele dia
em que tudo vira afinal
monotonia.
Foi então que surgiu
O Máximo Divisor Comum
frequentador de círculos concêntricos,
viciosos.

morfologia I

Ofereceu-lhe, a ela,
uma grandeza absoluta
e reduziu-a a um denominador comum.
Ele, Quociente, percebeu
que com ela não formava mais um todo,
uma unidade.
Era o triângulo,
tanto chamado amoroso.
Desse problema ela era uma fração,
a mais ordinária.
Mas foi então que Einstein descobriu a Relatividade
e tudo que era espúrio passou a ser
moralidade
como aliás em qualquer
sociedade.

Fonte: Fernandes, 2009.

Síntese

Demos início, nesta unidade, ao estudo da morfologia. Nossa língua apresenta dez classes de palavras, das quais só não faremos referência às interjeições, utilizadas na expressão de nossos sentimentos e emoções. Semanticamente as interjeições têm valor subjetivo; por esse motivo, entendemos que é desnecessário abordá-las.

Você viu que os substantivos nomeiam tudo o que nos cerca. Por meio dos adjetivos, acrescentamos características aos substantivos. Os pronomes substituem os substantivos ou os acompanham nas frases. Os numerais se encarregam de informar o número dos substantivos, principalmente em relação à quantidade e à posição.

Ao tratarmos da concordância nominal, examinamos os casos relativos a adjetivos e pronomes que costumam apresentar dificuldades a quem redige e procuramos explicar-lhe esse assunto de maneira bem fácil.

Preparamos um número bem grande de questões para você testar seus conhecimentos sobre a morfologia. Na produção textual, esperamos ter simplificado bastante a estrutura da ata, documento que costuma ser o terror de quem se vê na obrigação de redigi-la.

sete

morfologia II

Neste capítulo, daremos prosseguimento ao estudo da morfologia. Inicialmente, leia o texto a seguir, de Marina Colasanti*.

A MOÇA TECELÃ

Acordava ainda no escuro, como se ouvisse o sol chegando atrás das beiradas da noite. E logo sentava-se ao tear.

Linha clara, para começar o dia. Delicado traço cor da luz, que ela ia passando entre os fios estendidos, enquanto lá fora a claridade da manhã desenhava o horizonte.

[...]

Fonte: Colasanti, 1979, citada por Recanto das Letras, 2009.

Nesse texto predominam os verbos, os quais vão delineando a sequência das ações da personagem. A facilidade com que a autora constrói a

---

* Marina Colasanti nasceu em Asmara, colônia italiana na Etiópia, em 1937. Passou a infância na África. Com o início da Segunda Guerra, sua família voltou para a Itália e de lá emigrou para o Brasil. É jornalista e autora de várias obras.

morfologia II

narrativa, centrada nas ações, torna o texto bastante visual: quase vemos a tecelã ocupada em seu ofício, criando formas coloridas com suas lãs mágicas.

O tempo predominante na narrativa é o pretérito imperfeito, que indica um fato passado inacabado.

"Como assim? Se é passado, não acabou por quê?", você pode se interrogar. Observe que, quando o narrador nos conta que a tecelã "acordava ainda no escuro", "sentava-se ao tear" e "a claridade da manhã desenhava o horizonte", temos a impressão de que os fatos narrados ainda estão acontecendo. Seria diferente se o narrador dissesse:

- [...] a tecelã acordou no escuro [...] sentou-se ao tear, [...] a claridade da manhã desenhou o horizonte.

Você percebe que, ditas dessa maneira, as ações já estão concluídas, acabadas? A noção de tempo se distancia do leitor. Os fatos ficam lá em um passado distante.

Quando os verbos indicam ações passadas e concluídas, estão sempre no pretérito perfeito. Confira:

- *Eu saí e você chegou.* (duas ações concluídas, uma após a outra)

mas

- *Eu saía e você chegava.* (duas ações passadas e simultâneas: a ação de sair ainda não acabou e a de chegar se inicia)

Muito mais interesse usar, nesse caso, o pretérito imperfeito, não é? Agora, vamos imaginar que Marina Colasanti tivesse escrito assim:

- *A tecelã escolhera um fio de prata com o qual rebordava o tecido.*

Observe os verbos em destaque: *escolhera/rebordava*. Ambos indicam fatos passados. Mas, se você prestar atenção, vai perceber que o primeiro verbo indica um fato passado que ocorreu antes do fato indicado pelo segundo verbo, isto é, "escolher" a lã aconteceu antes de "rebordar" o tecido.

Sempre que desejamos indicar na frase duas ações no passado, sendo uma delas anterior à outra, usamos o pretérito mais-que-perfeito.

Veja outros exemplos:

- *Quando o médico chegou* (segundo fato a ocorrer/pretérito perfeito) *ao hospital, o bebê já nascera* (primeiro fato a ocorrer/pretérito mais-que-perfeito) (ou tinha nascido).
- *Carlos ofereceu* (segundo fato a ocorrer/pretérito perfeito) *ajuda, mas Paulo já concluíra* (primeiro fato a ocorrer/pretérito mais-que-perfeito) (ou tinha concluído) *os relatórios*.

7.1
Verbo

O verbo é a classe de palavras mais rica em flexões. Ele varia de acordo com as necessidades do texto para indicar a pessoa do discurso, o número, o tempo, o modo e a voz. Além disso, o verbo exprime ação, estado, fato ou fenômeno. Exemplo:

- *As crianças correm livres pelo quintal.*

A forma verbal *correm* está na 3ª pessoa do plural para concordar com o sujeito *crianças* e expressa uma ação no presente. Por indicar um fato certo, real, está no modo indicativo.

Veja outro exemplo:

- *Nevou essa madrugada em São Joaquim.*

A forma verbal *nevou* está na 3ª pessoa do singular e indica um fenômeno da natureza. Por esse motivo, não apresenta sujeito. Sempre

morfologia II

que o sujeito é inexistente, o verbo se flexiona na 3ª pessoa do singular.

A forma *nevou* também indica um fato certo: está no modo indicativo. Por se tratar de um fato já concluído, acabado, está no pretérito perfeito.

Leia o diálogo:

— Hoje tem eclipse! A lua vai ficar bem na frente do sol!
— Eba!
— Se a lua for mesmo de queijo, ela deve derreter!

Vamos analisar os verbos das frases que o compõem:

₪ *"Hoje tem eclipse!"*

Observe, primeiramente, que o verbo *ter* foi empregado, coloquialmente, em lugar do *haver*. O sentido do verbo não é de posse, mas de existência.

₪ *Hoje há eclipse!*

O verbo *haver*, assim como o verbo *ter* no exemplo anterior, está empregado no sentido de "existir". Com esse sentido, ele é impessoal, isto é, não se refere a nenhum sujeito e, por essa razão, deve sempre ser empregado na 3ª pessoa do singular.

Além disso, podemos dizer que o modo é o indicativo e o tempo, o presente.

₪ *"A lua vai ficar bem na frente do sol!"*

Quando há dois ou mais verbos combinados, temos uma locução verbal. Essa locução pode ser analisada como se fosse um tempo simples: está no modo indicativo, no tempo presente, na 3ª pessoa do singular.

- *"Se a lua for mesmo de queijo [...]"*

Observe que, agora, aparece uma situação nova: "Se a lua for [...]". A conjunção *se*, com valor de hipótese, conduz a frase para um fato suposto, hipotético, e não um fato certo. Quando isso ocorre, o modo é o subjuntivo.

O verbo está concordando com o sujeito, flexionado, portanto, na 3ª pessoa do singular. Quanto ao tempo, veja que o verbo indica estado, modo de ser, no futuro.

- *"[...] ela deve derreter!"*

Temos outra locução verbal no presente do indicativo. Por se tratar de um diálogo escrito em linguagem coloquial, o autor empregou o presente do indicativo, quando deveria ter empregado o futuro do presente, porque a ideia da frase é a de um fato que ainda vai acontecer.

Veja a frase escrita segundo a variante padrão:

- *Se a lua for mesmo de queijo, ela derreterá!*

Conforme as regras da variante padrão para o emprego dos verbos, deve ser estabelecida uma correlação entre os tempos do indicativo e do subjuntivo.

Leia outro diálogo:

— Quando a gente está com um problema, o melhor é pedir conselho aos amigos:
— Se eu fosse você, eu faria...
— No seu lugar eu não deixaria de...

morfologia II

> — Se eu fosse você, pegaria e...
> — Afinal, não consegui saber o que eu faria, no meu lugar, se eu fosse eu!

₪ *"Se eu fosse você, eu faria..."*

Correlação perfeita: imperfeito do subjuntivo e futuro do pretérito do indicativo.

Em função do raciocínio em hipótese "se eu fosse", os demais verbos foram empregados no futuro do pretérito do indicativo: "eu não deixaria", "eu pegaria".

Atente para outras correlações possíveis entre tempos e modos verbais:

₪ Futuro do subjuntivo e futuro do presente do indicativo. **Exemplos:**
  ₪ *Quando eu receber o pagamento, pagarei o que lhe devo.*
  ₪ *Logo que chegarmos ao nosso destino, telefonaremos para casa.*

₪ Presente do indicativo e presente do subjuntivo. **Exemplos:**
  ₪ *É preciso que você venha rapidamente.*
  ₪ *Espero que você conheça o caminho.*
  ₪ *Desejamos que ele saia e não volte mais.*

Por fim, vamos recordar o modo imperativo. Leia o diálogo:

> — Prendam esse cara! Ele invadiu a minha casa!
> — Esperem!
> — Falei que era burrice o Papai-Noel tirar a barba!

Observe as formas *prendam* e *esperem*: elas estão no modo imperativo e expressam ordem, comando.

Mas esse modo não exprime apenas ordem, como vimos no diálogo citado. Ele é empregado também para expressar sugestão, conselho, pedido. Exemplos:

- Em uma receita culinária:
  - *Primeiro, bata os ovos um a um, acrescente as colheres de açúcar e mexa delicadamente.*

- Em um *outdoor*:
  - *Saia da vida sedentária: compre um terreno na praia e viva em contato com a natureza.*

- Na sala de aula:
  - *— Pedro, não fale alto, não distraia seus colegas e não coma sua merenda durante a aula.*

7.1.1
Uso dos verbos *ter* e *pôr*

Esses verbos têm emprego em uma ampla gama de contextos, por isso é comum que nós os utilizamos com muita frequência, empobrecendo a elegância do texto.

Veja alguns exemplos com o verbo *ter*:

- *Meu quarto tem uma estante de livros.*
- *Esse site tem ótimas imagens.*
- *Muitos alunos têm problemas de aprendizado.*

Procure empregar verbos de sentido mais específico e veja como o texto fica naturalmente mais elegante e com sentido mais preciso:

- *Há uma estante de livros no meu quarto.*
- *Esse site exibe ótimas imagens.*
- *Muitos alunos apresentam problemas de aprendizado.*

O mesmo ocorre com o verbo *pôr*:

- *Você pôs uma roupa muito bonita.*
- *A decoradora pôs uns quadros na parede.*
- *Ontem eu pus dinheiro na minha conta.*
- *Já pus os livros na estante.*

Se trocarmos por verbos de sentido mais específico, teremos:

- *Você usa uma roupa muito bonita.*
- *A decoradora pendurou uns quadros na parede.*
- *Ontem eu depositei dinheiro na minha conta.*
- *Já coloquei os livros na estante.*

7.2 Concordância verbal

A concordância é um ajustamento de flexões. Você aprendeu isso quando tratamos da concordância nominal, na qual adjetivos, pronomes, artigos e numerais ajustam suas flexões de acordo com as dos substantivos a que se referem.

O verbo também deve ajustar suas flexões de número e pessoa ao sujeito da oração. Se a oração não apresenta sujeito, não há motivo para o verbo variar, devendo manter-se na 3ª pessoa do singular.

Há muitos casos de concordância verbal, mas as pessoas normalmente não utilizam uma grande parte deles em seu dia a dia. Veja o que diz a regra geral:

O verbo concorda com o sujeito em número e pessoa.

Exemplos:

- *Surgiram* (verbo na 3ª do plural) *inesperadamente fatos novos.* (sujeito no plural)
- *Tu e ela sois* (ou *são*) *bons amigos.* (o sujeito equivalente a *vós* ou *vocês*)
- "Ali estavam *o rio e suas lavadeiras*".
- *Vendem-se ovos de galinha caipira.* (ou ovos de galinha caipira são vendidos)
- *"O bonde, a rua, o uniforme se transformam,*

    São ondas de carinho te envolvendo." (Drummond de Andrade, 1973, p. 138)

Lembrete

- *Necessita-se de oito pedreiros qualificados.*

O verbo fica no singular porque não há sujeito declarado na oração. Quem necessita? Isso não é informado.

- *Precisa-se de secretária trilíngue.*

O verbo fica no singular porque não há sujeito determinado na oração; não sabemos dizer "quem precisa".

7.2.1
Casos especiais de concordância verbal

Apresentamos a seguir alguns casos particulares de concordância verbal.

morfologia II

1. Quando o sujeito é formado por dois núcleos unidos por *ou*, se o sentido da frase for de inclusão, o verbo ficará na 3ª pessoa do plural. Exemplo:
    - *Ilhabela ou Búzios* me parecem *ótimos lugares para uma lua de mel.*

2. Se a frase apresentar sentido de exclusão, o verbo obrigatoriamente ficará na 3ª pessoa do singular. Exemplo:
    - *Pedro ou Paulo* será *o novo presidente da empresa.*

    A presidência é um cargo ocupado por uma pessoa, daí a presença do sentido excludente na frase. O mesmo ocorre em:

    - *Pedro ou Paulo* casará *com Maria.*

3. Quando o sujeito é uma expressão como *a maior parte de, a maioria de, grande número de* etc., seguida de substantivo ou pronome no plural, o verbo se mantém no singular ou vai para a 3ª pessoa do plural, conforme se queira destacar a ideia de conjunto ou a ideia individual. Exemplos:
    - *A maior parte das pessoas* passa *(ou* passam*) a vida correndo atrás de seus sonhos.*
    - *A maioria das palavras* continua *(ou* continuam*) em constante dinâmica em nosso idioma.*

4. Com sujeito representado por nome próprio no plural, antecedido de artigo, o verbo irá para a 3ª pessoa do plural, se o sujeito for representado por nome de lugar. Exemplos:
    - *Os Alpes* ficam *na Europa.*
    - *Sabemos que* os Estados Unidos *relutam em assinar documentos relacionados à baixa emissão de gases poluentes.*

5. O verbo ficará na terceira pessoa do singular, se o sujeito for representado por um título de obra. Exemplo:

- *Os Maias*, belíssima obra de Eça de Queirós, transformou-se em minissérie de tevê há alguns anos.

6. Com sujeito representado por um pronome relativo:
   - Se for o pronome relativo *quem*, o verbo ficará na 3ª pessoa do singular. Exemplos:
     - *Fomos nós quem determinou a alteração no texto do documento.*
     - *Ana é quem fez o jantar.*
   - Se for o pronome relativo *que*, o verbo concordará com a pessoa gramatical do termo da oração antecedente. Exemplos:
     - *Fomos nós que determinamos a alteração no texto do documento.*
     - *Eu é que fiz o jantar.*

7. Com sujeito representado pela expressão *um dos que/uma das que*, o verbo fica na 3ª pessoa do plural, mas admite-se que ele seja flexionado na 3ª do singular se houver a intenção de dar destaque ao sujeito da oração anterior. Exemplos:
   - *Meu pai era um dos que sonhavam com a vitória do Botafogo.*
   - *Machado de Assis foi um dos escritores que tornou a literatura brasileira conhecida no exterior.*

8. Com sujeito representado pelas expressões *mais de, menos de, perto de,* seguidas de numeral, o verbo concorda com o numeral. Exemplos:
   - *Mais de um interessado criticou o projeto.*
   - *Menos de cem pessoas compareceram à palestra do ambientalista.*

9. Os verbos impessoais não apresentam sujeito, flexionando-se, portanto, na 3ª pessoa do singular. Exemplos:

morfologia II

- *Na sala havia vinte lugares.* (verbo *haver* com sentido de "existir")
- *Amanhã vai haver duas festas.*
- *Faz anos que nós não a encontramos.* (verbo *fazer* com sentido de tempo decorrido)
- *No próximo domingo, vai fazer três semanas que cheguei.*

Observe que o verbo principal da locução verbal, construída com verbos impessoais, também se mantém na terceira pessoa do singular.

Verifique seu aprendizado

1. Indique a alternativa correta, de acordo com as regras da concordância:
   a) Filmes, novelas, boas conversas, nada o tiravam da apatia.
   b) A pátria não é ninguém: são todos.
   c) Se não vier as chuvas, como faremos?
   d) É dificílima as condições do prédio.
   e) Vossa Senhoria vos preocupais demasiadamente com a vossa imagem.

2. Numere as lacunas, considerando o seguinte:

   (1) Concordância verbal correta.
   (2) Concordância verbal incorreta.

   ( ) Ireis de carro tu, vossos primos e eu.
   ( ) O pai ou o filho assumirá a direção do colégio.
   ( ) Faz dez anos todos esses fatos.
   ( ) Exigiu-se todos os documentos necessários ao aluguel do imóvel.
   ( ) É proibido entrada a pessoas estranhas.

3. Efetue as concordâncias possíveis com os adjetivos entre parênteses:
   a) Em seu semblante alternavam alegria e medo _____. (intenso).
   b) Em seu semblante alternavam medo e alegria _____. (intenso).
   c) Em seu semblante alternavam _____ medo e alegria. (intenso)
   d) Em seu semblante alternavam _____ alegria e medo. (intenso)
   e) Percebi que eram _____ a alegria e o medo em seu semblante. (intenso)

4. Observando as regras de concordância nominal e verbal, reescreva a frase que segue:

   Ao meio-dia e meio, depois de penosa escalada, durante a qual houveram perigos surpreendentes, mais de quatro alpinistas atingiu o ponto mais elevado da cordilheira, sem que alguns de nós fizesse algo para auxiliá-los.

5. Assinale a alternativa em que ocorra erro de concordância:
   a) Entre um debate e outro, foi considerado, por algum tempo, a possibilidade de cancelar a viagem dos funcionários a Roma.
   b) A maioria dos alunos chegou às 13 horas.
   c) Não se sabem os motivos que levaram o pobre homem a tamanha tristeza.
   d) A entrada dos bois nos currais atrapalhou a contagem.
   e) Chegaram de ônibus os ajudantes para fazer a faxina no consultório.

morfologia II

6. A concordância verbal está correta em:
   a) De quando em quando, repensar o alcance social das atividades por eles exercidas impõe-se aos profissionais das diversas áreas.
   b) Que seriam dessas pobres crianças deixadas ao desamparo se ninguém mais se preocupasse com elas?
   c) Pense que cada uma das bilhões de células individuais de seu corpo começaram como forma intangível de energia.
   d) É preciso aceitar seus argumentos, pois não se tratam de pessoas inexperientes no ramo.
   e) A presença da princesa regente e seu marido nas festas do Ateneu permite situar os acontecimentos do romance na época do Segundo Império.

7. Analise as frases a seguir:
   I. Tratava-se de detalhes pouco preciosos.
   II. Devem haver bons motivos para tanta euforia.
   III. Como faziam dois anos que a produção estava diminuindo, fechou a fábrica.
   IV. Por falta de verbas, foram suspensas, ainda que com atraso, as experiências para a criação de cabras em recintos fechados.
   V. Vossa Excelência, Ministro da Saúde, haverás de sustar esses projetos inúteis.

   Marque a alternativa que contém a sequência de frases corretas quanto à concordância verbal:

a) Somente I, II e V.
b) Somente I e IV.
c) Somente I.
d) Somente II e V.
e) Somente IV.

8. Auxiliei-a a se erguer, tomei-lhe as mãos trêmulas e fui levá-la à cadeira mais próxima.

    Reescrevendo essa frase com os verbos no presente do indicativo, temos corretamente:
    a) Auxilio-a a se erguer, tomo-lhe as mãos e levo-a à cadeira mais próxima.
    b) Auxilio-a a se erguer, tomou-lhe as mãos e leva-a à cadeira mais próxima.
    c) Auxilio-a a se erguer, tomo-lhe as mãos e vou levá-la à cadeira mais próxima.
    d) Auxilia-a a se erguer, toma-lhe as mãos e leva-a à cadeira mais próxima.
    e) Auxiliei-a a me erguer, a tomar-me as mãos e a levar-me à cadeira mais próxima.

9. "Ele veio contando que caíra no pátio da escola". As formas verbais em destaque se encontram, respectivamente, no:
    a) presente do indicativo/pretérito mais-que-perfeito do indicativo.
    b) presente do subjuntivo/imperfeito do subjuntivo.
    c) presente do indicativo/pretérito imperfeito do indicativo.
    d) pretérito perfeito do indicativo/pretérito imperfeito do indicativo.
    e) pretérito perfeito do indicativo/pretérito mais-que-perfeito do indicativo.

morfologia II

10. Há algum tempo, foi veiculada uma campanha publicitária em que aparecia a seguinte frase:

CD: o presente que todo mundo gosta

Da maneira como está elaborada, essa frase utiliza uma estrutura característica da língua coloquial e desvia-se da norma culta. Considerando esse comentário, reescreva a frase segundo os padrões da norma culta.

11. Assinale o item em que está feita corretamente a correlação entre os tempos verbais:
    a) Se eles tivessem estudado bastante, teriam aprendido a matéria.
    b) Quando eu for contratado pela empresa, vou receber um bom salário.
    c) A professora explicava a matéria para que eu tenha as informações mais importantes.
    d) Se eu lhe der o dinheiro, você tem como comprar os livros.
    e) Logo que o médico chegou ao hospital, o bebê já nasceu.

12. Com relação à frase "Todos perceberam que João Fanhoso dera rebate falso", responda:
    a) Em que tempo está a forma verbal em destaque?
    b) Qual é a forma verbal composta correspondente?
    c) Como se justifica o emprego dessa forma verbal?

13. Complete as lacunas existentes no período a seguir, empregando os verbos na ordem em que aparecem. Preocupe-se em criar correlação entre os tempos.

Se não o _____ bem, não o _____ nem lhe _____ sobre o assunto. (conhecer, procurar, falar)

14. (Acafe-SC)* "Não _____ meios de saber que já _____ vinte anos que não se _____ mais galochas."
    a) haviam, faz, usam.
    b) havia, faz, usam.
    c) havia, fazem, usa.
    d) haviam, fazem, usam.
    e) haviam, fazem, usa.

15. (FCMSCSP)** Por falta de verba, _____ as experiências e os estudos que se _____.
    a) foi suspenso, planejava fazer.
    b) foram suspensos, planejava fazer.
    c) foram suspensos, planejavam fazerem.
    d) foram suspensas, planejavam fazerem.
    e) foi suspensas, planejava fazer.

7.3 Produção textual: o relatório

Em seu trabalho, é provável que lhe peçam com frequência que produza relatórios, os quais serão enviados ao destinatário via *e-mail*. Por isso, você precisa dominar as características desse tipo de texto e a sua estrutura.

O relatório é um texto em que o objetivo é fazer a exposição de ocorrências ou da execução de um trabalho na Administração Pública ou privada. Quando necessário, podem constar da apresentação gráficos, tabelas, ilustrações, infogramas e mapas. Normalmente,

---

* Citada por Ferreira (1992, p. 375).
** Citada por Ferreira (1992, p. 375).

o tempo verbal empregado na redação de um relatório é o presente do indicativo.

É importante saber que, quando se escreve um relatório, existe a responsabilidade de fazer uma autocrítica honesta quanto aos resultados obtidos em experiências, testes, medições etc. O bom profissional deve avaliar o próprio trabalho e relatar aos outros, quantitativamente se possível, se são bons ou maus, exatos ou incorretos os dados apresentados. É necessário avaliar os erros e como estes se refletem nos resultados que foram calculados. A responsabilidade de avaliar a qualidade do trabalho executado é de quem escreve, não de quem lê.

7.3.1
Orientações gerais

O relatório de atividades deve retratar o que foi realmente realizado no trabalho. É de fundamental importância a apresentação de um documento bem organizado e de fácil manuseio. Além disso, é necessário descrever clara e objetivamente as atividades efetuadas, bem como os resultados obtidos.

Devem ser evitadas expressões informais ou termos que não sejam estritamente técnicos. Uma atenção especial deve ser dada aos termos específicos da área, a resultados, fórmulas etc.

Tabelas, planilhas e gráficos, se não forem anexados, devem aparecer na sequência mais adequada ao entendimento do texto, e seus títulos e legendas devem constar imediatamente abaixo.

7.3.2
Composição do documento

(1) Identificação – Informe o número do documento e a sigla do departamento que o está enviando.

(2) Apresentação do assunto – Selecione as ideias pertinentes ao assunto, evitando a dispersão ou a desorganização das informações. Centralize-se no essencial a ser dito e apresente uma exposição resumida dos fatos.

(3) Redação das informações – Inicie seu relatório com a exposição do assunto. As informações devem ser apresentadas segundo o andamento cronológico. Se houver a necessidade de apontar causas e consequências de um fato, mencione as causas primeiramente, em um parágrafo só para elas. Em seguida, em outro parágrafo, cite as consequências. Planilhas e outros documentos acessórios podem ser inseridos em anexos.

Lembrete

Atente para o seguinte:

- As informações do trabalho executado devem ser resumidas. Não inclua os resultados obtidos.
- A descrição de materiais utilizados, bem como dos métodos aplicados, só deve ser feita quando houver necessidade.

(4) Desfecho – Aponte razões para o êxito ou o fracasso da atividade desenvolvida, comente os resultados, sinalize as dificuldades encontradas e sugira soluções para os problemas verificados.

morfologia II

Dessa forma, seu relatório terá:

- introdução;
- desenvolvimento;
- desfecho.

(5) Fecho
(6) Assinatura

Veja a seguir como deve ficar a formatação do documento.

(1)

Data:
Origem:
Autor:
Destinatário:

Assunto: (2)

Desenvolvimento do texto (3)

Exposição dos fatos
Descrição de métodos
Descrição de materiais etc.

Desfecho (4)

Apreciação e conclusão
Comentário dos resultados
Exposição das dificuldades
Apresentação de sugestões

Fecho (5)

Assinatura, identificação do cargo ou função do relator (6)

MODELO DE RELATÓRIO

Relatório de Comissão de Inquérito Administrativo
(papel timbrado)
MINISTÉRIO DA EDUCAÇÃO E DESPORTO

Data:
Autor:
Origem:
Destinatário: Exmo. Senhor Ministro da Educação e Desporto
Assunto: Apuração dos fatos relacionados no Processo nº ___/09, após a audiência de testemunhas e a realização de diligências.

1. Designada pela Portaria nº ___, de ___ de 2009, baixada por Vossa Excelência, esta Comissão, após audiência de 19 (dezenove) testemunhas e, aproximadamente, 28 (vinte e oito) diligências, conseguiu apurar que:
    a. quanto à denúncia apresentada pela firma comercial, cabe a maior responsabilidade ao Chefe de Setor do órgão competente, por ter negligenciado quando da remessa das cartas-convite, deixando de remetê-las à maioria das firmas cadastradas;
    b. quanto à acusação a Fulano de Tal, não existe qualquer respaldo, uma vez que ele era o encarregado da entrega das referidas cartas, sendo, portanto, apenas o mensageiro;
    c. quanto a Beltrano de Tal, poder-se-á atribuir alguma responsabilidade, já que ele tem sob seu controle as firmas cadastradas, além de ser o funcionário que apresenta o nome dos possíveis fornecedores para o envio de coletas de preço ou cartas-convite;

morfologia II

   d. quanto a Sicrano de Tal, não pode ser responsabilizado, porquanto sua participação limitou-se à mera condição de datilografar o que lhe foi entregue;
   e. quanto ao Oficial de Administração, não pesa nenhuma responsabilidade, pois é chefe de outro órgão, prestando colaboração eventualmente, nos horários de maior volume de trabalho, em função de sua experiência anterior como chefe daquele setor.

2. Ante o exposto, depois de termos definido a posição de cada um dos implicados nos autos do presente processo administrativo – mesmo não tendo havido nenhum prejuízo para a Fazenda Nacional, já que foi dada como vencedora a firma que apresentou menor preço na venda do material, objeto da carta-convite em questão –, concluímos que

   - Fulano de Tal infringiu o Art. ____, inciso III, da Lei nº ____/____;
   - Beltrano de Tal cometeu infração prevista no Art. ____ da Lei nº ____/____;
   - Sicrano de Tal e o Oficial de Administração (nome) não infringiram nenhum dispositivo legal.

3. A fim de evitar, tanto quanto possível, casos dessa natureza, sugerimos a Vossa Excelência que seja baixado Regimento Interno que discipline o funcionamento do referido órgão, de acordo com o código DAE Contabilidade Pública, no que couber.

Certos de havermos cumprido com lealdade e diligência a tarefa que Vossa Excelência nos confiou, subscrevemo-nos,

Respeitosamente,
Assinatura

Emprego de verbos irregulares e defectivos

Verbos irregulares

São regulares os verbos que não sofrem alteração no radical nem nas terminações. Exemplo:

- *cantar* (radical *cant-*): *cantо*, *cantasse*, *cantarei*.

Verbo irregular é aquele que, ao ser conjugado, sofre alterações, em geral, em seu radical. Exemplos:

- *dizer* (radical *diz-*): *digo*, *disser*, *direi*.
- *trazer* (radical *traz-*): *trago*, *trouxer*, *trarei*.

É comum em nosso dia a dia o emprego dos verbos irregulares *mediar, ansiar, remediar, incendiar* e *odiar*, os quais formam com as iniciais a palavra *MARIO*. A irregularidade deles consiste em acrescentar a letra *e* no presente do indicativo e no presente do subjuntivo, exceto na 1ª e 2ª pessoas do plural:

Exemplos:

- *O jornalista medeia o debate.*
- *Eles anseiam pela chegada das férias.*
- *Não remedeie o problema.*

Não confunda esses verbos irregulares com os regulares também terminados em *-iar*. Exemplos: *abreviar, arriar, criar, caluniar, copiar, maquiar, premiar, presenciar*.

- *Você abrevia o assunto.*
- *Não se calunia um colega.*
- *O carregador arria a carga.*
- *A máquina de xérox copia.*
- *A secretária se maquia.*

morfologia II

- *A empresa premia os funcionários*
- *Você presencia a chegada dos colegas.*

Não confunda também os verbos regulares terminados em *-iar* com os irregulares terminados em *-ear*, os quais recebem um *i* no presente do indicativo e no presente do subjuntivo, exceto na 1ª e 2ª pessoas do plural. Exemplos: *folhear, frear, bloquear, semear, passear, titubear.*

- *Eu folheio o jornal.*
- *O taxista freia o carro.*
- *Os agricultores semeiam o campo.*
- *Elas passeiam no shopping.*
- *Não titubeio ao responder ao chefe.*
  mas
- *Nós folheamos o jornal e passeamos no shopping.*

A conjugação do verbo *ter* serve de modelo para as formas derivadas. Exemplos: *conter, deter, entreter, manter, reter.*

Veja como ficam esses verbos nos tempos a seguir:

- Pretérito perfeito do indicativo
    - *Eu tive.*
    - *Eu detive a entrada de estranhos.*
    - *Eu mantive a minha oferta.*
    - *Eu entretive as crianças.* (distraí)

    - *Ele teve.*
    - *O policial deteve os assaltantes.*
    - *O líder manteve a união do grupo.*
    - *Ele entreteve a plateia contando piadas.*

- Pretérito mais-que-perfeito do indicativo
    - *Eu tivera.*
    - *Eu detivera a entrada de estranhos.*
    - *Eu mantivera a minha oferta.*
    - *Eu entretivera as crianças.*

    - *Eles tiveram.*
    - *Eles detiveram os intrusos.*
    - *Os líderes mantiveram a união do grupo.*
    - *Os humoristas entretiveram a plateia por duas horas.*
- Imperfeito do subjuntivo
    - *Se eu tivesse.*
    - *Se eu não detivesse a entrada de estranhos, seria advertido por meu supervisor.*
    - *Se eu mantivesse a minha oferta inicial, o proprietário não venderia o imóvel.*
    - *Quando eu entretivesse as crianças, os pais conversariam despreocupadamente.*

    - *Se eles tivessem.*
    - *Se eles detivessem os intrusos, poderíamos trabalhar com tranquilidade.*
    - *Se os líderes mantivessem a união do grupo, o desempenho na competição teria sido excelente.*
    - *Se os humoristas entretivessem a plateia com boas piadas, valeria a pena o preço do ingresso.*

morfologia II

> **Lembrete**
>
> Na 3ª pessoa do singular do presente do indicativo, as formas derivadas de *ter* recebem acento agudo: *contém, detém, entretém, retém* etc.
>
> Na 3ª pessoa do plural do presente do indicativo, as formas derivadas de *ter* recebem acento circunflexo: *contêm, detêm, entretêm, retêm* etc.

As formas do verbo *pôr* em que aparece o fonema /z/ devem ser escritas com a letra *s*: *pus, pusera, pusesse* etc.

A conjugação do verbo *pôr* serve de modelo para as formas derivadas. Exemplos: *compor, depor, expor, repor, recompor, propor, pressupor*.

Por isso, escreva:

- *Se eu compusesse uma música.*
- *Algumas testemunhas depuseram ontem e outras deporão amanhã.*
- *Era necessário que os deputados propusessem uma emenda.*
- *Os candidatos pressupuseram que o tempo de prova estava se acabando.*

O emprego do verbo *ver* costuma apresentar dúvidas nas seguintes formas do futuro do subjuntivo:

- *Se eu o vir, darei o recado.*
- *Se você o vir, dê meu recado.*
- *Se vocês o virem, deem o recado.*

Não diga: "se eu ver", "ser você ver".
Como *ver* conjugam-se *antever, entrever, prever, rever*.

[338]

Por isso, diga:

- *Prevemos uma carreira de sucesso para você.*
- *Você já reviu os cálculos do orçamento?*

O emprego do verbo *vir* exige sua atenção nas seguintes formas:

- Na 1ª pessoa do plural do presente do indicativo. Exemplo:
    - *Nós vimos aqui pedir a sua ajuda.* (e não *viemos*)

- A forma *viemos* corresponde à 1ª pessoa do plural do pretérito perfeito do indicativo. Exemplo:
    - *Ontem viemos procurá-la, mas você tinha saído mais cedo.*

- No futuro do subjuntivo, diga:
    - *Quando eu vier em setembro, encontrarei os jardins floridos.*
    - *Quando ele vier aqui, decidirá como vamos agir.*
    - *Quando eles vierem, resolverão com habilidade todas as situações pendentes.*

Alguns verbos são derivados de *vir*. Os mais conhecidos são *convir* e *intervir*. Exemplos:

- *É necessário que você intervenha.*
- *Isso não me convém.*
- *Essas atitudes não lhes convêm.*

Lembrete

As formas derivadas de *vir* recebem acento agudo no singular e acento circunflexo no plural.

A língua padrão não admite frases como "Amanhã eu vou ir ao cinema com você", frequente na linguagem coloquial.

morfologia II

Verbos defectivos

Verbos defectivos são os que não apresentam a conjugação completa, por não serem usados em certos modos, tempos ou pessoas.

Veja, a seguir, os casos mais comuns de defectividade verbal.

1 Verbos que não apresentam a 1ª pessoa do singular do presente do indicativo.

Exemplos: *abolir, colorir, explodir.*

Presente do indicativo	Presente do subjuntivo	Imperativo afirmativo	Imperativo negativo
–	–	colore	–
colores	–	–	–
colore	–	–	–
colorimos	–	–	–
coloris	–	colori	–
colorem	–	–	–

Da 1ª pessoa do singular do presente do indicativo deriva todo o presente do subjuntivo. Se esse tempo derivado não apresentar formas, consequentemente não existirá o imperativo negativo. O imperativo afirmativo se forma da 2ª pessoa do singular e da 2ª pessoa do plural do presente do indicativo. As demais pessoas do imperativo afirmativo derivam do presente do subjuntivo.

Portanto, como você pôde verificar no quadro anterior, se não existir a 1ª pessoa do singular do presente do indicativo, a formação dos derivados ficará comprometida.

Não havendo essas formas, somos obrigados a empregar outros verbos em substituição às formas inexistentes.

Veja os seguintes exemplos:

- *Eu pinto as letras do cartaz enquanto vocês colorem as faixas.*
- *Eu mando demolir todo o muro, mas os vizinhos demolem apenas a parte que fica do lado deles.*

Por isso, segundo a língua padrão, não devemos dizer "Quero que você se exploda!".

2. Verbos que só apresentam a 1ª e 2ª pessoas do plural do presente do indicativo, como no caso dos verbos *precaver* (*precavemos; precaveis*) e *reaver* (*reavemos; reaveis*).

Assim, como não há a 1ª pessoa do singular do indicativo, que é uma forma primitiva, os tempos que dela derivam não existem. Por isso, a conhecida expressão "que ele se precavenha" não existe. Diga: "que ele se previna", "que ele se acautele" ou "que ele se cuide".

Lembrete

O verbo *precaver* não é formado pelo verbo *ver* nem pelo verbo *vir*. Portanto, são erradas as formas: "eu precavejo", "eu precavenho", "ele precavê", "ele precavenha", "eles precavêm", "eles precavenham".

- O verbo *reaver* conjuga-se como o verbo *haver* nas formas em que aparece a letra *v*. Veja:
    - *Eu havia.../Eu reavia...*
    - *Eu houve.../Eu reouve...*
    - *Ele houve.../Ele reouve...*
    - *Se eu houvesse.../Se eu reouvesse...*
    - *Quando eu houver.../Quando eu reouver...*

Portanto, o diálogo a seguir está em desacordo com a norma-padrão:

morfologia II

— Você já reaveu o dinheiro que pagou a mais?
— Rapaz, que sorte! Já reavi tudo.

Verifique seu aprendizado

1. Assinale o item em que a forma verbal em destaque está flexionada incorretamente:
   a) Já não se veem interessados em jornais antigos.
   b) Pode deixar que, se eu a vir, darei o seu recado.
   c) Ontem ele não pode ir à festa do irmão.
   d) Haverá muitas decisões importantes no próximo congresso dos médicos.
   e) As crianças não se detiveram diante do perigo.

2. Todas as formas verbais a seguir estão incorretas. Corrija-as.
   a) A polícia interviu e deteu o ladrão.
   b) Já reavi meus livros. Você já reaveu os seus?
   c) Se a carta contesse absurdos e você, por isso, proposse outra redação a ela...
   d) Eles odeam os políticos e quer que eu adera a essa opinião.
   e) Todos estávamos entertidos com as brincadeiras da criançada.

3. Complete as frases de acordo com as orientações entre parênteses:
   a) Nós _____ que o rio fosse fundo. (*supor*, pret. imperf. indic.)
   b) Eu não _____ na discussão. (*intervir*, pret. perf. indic.)
   c) O motorista parou o carro porque o policial o _____. (*deter*, pret. perf. indic.)

d) Sete países do Pacífico, nos anos 1970, _____ aos testes nucleares. (*opor*-se, pret. perf. indic.)
e) Ela parecia receosa de que alguém a _____ na reunião. (*contradizer*, pret. perf. indic.)

4. Assinale a alternativa que completa a frase a seguir:

   Ele _____ na negociação para que você _____ tudo o que perdeu.

   a) interviu – reavesse.
   b) interviu – reouvesse.
   c) interveio – reouvesse.
   d) interveio – reavesse.
   e) intervém – reavenha.

5. Complete as lacunas e dê sentido às frases:
   a) Quando você _____ a Curitiba, avise-me. (vier/vir)
   b) Quando você _____ a entrada para Curitiba, visite nossa cidade. (vier/vir)
   c) Ontem nós _____ pegar os donativos para o bazar de Natal. (vimos/viemos)
   d) Nós _____ aqui agora, porque estamos no intervalo do lanche. (vimos/viemos)
   e) Se a polícia não _____ nos morros do Rio de Janeiro, a população dessas áreas viveria ainda à mercê dos traficantes. (intervisse/interviesse)

Artigos

Os dois textos indicados a seguir abordam, sob diferentes pontos de vista, as transformações pelas quais nosso idioma vem passando. Leia-os, reflita e posicione-se a respeito.

morfologia II

RIBEIRO, J. U. A decadentização da língua. O Globo, 22 abr. 2007. Disponível em: <http://arquivoetc.blogspot.com.br/2007/04/decadentizao-da-lngua-joo-ubaldo.html>. Acesso em: 21 ago. 2012.

SANTOS, J. F. dos. O idioma, vivo ou morto? Estado de Minas, Belo Horizonte, 10 jun. 1996.

Síntese

Neste capítulo, vimos que o conhecimento das formas verbais é importante para a construção das frases conforme as exigências da língua padrão. Os modos e tempos verbais devem ser empregados de acordo com a significação que apresentam. Assim, os tempos do indicativo são utilizados quando nos referimos a acontecimentos certos. Se a ideia da frase é levantar uma hipótese, o modo adequado para essa finalidade é o subjuntivo, cuja presença é comumente indicada pelas partículas *se* ou *quando*. Já o imperativo não é usado apenas para indicar ordem, mas também para dar sugestões e orientações, como podemos comprovar pela leitura de manuais de uso, livros de receitas e textos publicitários.

Ao tratarmos da concordância verbal, não esgotamos o assunto. Demos prioridade aos casos mais usuais em nosso dia a dia. Fizemos o mesmo ao comentar os verbos irregulares e defectivos.

Por fim, na produção textual, com o passo a passo na construção de um relatório, pretendemos facilitar a sua vida com observações atualizadas e pertinentes sobre esse gênero textual.

Não deixe de ler os textos do "Saiba mais", os quais foram escolhidos porque neles as qualidades textuais exigidas pela língua padrão estão bem evidentes.

oito

sintaxe

A sintaxe estuda os processos gramaticais que relacionam entre si as palavras de uma frase. A estrutura sintática é o veículo de ideias do falante ao ouvinte. A importância da sintaxe decorre do fato de que a unidade da fala é a frase, não a palavra ou o som.

A seguir, leia um texto de José Miguel Wisnik* para dar início a esse assunto.

Curitiba

[...] não posso negar que a minha relação com Curitiba é toda envolvida em camadas de filiação. Meu pai era um imigrante polonês de família camponesa católica, dessas que formaram as levas de colonos polacos paranaenses, conduzidos primeiro para a zona rural, afluindo depois para Curitiba. Minha mãe, uma brasileira mestiça

* José Miguel Wisnik nasceu em São Vicente, litoral de São Paulo, em 1948. É professor de Teoria Literária na Universidade de São Paulo (USP), crítico musical e um dos grandes compositores da música contemporânea paulista.

sintaxe

típica, no caso mineira, que ele encontrou mais tarde no litoral de São Paulo. Exatamente a mesma composição étnica de Paulo Leminski. Curitiba se notabiliza historicamente por ser um ponto de passagem de tropeiros localizado exatamente no meio do nada, num lapso geográfico sem maiores arraigamentos culturais. Um ponto de parada no meio do caminho, e sem a pedra. Os imigrantes italianos, alemães e poloneses que vieram marcar em regime de colonato a substituição do regime de escravidão [...] formaram, por sua vez, no Paraná, grupos autorreferidos e refratários entre si, sendo os polacos os últimos da escala do sociograma de rejeições recíprocas.

[...] Dando um curso sobre canção brasileira aqui, certa vez, constatamos, eu e o grupo de alunos, que, enquanto no Rio assistimos à transformação da polca em samba, em Curitiba pode-se constatar a improvável mutação do samba em polca. Um animado e responsável grupo de percussão que passa exatamente agora pelo calçadão em frente ao hotel não me deixa mentir.

[...] Diz uma secreta e talvez duvidosa lenda familiar que meu avô embarcou com a família para a América, no mar Báltico, pensando aportar em Nova York, mas foi desembarcado em Paranaguá. Todos os dias, agradeço esse erro, que veio para salvar.

Fonte: Wisnik, 2012

Nesse texto de abertura, o autor fala de Curitiba, cidade na qual se encontrava no momento em que escreveu a crônica: "Um animado e responsável grupo de percussão que passa exatamente agora pelo calçadão em frente ao hotel não me deixa mentir".

Sem dúvida, a musicalidade daquele grupo de percussão foi o ponto de partida para as reflexões que unem a polca ao avô, ambos imigrantes poloneses, chegados a uma terra sem a influência da cultura resultante da miscigenação racial. Segundo Wisnik (2012), o

Paraná – especificamente Curitiba – tem uma cultura musical muito própria, resultante das levas de imigrantes que chegaram ao estado para trabalhar na lavoura, em substituição à mão de obra escrava. Somente em Curitiba podemos presenciar a transformação do samba em polca, graças ao fato de a cidade ter sido, no passado, "um ponto de passagem de tropeiros localizado exatamente no meio do nada, num lapso geográfico sem maiores arraigamentos culturais".

Na redação de qualquer texto, é possível verificar a ocorrência de termos que exigem complementos. Há verbos, substantivos, adjetivos e advérbios com sentido incompleto, que exigem a presença de um termo que lhes complete o sentido. Quase uma brincadeira de "palavra puxa palavra".

Comprove essa informação com a seguinte frase, retirada do texto de Wisnik:

> *"[...] dessas [famílias] que formaram as levas de colonos polacos paranaenses, conduzidos primeiro para a zona rural, afluindo depois para Curitiba."*

Famílias que formaram (o quê?) levas (de quê?) de colonos polacos paranaenses, conduzidos, primeiro (para onde?) para a zona rural, afluindo depois (para onde?) para Curitiba.

A essa relação de dependência entre os termos das orações chamamos de *regência*.

Analise mais esta frase do texto:

> *"[...] enquanto no Rio assistimos à transformação da polca em samba, em Curitiba pode-se constatar a improvável mutação do samba em polca".*

Assistimos (a quê?) à (a + a) transformação (de quê?) da polca (em quê?) em samba [...].

sintaxe

O verbo *assistir* exigiu a presença da preposição *a*, que se uniu ao artigo definido *a*, fusão identificada pela forma contraída *à*.

Você vai verificar que quase sempre a relação de dependência entre os termos é obtida mediante a presença de uma preposição.

Vamos passar agora ao estudo da regência, começando pelos verbos.

8.1
Regência verbal

Em se tratando de verbos, a regência determina a presença ou não da preposição entre os termos.

Em nosso estudo, vamos dar destaque aos verbos mais comuns no dia a dia. A fim de facilitar a reflexão sobre o assunto, vamos dividi-lo por grupos de verbos que apresentam características comuns.

8.1.1
Verbos que não exigem preposição entre eles e o complemento

São os verbos transitivos diretos. Exemplo:

- *Meu irmão namora* (não exige preposição) *a Cláudia* há seis meses.

Apenas o artigo definido acompanha o complemento verbal, porque o verbo é transitivo direto, isto é, liga-se diretamente ao complemento, sem necessitar de preposição. Nunca diga "namorar com ele ou ela."

Outro equívoco: usar a preposição *em* como o verbo *implicar* (sentido de "acarretar", "gerar"). Exemplo:

- *Essas atitudes arbitrárias implicam danos à credibilidade de nossa empresa.*

O verbo não exige a preposição *em*, por isso não diga "implica em danos".

Muitos outros verbos, como *varrer, vender, abrir, guardar, visitar, escrever* e *redigir*, também dispensam a presença da preposição para uni-los a seus complementos. Exemplos:

- Bem cedo, abri *as janelas*, guardei *as roupas de cama* e varri *a casa*.

Lembrete

Há alguns casos especiais de verbos transitivos diretos preposicionados.

1. Quando o complemento é um pronome pessoal tônico (aqueles que exigem preposição). Exemplos:
   - *Deste modo,* prejudicas *a ti e a ela.*
   - *O chefe* hostilizava *a mim e não a minha ideia.*

   Observe que outros complementos aos verbos dispensam a preposição:
   - *Desse modo,* prejudicas *o trabalho da equipe.*
   - *O chefe* hostilizava *a funcionária.*

2. Quando precisamos assegurar a clareza da frase, evitando que o complemento verbal seja confundido com o sujeito. Exemplos:
   - *Ao rato,* ameaçava *o leão.*
   - *"Encontrou-a e ao marido na fazenda das Lajes."* (Ciro dos Anjos)

   Observe que outros complementos aos verbos dispensam a preposição:
   - *O leão* ameaçava *o rato.*
   - Encontrou *o marido da amiga, mas não o reconheceu.*

sintaxe

3. Quando o complemento verbal é o pronome relativo *quem*. Exemplos:
   - Os fãs foram esperar o cantor *a quem* idolatravam.
   - O gerente *a quem* todos admiram vai aposentar-se no fim do ano.

   Observe que outros complementos aos verbos dispensam a preposição:
   - Os fãs de rock idolatram *aquele cantor*.
   - Todos admiram *o gerente* que vai aposentar-se no final do ano.

4. Quando o complemento verbal é representado pelos nomes próprios *Deus*, *Cristo* ou o numeral *ambos(as)*. Exemplos:
   - "Amar *a Deus* sobre todas as coisas."
   - Judas traiu *a Cristo*.
   - O temporal que caiu molhou *a ambos*.

   Observe que outros complementos aos verbos dispensam a preposição:
   - Amar *os pais* sinceramente.
   - Um dos atletas traiu *a confiança do grupo*.
   - O temporal que caiu molhou *toda a varanda*.

8.1.2
Verbos que sempre exigem uma preposição entre eles e o complemento

carecer de	precisar de
constar de (e não *em*)	necessitar de
depender de	recorrer a

gostar de	resistir a
insistir em	referir-se a
obedecer a	prescindir de etc.

Exemplos:

- *Precisamos de funcionários que obedeçam aos horários, gostem do que fazem e não se acanhem em recorrer a seus superiores em caso de dificuldades.*
- *Tais informações não constam do processo.*

8.1.3
Verbos que, ao mudarem de sentido, mudam de regência

Aspirar

1. *Aspirar* = respirar, inalar – não pede preposição. Exemplo:
   - *Aspiramos o ar puro do campo.*

2. *Aspirar* = desejar intensamente, pretender, querer – exige a preposição *a*. Exemplos:
   - *Eles aspiravam a altas dignidades.*
   - *O orador aspirava à notoriedade.*

Assistir

1. *Assistir* = dar assistência, zelar, cuidar – não pede preposição. Exemplo:
   - *A enfermeira assistia os pacientes no pós-operatório.*

2. *Assistir* = ver, observar – exige a preposição *a*. Exemplos:
   - *Ontem assisti à partida de vôlei pela TV.*
   - *A jovem assistia a tudo calada.*

3. *Assistir* = caber, pertencer – exige a preposição *a*. Exemplo:
   - Não assiste <u>aos políticos</u> o direito de oprimir o povo.

Querer

1. *Querer* = desejar – não pede preposição. Exemplo:
   - Ele não <u>a</u> quis como esposa.

2. *Querer* = amar, ter afeto – exige a preposição *a*. Exemplo:
   - Quero muito <u>a meus pais</u>.

Visar

1. *Visar* = dirigir a pontaria, mirar – não pede preposição. Exemplo:
   - O caçador visou <u>a fera</u> e atirou a flecha.

2. *Visar* = pôr o visto em, rubricar – não pede preposição. Exemplo:
   - As autoridades visaram <u>meu passaporte</u>.

3. *Visar* = ter em vista, pretender – exige a preposição *a*. Exemplos:
   - Não devemos visar apenas <u>ao progresso material</u>.
   - Ela namorava <u>o rapaz</u>, porque visava <u>à fortuna</u> que ele herdaria.

8.1.4 Verbos cujo emprego causa dúvidas frequentes

- *Esquecer* e *lembrar* não pedem preposição. Exemplos:
  - Esqueci <u>a porta do carro</u> aberta.
  - Lembrei <u>a data do seu aniversário</u>.

- *Esquecer-se* e *lembrar-se*, como são pronominais (se), exigem a preposição *de*. Exemplos:
  - Esqueci-me <u>dos problemas</u> que me importunavam.
  - Lembramo-nos <u>da data do seu aniversário</u>.

- *Pagar* e *perdoar*

    Complemento coisa = não pedem preposição.
    Complemento pessoa (física ou jurídica) = exigem a preposição *a*.
    Exemplos:
    - *Paguei a dívida ao banco.* (banco é pessoa jurídica)
    - *Jesus perdoou as agressões a seus algozes.* (pessoa física)
    - *Pagarei ao colégio a quantia que ainda devo.*

- *Preferir* significa gostar mais de alguma pessoa ou de algo, por isso não deve ser empregado com expressões como *mais do que*, *menos do que*. Lembre-se de que preferimos uma coisa ou pessoa a outra. Observe que há a exigência da preposição *a*. Exemplos:
    - *O prisioneiro preferiu a morte à escravidão.*
    - *Prefiro um inimigo declarado a um falso amigo.*
    - *Você prefere ser escravo a combater?*
    - *Tive uma suspeita e preferi dizê-la a guardá-la.*

8.2
Crase

Como você pôde observar, em muitos exemplos de regência verbal ocorreu a presença da crase.

Crase é acento?

Não. Crase é a fusão entre a preposição *a* e o artigo definido *a*, identificada pela presença do acento grave (`).

Reveja os exemplos a seguir, mencionados na seção anterior, em que tratamos de regência verbal.

- *O orador aspirava à notoriedade.*
- *O prisioneiro preferiu a morte à escravidão.*

sintaxe

- *Ontem assisti à partida de vôlei pela TV.*

O que ocorre é que os verbos exigiram a preposição *a* e os substantivos seguintes vieram antecedidos pelo artigo definido *a*. Confira:

- *O orador aspirava a a notoriedade.*
- *Preferiu a morte a a escravidão.*
- *Ontem assisti a a partida de vôlei.*

Observe também que só ocorre crase diante de palavras femininas. Nas frases em que a preposição era seguida de palavra que não fosse feminina, não houve fusão de *a + a*. Exemplo:

- *Prefiro um inimigo declarado a um falso amigo.*

Há um macete para você verificar se existe a fusão entre a preposição *a* e artigo *a*: troque *a* por *ao* ou por *para a*.

- *Vou à secretaria.* (Use uma palavra masculina: Vou ao museu.)
- *Vou para a secretaria.*

Veja o que é possível fazer nos seguintes casos:

- Vamos:
  - *a festa.*
  - *a São Paulo.*
  - *a uma linda recepção de casamento.*
  - *a um parque.*

Ao tentar substituir por *ao* ou por *para a*, você só teve êxito na primeira frase. Nas demais, só havia condição de encaixar a preposição *para*.

Por isso, somente na primeira frase você deve empregar o acento que vai indicar a fusão dos elementos preposição e artigo definido. Escreva, portanto:

- *Vamos à festa.*

Confira os demais exemplos fazendo mentalmente a substituição ensinada:

- *Apresentei-me à diretora da empresa.*
- *Não pratico esportes; dedico-me às artes.*
- *Obedeçamos às leis do trânsito.*
- *Devemos aliar a teoria à prática.*

A maioria das situações do dia a dia, quando nos referimos à ocorrência da crase, pode ser solucionada por essa regrinha simples.
É possível que você também utilize em seus textos:

- Expressões adverbiais: *à direita, à esquerda, à procura, à espera, à noite, às vezes, às pressas, à medida que, à proporção que* etc.
- Expressões temporais construídas com numerais, indicando horas ou dias da semana: *às seis horas, à uma da tarde, às dezoito horas, às 6h, às 13h, às 18h.*

Não caia na tentação de achar que ocorre crase em:

passear a cavalo	frente a frente
preservar a óleo uma peça	enviar a você
pagar a prazo	mandar a ela
usar fogão a gás	disposto a trabalhar
passo a passo	começar a chover
lado a lado	bilhetinho a lápis

sintaxe

> No entanto, com as seguintes locuções ocorre crase:
> - *Escrever à mão.*
> - *Escrever à tinta.*
> - *Pagar à prestação* (diferente de pagar a prestação, isto é, quitar a parcela).

- Também não ocorre crase diante de palavras femininas empregadas em sentido geral. Veja que, nesse caso, não existe artigo, só preposição. Exemplos:
    - *Sempre vou a festas e a reuniões.* (sentido amplo, genérico)
    - *Não dê atenção a pessoas bisbilhoteiras.*

8.2.1
Crase com pronomes demonstrativos

A crase também pode resultar da fusão da preposição *a* com os pronomes demonstrativos *aquele(s)*, *aquela(s)*, *aquilo*, *a(s)*.

Acompanhe o raciocínio pela análise da frase seguinte:

- *Todos se dirigirão para aquela praça ao lado do museu.*

Substituindo a preposição *para* pela preposição *a*, temos:

- *Todos se dirigirão a aquela praça ao lado do museu.*

Há necessidade de unir os dois sons vocálicos em um só. Por fim, obtemos:

- *Todos se dirigirão àquela praça ao lado do museu.*

Da mesma forma, ocorre a fusão nos exemplos a seguir:

- *Refiro-me àquilo que está brilhando no céu. (a + aquilo)*
- *As secretárias voltavam do almoço e o gerente lançou àquelas que chegaram atrasadas um olhar de reprovação. (a + aquelas)*
- *Não me dirigi a essa jovem e sim à (o mesmo que a + aquela) que está sentada perto da porta.*

Verifique seu aprendizado

1. Foi obrigado _____ embarcar no trem que saía _____ onze horas, mas mostrou _____ todos seu descontentamento. Qual alternativa contém a sequência correta?
   a) a – as – às.
   b) a – às – a.
   c) a – às – a.
   d) à – às – a.
   e) à – à – à.

2. Dadas as frases:
   - Lançaram-se a novas conquistas.
   - Não sei a quem puxaste.
   - Procurei você de ponta a ponta.

   Constatamos que o acento que indica a crase:

   a) deve ocorrer em todas as frases.
   b) deve ocorrer somente na primeira frase.
   c) deve ocorrer somente nas frases II e III.
   d) não deve ocorrer em nenhuma das frases.
   e) deve ocorrer somente nas frases I e II.

sintaxe

3. (Fuvest-SP)* Indique a alternativa correta:
   a) Preferia brincar do que trabalhar.
   b) Preferia mais brincar do que trabalhar.
   c) Preferia brincar à trabalhar.
   d) Preferia brincar a trabalhar.
   e) Preferia brincar à que trabalhasse.

4. (Fuvest-SP)** Indique a alternativa correta:
   a) Tratavam-se de questões fundamentais.
   b) Comprou-se terrenos no subúrbio.
   c) Precisam-se de assistentes de administração.
   d) Reformam-se ternos.
   e) Necessitam-se de boas secretárias.

5. Indique a frase em que se cometeu erro de regência verbal:
   a) Assisti a novela das seis.
   b) Obedeçamos aos que demonstram sabedoria.
   c) Essa medida visa ao bem comum.
   d) Lembremo-nos de que a vida exige dedicação e perseverança.
   e) O ar que aspiramos no campo é mais puro.

6. Construa frases em que os verbos destacados apareçam com outro sentido:
   a) Assistia à primeira aula e saía logo.
   b) Falava e olhava para a plateia, sempre visando verificar se suas palavras impressionavam.

---

* Citada por Cipro Neto e Infante (1998, p. 488).
** Citada por Cipro Neto e Infante (1998, p. 489).

7. (ITA-SP)* Leia com atenção a seguinte frase de um letreiro publicitário:

Feito pra você que prefere mais ser feliz do que sofrer no trânsito

Identifique a passagem com erro de regência e reescreva a frase obedecendo à norma gramatical. Justifique a correção.

8. Considere as seguintes expressões:

a) Matar a fome.
b) Matar à fome.

Explique a diferença de sentido que há entre elas em virtude da presença do acento grave.

9. Assinale a frase em que a regência do verbo *assistir* contraria a norma culta:
a) Não saí de casa só para assistir a transmissão do jogo pela TV.
b) Aos domingos, havia partidas de vôlei na praia, mas eu não assistia a elas.
c) Em Nova Jerusalém, assistimos à representação da Paixão de Cristo.
d) Durante sua longa enfermidade, a esposa o assistiu dia e noite.
e) Perdeu o emprego por indisciplina; portanto, não lhe assiste o direito de reclamar.

---

* Citada por Cipro Neto e Infante (1998, p. 488).

sintaxe

10. Identifique a alternativa na qual há erro de regência no emprego do verbo *aspirar*:
   a) Ana inclinou-se e aspirou fundo o perfume das rosas.
   b) Se aspiras ao poder, prepara-te para o pior.
   c) Títulos e honrarias são coisas que não aspiro.
   d) Bom seria inventar uns robôs que aspirassem o lixo e a poeira das ruas.
   e) O orador aspirava à notoriedade.

8.3
Produção textual: outros gêneros da redação empresarial

A seguir, apresentamos alguns documentos administrativos que também exigem orientações específicas.

8.3.1
Atestado

O atestado é um documento firmado por uma autoridade com a finalidade de assegurar a existência ou a inexistência de uma situação de direito, referente a alguém ou a respeito de algum fato ou de alguma situação.

É claro que um atestado só pode ser fornecido por alguém que exerça uma posição de chefia compatível com a informação que o documento vai fornecer.

O atestado deve ter a seguinte formatação:

(1) A palavra *ATESTADO*, em letras maiúsculas, deve aparecer centralizada, no alto da folha.
(2) Nome e identificação da autoridade que emite o documento, seguidos da identificação da pessoa ou do órgão que solicita.
(3) O texto deve ser curto, direto e claro, apresentando apenas a informação solicitada.
(4) Assinatura, nome, cargo ou função de quem atesta.

Veja, a seguir, um modelo de atestado.

ATESTADO (1)

Eu, Fulano de Tal (nome completo e identificação), na qualidade de Diretor do Departamento Jurídico da empresa (razão social ou nome fantasia, identificação e endereço) (2), atesto, para os devidos fins, que o Sr. Beltrano de Tal (identificação e qualificação) é pessoa digna de toda a confiança e que não é do meu conhecimento nenhum fato que possa desabonar a sua conduta moral. (3)

Brasília, 11 de março de 2012.

Assinatura
Diretor do Departamento Jurídico (4)

8.3.2
Aviso

Entendemos como *aviso* o texto que informa, adverte, dá uma ordem ou convida. É um texto curto e direto.

sintaxe

Na empresa particular, o aviso deve dirigir-se a funcionários ou a pessoas com as quais a organização mantenha relações de trabalho. Na empresa pública, o aviso deve ser redigido em papel timbrado e publicado no *Diário Oficial* ou em jornal de grande circulação. A seguir é apresentada a estrutura de um aviso.

SINDICATO DOS EMPREGADOS DA CONSTRUÇÃO CIVIL

AVISO DE GREVE

Informamos às empresas de [...] e demais usuários de seus serviços, assim como a população em geral, que a partir da manhã do dia ___/___/ de 2012, os empregados pertencentes à base deste Sindicato entrarão em greve por tempo indeterminado, em razão da rejeição da proposta patronal para nova Convenção Coletiva.

Salvador, ___/___/ de 2012.

Assinatura
Presidente

8.3.3 Declaração

A declaração é um documento emitido por uma pessoa física ou por instituições públicas e privadas. Quem declara faz uma afirmação a pedido de alguém. A estrutura da declaração é semelhante à do atestado.

CENTRO UNIVERSITÁRIO UNINTER

CURSO DE SECRETARIADO TRILÍNGUE

COORDENAÇÃO DO CURSO

DECLARAÇÃO

DECLARO, para os devidos fins, que FULANA DE TAL, matrícula nº _____, é aluna desta instituição, na qual frequenta regularmente o Curso de Secretariado Trilíngue, de segunda a sexta-feira, das 19h às 22h.

Curitiba, 25 de abril de 2012.

Assinatura
Cargo do declarante

Emprego da preposição

A preposição é uma palavra invariável que une duas outras palavras, estabelecendo entre elas determinadas relações de sentido e de dependência. Veja:

- *Devolvi o livro de Teresa.* (A preposição *de* relaciona *livro* a *Teresa*, deixando claro o sentido de posse.)
- *Devolvi o livro de Matemática.* (A preposição *de* relaciona *livro* a *Matemática*, deixando claro o sentido de tipo.)
- *Vamos para Florianópolis.* (A preposição *para* relaciona a forma verbal *vamos* ao locativo *Florianópolis*, deixando claro o sentido de direção.)

sintaxe

As preposições essenciais são: *a, ante, após, até, com, contra, de, desde, em, entre, para, perante, por, sem, sob, sobre, trás*.

Lembrete

Existem também as preposições acidentais, isto é, palavras de outras classes gramaticais que, em certas situações, funcionam como preposição: *conforme, consoante, segundo, durante, mediante* etc. Exemplos:

- *Vestimo-nos conforme a moda e o tempo.*
- *As crianças dormiram durante a viagem.*

As preposições podem se contrair com outras palavras. Veja alguns exemplos:

a + o = ao	*Vamos ao cinema.*
per + o = pelo	*Fomos atendidos pelo proprietário.*
em + a(s) = na(s)	*Guardei tua foto na carteira.*
em + o(s) = no(s)	*Pusemos aromatizadores nos armários.*
de + a(s) = da(s)	*Já limparam a sala da diretoria?*
de + o(s) = do(s)	*Os cadernos dos alunos serão corrigidos.*
de + este(s) = deste(s)	*Vocês vão limpar as mesas deste escritório?*

Observe, a seguir, mais alguns sentidos que as preposições podem apresentar:

- Origem: *Sou de Campinas.*
- Procedência: *Venho de Porto Alegre.*
- Lugar: *Moro em Florianópolis.*
- Causa: *Com as tempestades de verão, as encostas do morro cederam.*

- Tempo: *O avião chegará às 12 horas.*
- Finalidade: *O lanche foi preparado para as crianças.*
- Modo: *Coloque os livros em ordem.*

Ao estudar a regência verbal, você constatou que há verbos que exigem preposição. Além deles, substantivos, adjetivos e advérbios de sentido incompleto exigem uma preposição para uni-los a seus complementos. Confira alguns exemplos de regência nominal:

alheio a, de	constituído com, de	junto a, de
atencioso com	peculiar a	próximo a, de
compaixão de, por	simpatia a, por	situado a, em
empenho de, em, por	último a, de, em	vizinho a, com, de
suspeito de	apto a, para	alusivamente a (em alusão a)
amor a, por	avesso a	referentemente a (em referência a)
aversão a, por	desprezo a, de, por	

Verifique seu aprendizado

1. Preencha os espaços com as preposições adequadas, contraídas com o artigo quando necessário:
   a) A embarcações passam _____ a ponte do canal.
   b) _____ manobras mesquinhas, o esperto escrivão conseguiu prestígio.
   c) Todos são iguais _____ a lei.
   d) É preciso romper _____ os velhos hábitos.
   e) Investia _____ os inimigos impiedosamente.
   f) Não se atiram pedras _____ árvores com frutos.

sintaxe

g) Estava ansioso _____ me ver livre daquela tarefa monótona.

h) A expedição se aventurou _____ trilhas do sertão.

2. Relacione as colunas de acordo com os sentidos das preposições:

(1) Tempo	( ) Construiu uma parede de tijolos.
(2) Finalidade	( ) Morreu de frio.
(3) Companhia	( ) Viajei de avião.
(4) Direção	( ) Viajei após o feriado.
(5) Causa	( ) O chefe falou contra o projeto.
(6) Meio	( ) Saiu com o namorado.
(7) Oposição	( ) Trabalha para viver.
(8) Matéria	( ) Olhe para o mar.

3. Explique a diferença de sentido entre as frases:
   a) Os visitantes foram conduzidos ao ônibus.
   b) Os visitantes foram conduzidos no ônibus.

4. Observe as frases a seguir:
   ▩ Ele abriu a porta com a ponta da faca.
   ▩ A pequena casa de madeira foi destruída a machado.
   ▩ Desde cedo, fora preparado para a liderança.

   As preposições destacadas estabelecem, respectivamente, relações de:
   a) instrumento – instrumento – lugar.
   b) modo – modo – finalidade.
   c) modo – instrumento – lugar.
   d) instrumento – modo – causa.
   e) instrumento – instrumento – finalidade.

5. Assinale a alternativa que não admite ambas as regências:
   a) Andava alheio a/de tudo.
   b) Eles são propensos ao/para o trabalho.
   c) O perdão é preferível ao/que o ódio.
   d) Machado de Assis era contemporâneo a/de José de Alencar.
   e) Está apto ao/para o cargo.

Artigo

O texto a seguir foi escrito especialmente para este livro. Ele contém algumas informações importantes para quem publica ou envia mensagens constantemente.

REDES SOCIAIS: LIBERDADE COM RESPONSABILIDADE*

O uso das redes sociais nas empresas está cada vez mais democrático. Uma atividade que antes era banida e vista como uma ameaça à produtividade e associada ao empregado preguiçoso agora é encarada como ferramenta de comunicação que agiliza a interação entre a corporação, o funcionário, os clientes e a mídia.

Os *sites* de relacionamento e as comunidades estão presentes no cotidiano das pessoas há tempos. Por meio deles é possível trocar informações, fotografias, dividir pensamentos, fazer propaganda e convocar parceiros para atividades. Da mesma forma, uma empresa se comporta na rede, disseminando suas mensagens estratégicas, com o apoio de seus empregados. Além de validar as ações, esses empregados trabalham como porta-vozes da marca.

Mas a questão é: Como deve ser o comportamento na rede social? Existe a liberdade de expressão, porém é preciso ter bom senso e cuidado. Assuntos da rotina de trabalho – confidenciais ou não – devem estar fora do bate-papo.

---

* Texto de autoria da jornalista Ana Bárbara Elias.

sintaxe

Não é ético nem bem-visto que detalhes sejam expostos. Nem na sua página nem na da empresa. Se as redes não existissem, isso não seria divulgado, certo? Esse raciocínio continua valendo. Não pense que está fazendo um bem saindo na frente com a informação. Acredite, a empresa possui profissionais de comunicação para analisar se o conteúdo deve ser divulgado ou não. Se a resposta for positiva, vai estar na página oficial da companhia.

A forma instantânea como tudo é divulgado é um fator preocupante. Por melhor que sejam as intenções, na dúvida, não o faça. Não poste fotos do seu local de trabalho sem autorização, não faça uso indevido dos equipamentos de segurança, não faça comentários que possam causar constrangimento e não coloque em risco a credibilidade da empresa. Certa vez, foi motivo de gargalhadas e preocupações em uma companhia o fato de uma funcionária tirar fotos de biquíni com um capacete, no qual havia a logomarca da empresa. Seu ex-namorado ciumento, após o término do relacionamento, postou a imagem num *site* de relacionamento. Ela não foi responsável pela postagem das fotos, porém não teve o cuidado de pensar que gerar esse tipo de imagem poderia ser constrangedor para ela e para a empresa. As imagens foram tiradas do ar, ela se desculpou, não foi demitida, mas virou uma piada corporativa.

Casos como esse fizeram com que as empresas criassem códigos de conduta e ética para a *web*. Até hoje não está claro esse limite. Da mesma forma que as legislações sobre o tema estão tomando corpo, as definições de até onde o empregado pode ir, sem colocar em risco a imagem da corporação, estão sendo desenhadas. Enquanto a conduta não for definida e validada juridicamente pela empresa, não se pode impedir o funcionário, mas aconselhá-lo a ter bom senso quanto ao uso da ferramenta

Nesse mesmo contexto, outro ponto de atenção é a linguagem. Não se dirija de forma íntima, e muito menos chula, a pessoas com as quais você tem apenas contato profissional. E não pense que, pelo fato de o seu chefe ser seu amigo na rede social, ele deve ficar recebendo poesias, cartões de amizade, flores, músicas, piadas etc. Nós não gostamos disso, por que ele haveria de gostar? Muitas vezes, as pessoas aceitam o colega por educação, não por amizade extrema. Afinal, é uma rede social, e não um pacto de lealdade. Lembre-se: tudo o que se posta na rede torna-se de conhecimento público instantaneamente e um dia pode ser usado contra você.

Conto

SANT'ANNA, A. R. de. O segundo verso da canção. 1997. In: OFICINAS DE LÍNGUA PORTUGUESA NA EDUCAÇÃO. jan. 2007. Disponível em: <http://www.educacaopublica.rj.gov.br/oficinas/lportuguesa/lpe05/01.html>. Acesso em: 21 ago. 2012.

Por fim, sugerimos "O segundo verso da canção", de Affonso Romano de Sant'Anna[*]. O texto narra o esforço de um homem para não perder sua identidade cultural, preservada, em terras longínquas, por antigos jornais e pelos versos de uma canção.

[*] Affonso Romano de Sant'Anna nasceu em Belo Horizonte, Minas Gerais, em 1937. Tem mais de 40 livros publicados, que reúnem poesias, ensaios e crônicas. Lecionou em diversas universidades brasileiras – UFMG, PUCRJ, URFJ, UFF. No exterior, lecionou na Universidade da Califórnia (UCLA), na Universidade de Colônia (Alemanha) e na Universidade de Provence (França). Seu talento foi confirmado pelo estímulo recebido de várias fundações internacionais, como a Ford Foundation, a Guggenheim, a Gulbenkian e o DAAD da Alemanha, que lhe concederam bolsas de estudo e pesquisa em diversos países. Foi cronista do *Jornal do Brasil* entre 1984 e 1988 e do jornal *O Globo* até 2005. Atualmente escreve para os jornais *Estado de Minas* e *Correio Brasiliense*.

sintaxe

Síntese

Neste último capítulo, estudamos três assuntos que se entrelaçam: regência, preposição e crase. Não é possível, por exemplo, a ocorrência de crase sem que a preposição esteja presente, em razão da exigência de um termo anterior. É dessa maneira que as relações sintáticas, isto é, entre os elementos nas frases, vão sendo construídas.

Buscamos apresentar a regência verbal de uma forma bem didática, facilitando a sua compreensão ao separar os verbos em três grupos distintos: os que dispensam a preposição, os que exigem a preposição e aqueles que, dependendo do sentido do contexto, exigem ou não a preposição.

Em seguida, estudamos que a crase é resultante da fusão de dois sons vocálicos iguais: o primeiro deles é representado pela preposição *a*; o segundo pode ser o artigo definido *a* ou a letra *a* inicial dos pronomes demonstrativos.

Na produção escrita, complementamos o estudo com a análise dos textos mais comuns na redação empresarial. Eles apresentam uma estrutura simples e de fácil assimilação. Faça os exercícios e coloque em prática o que você aprendeu.

Para concluir...

Para mim, foi muito agradável escrever este livro, imaginando você, leitor, ao meu lado, em plena sintonia com o estudo de nossa língua. Melhor dizendo, a linguagem escrita foi construindo laços que nos trouxeram até o último capítulo.

Espero que você tenha percebido que a sua linguagem foi respeitada. O que fizemos neste livro foi abrir caminho para o estudo da norma culta de nosso idioma. Sua linguagem cotidiana continua intocada, a não ser que você decida, aos pouquinhos, incorporar a ela as informações gramaticais que aprendeu.

Nossa conversa também teve como eixo a leitura e a produção de textos. No início de cada unidade, apresentamos um texto bem escrito a fim de auxiliá-lo e motivá-lo a produzir seus próprios textos. Já lhe falamos que a leitura diária é indispensável à apreensão das estruturas linguísticas, pois, mais do que ampliar o vocabulário, ler descortina horizontes e aproxima pessoas de ideias e culturas diferentes. A leitura constante aumenta nossa fluência ao falar e escrever, porém, sozinha, ela não basta.

Você precisa se lembrar de que escrever se aprende escrevendo! Produzir textos é uma tarefa que se aprende "colocando a mão na massa": escrevendo, corrigindo, reescrevendo, até que o produto final esteja do jeitinho que você quer.

Ainda que seu cotidiano seja feito de textos típicos do ambiente empresarial, não deixe de lado a oportunidade de registrar em um caderno suas ideias, suas reflexões, suas intenções. Escreva para si mesmo, exercitando sua individualidade, sua sociabilidade e sua cidadania.

Não há como fugir das palavras. Nossa comunicação se dá prioritariamente por meio delas. Por isso, não permita que as regras e as exigências linguísticas o sufoquem. Estude, aprimore-se para subjugá-las, no bom sentido, à sua vontade. Domine-as assim como Clarice Lispector o fez: "A palavra é o meu domínio sobre o mundo".

Todos os autores citados neste livro atestam isso e, a sua maneira, cada um deles dominou a língua do início ao fim. Por que nos encantamos tanto com certos livros que lemos? Por que alguns poemas tornam-se inesquecíveis e somos capazes de dizer com toda a segurança que o autor expressou exatamente o que sentimos? A resposta, você já sabe: todo esse encantamento foi possível porque as palavras fluíram sinceras, verdadeiras. Havia o controle da linguagem, posta a serviço da exteriorização do que cada um estava pensando e sentindo no momento em que escrevia.

Pense nisso.

Um abraço,
A autora
mlevalle@hotmail.com

Referências

ABI – Associação Brasileira de Imprensa. Campanha dos 100 anos da ABI. Rio de Janeiro, 2008.

ABL – Academia Brasileira de Letras. Vocabulário ortográfico da língua portuguesa. 5. ed. São Paulo: Global, 2009.

ABRUCIO, F. A Revolução Beltrame na administração pública. Época, 18 nov. 2011. Disponível em: <http://revistaepoca.globo.com/opiniao/noticia/2011/11/revolucao-beltrame-na-administracao-publica.html>. Acesso em: 20 ago. 2012.

ALGEBAILE, J. A hora da engenharia consultiva. Revista do Crea-RJ, n. 87, p. 22-25, abr./maio 2011. Disponível em: <http://www.crea-rj.org.br/wp-content/uploads/2011/06/REVISTA_EDICAO_87_WEB.pdf>. Acesso em: 20 ago. 2012.

AMARAL, J. R. do; SABBATINI, R. M. E. O que é o reflexo condicionado. Cérebro e Mente, 2012. Disponível em: <http://www.cerebromente.org.br/n09/mente/pavlov.htm>. Acesso em: 5 nov. 2012.

AMORIM, M. Energia nuclear: problema ou solução? Revista do Crea-RJ, n. 87, p. 33-37, abr./maio 2011. Disponível em: <http://www.crea-rj.org.br/wp-content/uploads/2011/06/REVISTA_EDICAO_87_WEB.pdf>. Acesso em: 20 ago. 2012.

ANDRADE, M. de. Poesias completas. Edição crítica de Diléa Zanotto Manfio. Belo Horizonte: Itatiaia, 1987. v. 2.

ANDRADE, O. de. Pau-brasil. Paris: Au Sans Pareil, 1925.

AQUINO, R. Interpretação de textos: teoria e 800 questões comentadas. Rio de Janeiro: Impetus Elsevier, 2004.

BAGNO, M. Preconceito linguístico: o que é, como se faz. São Paulo: Loyola, 1999.

BAKHTIN, M. Estética da criação verbal. São Paulo: M. Fontes, 1997.

BANDEIRA, M. Estrela da vida inteira. Rio de Janeiro: J. Olympio, 1976.

_____. _____. Rio de Janeiro: J. Olympio, 1973.

BARRETO, L. A nova Califórnia. In: SALES, H. (Org.). Antologia escolar de contos brasileiros. Rio de Janeiro: Edijovem; Singular Digital, 1969. p. 21-28. (Coleção Clássicos Brasileiros, v. 1194).

_____. _____. In: SCHWARCZ, L. M. (Org.). Contos completos. São Paulo: Companhia das Letras, 2010. p. 63-70. Disponível em: <http://companhiadasletras.com.br/trechos/12781.pdf>. Acesso em: 21 ago. 2012.

BECHARA, E. A polidez e as línguas. Nossa Língua, São Paulo, p. 6, jun. 2011.

_____. Moderna gramática portuguesa. 30. ed. São Paulo: Nacional,1986.

BELLUZO, L. G. O desenvolvimentismo de direita. Carta Capital, 17 mar. 2012. Disponível em: <http://www.cartacapital.com.br/economia/o-desenvolvimentismo-de-direita>. Acesso em: 20 ago. 2012.

BELTRÃO, O.; BELTRÃO, M. Correspondência: linguagem e comunicação oficial, empresarial e particular. São Paulo: Atlas, 2007.

BILAC, O. Via-Láctea. In: _____. Antologia: poesias. São Paulo: M. Claret, 2002. p. 37-55. (Coleção A Obra-Prima de Cada Autor).

BRAGA, R. O homem rouco. Rio de Janeiro: Record, 1984.

BRASIL. Ministério da Cultura. Guia de padronização de texto. Brasília: Funarte, 2006.

BRASIL. Ministério da Justiça. Instrução Normativa n. 4, de 6 de março de 1992. Diário Oficial da União, Brasília, 9 mar. 1992. Disponível em: <http://www.in.gov.br/imprensa/visualiza/index.jsp?jornal=1&pagina=1&data=09/03/1992>. Acesso em: 21 ago. 2012.

BRASIL. Portaria n. 91, de 4 de dezembro de 2002. Diário Oficial da União, Brasília, 5 dez. 2002. Disponível em: <http://www.planalto.gov.br/ccivil_03/Portaria/P91-02.htm>. Acesso em: 20 ago. 2012.

BUARQUE, C. Admirável mundo atual: dicionário pessoal dos horrores e esperanças do mundo globalizado. São Paulo: Geração Editorial, 2001.

BUCCI, E. A corrupção depois da chuva. Época, 18 nov. 2011. Disponível em: <http://revistaepoca.globo.com/opiniao/noticia/2011/11/corrupcao-depois-da-chuva.html>. Acesso em: 20 ago. 2012.

_____. O avião que caiu centenas de vezes. Folha Online, 2013. Disponível em: <http://www1.folha.uol.com.br/fol/ideias/ideias67.htm>. Acesso em: 20 maio 2013.

BUCHWEITZ, D. Piadas pra você morrer de rir. Belo Horizonte: Leitura, 2001.

BUSUTH, M. F. Redação técnica empresarial. 2. ed. Rio de Janeiro: Qualitymark, 2004.

CAMPOS, A. Modelo de ata: como secretariar reuniões com efetividade. 13 set. 2007. Disponível em: <http://www.efetividade.net/2007/09/13/modelo-de-ata-desempenhe-o-secretariado-de-reunioes-com-efetividade>. Acesso em: 21 ago. 2012.

CARTA CAPITAL. À espera do touro. 21 mar. 2012.

CARVALHO, J. C. de. A vírgula não foi feita para humilhar ninguém. In: _____. Os mágicos municipais. Rio de Janeiro: J. Olympio, 1984. p. 44-45.

CARVALHO, J. C. de. Os mágicos municipais. Rio de Janeiro: J. Olympio, 1984.

CEGALLA, D. P. Novíssima gramática da língua portuguesa. 37. ed. São Paulo: Nacional, 1994.

CELEBRA: celecoxibe. José Cláudio Bumerad. Guarulhos: Pfizer, 2011. Bula.

CEREJA, W. R.; MAGALHÃES, T. C. Gramática reflexiva: texto, semântica e interação. São Paulo: Atual, 1999.

_____. Texto e interação. 2. ed. São Paulo: Atual, 2005.

CIPRO NETO, P.; INFANTE, U. Gramática da língua portuguesa. São Paulo: Scipione, 1998.

CITELLI, A. Linguagem e persuasão. São Paulo: Ática, 1985.

COLASANTI, M. Uma ideia toda azul. Rio de Janeiro: Nórdica, 1979.

COSTA, E. A. da. No caminho, com Maiakóvski. São Paulo: Geração Editorial, 2003.

COSTA VAL, M. da G. Redação e textualidade. São Paulo: M. Fontes, 1999.

CUNHA, E. da. Os sertões. São Paulo: Ediouro, 2003. (Coleção Prestígio).

DEODATO, L. Grazi vai ao cinema. Marie Claire, 26 jan. 2011. Disponível em: <http://revistamarieclaire.globo.com/Revista/Common/0,,EMI205718-17733,00-GRAZI+VAI+AO+CINEMA.html>. Acesso em: 20 ago. 2012.

DRUMMOND DE ANDRADE, C. Antologia poética. Rio de Janeiro: Record, 2009.

_____. Caminhos de João Brandão. Rio de Janeiro: Record, 1989.

_____. Poesia completa e prosa. Rio de Janeiro: Companhia José Aguilar, 1973.

FAPESE – Fundação de Apoio à Pesquisa e Extensão de Sergipe. Concurso Público da Prefeitura Municipal de Porto da Folha. Português: conhecimentos específicos. 2008. Disponível em: <http://www.fapese.

org.br/concursos/porto/provas(13-08)/404.pdf>. Acesso em: 4 jun. 2013.

FELITTI, G. Quem inventou essa guerra? Época Negócios, 15 nov. 2011. Disponível em: <http://epocanegocios.globo.com/Revista/Common/0,,EMI262473-16642,00-QUEM+INVENTOU+ESSA+GUERRA.html>. Acesso em: 20 ago. 2012.

FERNANDES, M. Poesia matemática. Rio de Janeiro: Agir, 2009.

FERRARI, B. A geração digital não sabe navegar. Época, n. 704, p. 82-84, 14 nov. 2011. Disponível em: <http://revistaepoca.globo.com/ideias/noticia/2011/11/geracao-digital-nao-sabe-navegar.html>. Acesso em: 1º ago. 2012.

FERREIRA, A. B. de H. Novo dicionário da língua portuguesa. Rio de Janeiro: Nova Fronteira, 1975.

FERREIRA, I.; FERREIRA, H.; FERREIRA, G. Me dá um dinheiro aí. Intérprete: Moacyr Franco. In: FRANCO, M. Me dá um dinheiro aí/Compromisso do palhaço. Rio de Janeiro: Copacabana, 1959.

FERREIRA, M. Aprender e praticar gramática: teoria, síntese das unidades, atividades práticas, exercícios de vestibulares – 2º grau. São Paulo: FTD, 1992.

FIDELIS, G. Conversa de comadres à espera da morte. In: LAJOLO, M. (Coord.). Histórias sobre ética. 5. ed. São Paulo: Ática, 2003. p. 67-74. (Coleção Para Gostar de Ler, v. 27).

FONSECA, P. L. Falta de clareza em textos faz juiz pular parágrafos. Consultor Jurídico, 31 mar. 2010. Disponível em: <http://www.conjur.com.br/2010-mar-31/falta-clareza-textos-juridicos-faz-juiz-estafado-pular-paragrafos>. Acesso em: 17 ago. 2012.

FUCS, J. Vinte anos sem comunismo. Época, 18 nov. 2011. Disponível em: <http://revistaepoca.globo.com/tempo/noticia/2011/11/vinte-anos-sem-comunismo.html>. Acesso em: 20 ago. 2012.

GASPARI, E. Uma pista para a imprensa de papel. O Globo, 25 mar. 2012. Disponível em: <http://oglobo.globo.com/pais/noblat/posts/2012/03/25/uma-pista-para-imprensa-de-papel-437537.asp>. Acesso em: 20 ago. 2012.

GIRON, L. A. Por que os filósofos não riem. Época, 28 out. 2011. Disponível em: <http://revistaepoca.globo.com/ideias/noticia/2011/por-que-os=filosofos-nao-riem.html>. Acesso em: 2 jul. 2013.

GNERRE, M. Linguagem, escrita e poder. São Paulo: M. Fontes, 1985.

GOLD, M. Redação empresarial. 3. ed. São Paulo: Pearson Prentice Hall, 2005.

GUERREIRO, C. Curto-circuito literário. Metáfora, São Paulo, n. 3, p. 21, 2011.

GUERREIRO, C.; PEREIRA JUNIOR, L. C. O valor do idioma. Língua Portuguesa, n. 7, out. 2011. Disponível em: <http://revistalingua.uol.com.br/textos/72/o-valor-do-idioma-249210-1.asp>. Acesso em: 21 ago. 2012.

HEMINGWAY, E. O velho e o mar. São Paulo: Círculo do Livro, 1992.

HOUAISS, A.; VILLAR, M. de S. Dicionário eletrônico Houaiss da língua portuguesa. versão 3.0. Rio de Janeiro: Instituto Antônio Houaiss; Objetiva, 2009. 1 CD-ROM.

INEP – Instituto Nacional de Estudos e Pesquisas Educacionais Anísio Teixeira. Exame Nacional do Ensino Médio: prova amarela – redação. 1999. Disponível em: <http://www.vestibulandoweb.com.br/enem/prova-enem-amarela-99.pdf>. Acesso em: 4 jun. 2013.

INFORMATIVIDADE. Disponível em: <http://acd.ufrj.br/~pead/tema02/informatividade.html>. Acesso em: 30 jul. 2012.

JAKOBSON, R. Linguística e comunicação. 14. ed. São Paulo: Cultrix, 1991.

JORNAL O DIA. Burocratas cegos. Rio de Janeiro, 19 ago. 2001. Editorial.

_____. Manual de redação e texto jornalístico. Rio de Janeiro, 1996.

KATO, M. A. No mundo da escrita: uma perspectiva psicolinguística. São Paulo: Ática, 1986.

KOCH, I. V. A coesão textual. 4. ed. São Paulo: Contexto, 1991.

_____. Argumentação e linguagem. São Paulo: Cortez, 1984.

KOCH, I. V.; TRAVAGLIA, L. C. Texto e coerência. 4. ed. São Paulo: Cortez, 1995.

LEME, O. S. Tirando dúvidas de português. São Paulo: Ática, 1992.

LEMINSKI, P. O velho Leon e Natália em Coyoacán. In: _____. Polonaises. Edição do Autor. Curitiba: [s.n.], 1980.

LISPECTOR, C. A legião estrangeira. São Paulo: Ática, 1983.

_____. Cem anos de perdão. In: _____. Felicidade clandestina: contos. Rio de Janeiro: Rocco, 1998. p. 60-63.

MACHADO DE ASSIS, J. M. Contos. São Paulo: Ática, 1984. (Coleção Para Gostar de Ler, v. 9).

_____. Dom Casmurro. São Paulo: Nobel, 2009.

_____. Memórias póstumas de Brás Cubas. São Paulo: Ateliê Editorial, 1998. (Coleção Clássicos Ateliê, v. 5).

_____. _____. Alfragide: Dom Quixote, 2010.

MANSFIELD, K. Casa de bonecas. In: LAJOLO, M. (Coord.). Histórias sobre ética. 5. ed. São Paulo: Ática, 2003. p. 77-86. (Coleção Para Gostar de Ler, v. 27).

MARCUSCHI, L. A. Aspectos linguísticos, sociais e cognitivos da produção de sentido. 1998. Mimeografado.

MARTINS FILHO, E. L. Manual de redação e estilo de O Estado de S. Paulo. 3. ed. São Paulo: O Estado de S. Paulo, 1997.

MASSARANDUBA, E. de M.; CHINELLATO, T. M. Redação. São Paulo: Sol, 1998. (Coleção Objetivo, v. 29).

MATOS, F. de. A empresa júnior: no Brasil e no mundo. São Paulo: M. Claret, 1997.

MATTOS, A. Brincadeiras, pegadinhas e piadas da internet. Belo Horizonte: Leitura, 2001.

MEIRELES, C. Flor de poemas. 3. ed. Rio de Janeiro: Nova Fronteira; Biblioteca Manancial, 1972. (Coleção Poiesis).

_____. _____. 5. ed. Rio de Janeiro: Nova Fronteira, 1983. (Coleção Poiesis).

_____. Poesia completa. Rio de Janeiro: Nova Fronteira, 2001. v. 2.

MELO, L. R. D. de; PAGNAN, C. L. Prática de texto: leitura e redação. 3. ed. rev. e ampl. São Paulo: A! Editora, 2008.

MELO NETO, J. C. de. A educação pela pedra e depois. Rio de Janeiro: Nova Fronteira, 1997.

_____. Agrestes. Rio de Janeiro: Alfaguarra, 1985.

MENDES, G. F.; FORSTER JÚNIOR, N. J. Manual de redação da Presidência da República. 2. ed. rev. e atual. Brasília: Presidência da República, 2002. Disponível em: <http://www.planalto.gov.br/ccivil_03/manual/ManualRedPR2aEd.PDF>. Acesso em: 10 ago. 2012.

MENDONÇA, F. M. Um ícone se desmancha no ar. Carta Capital, São Paulo, n. 689, p. 62-63, 23 mar. 2012.

MOISÉS, J. Á. Entre os feitos e os malfeitos. Época Negócios, 2 set. 2011. Disponível em: <http://epocanegocios.globo.com/Revista/Common/0,,EMI262457-16376,00-ENTRE+OS+FEITOS+E+OS+MALFEITOS.html>. Acesso em: 20 maio 2013.

MORAES NETO, J. R. de. Brasileiro ou português. O Globo, 11 dez. 2008. Disponível em: <http://aurora.proderj.rj.gov.br/resenha/resenha-imagens/2008-12-11_00055_page00001.pdf>. Acesso em: 17 ago. 2012.

MUZART, Z. L. (Org.). Cruz e Sousa: poesia completa. Florianópolis: FCC/FBB, 1993.

NASCIMENTO, M.; BRANT, F. Canção da América. Intérprete: Milton Nascimento. In: NASCIMENTO, M. Sentinela. Rio de Janeiro: Ariola, 1980. Faixa 4.

NICOLA, J. de. Gramática: palavra, frase, texto. São Paulo: Scipione, 2005.

NISKIER, A. Que educação queremos? Correio Braziliense, 23 maio 2011. Disponível em: <http://www.academia.org.br/abl/cgi/cgilua.exe/sys/start.htm?infoid=11797&sid=784>. Acesso em: 20 ago. 2012.

NOVA/SB. Agência-barco da CAIXA é premiada pelo BID. 26 mar. 2012. Disponível em: <http://www.novasb.com.br/noticia/agencia-barco-da-caixa-e-premiada-pelo-bid>. Acesso em: 29 jul. 2013.

NOVA ESCOLA. Simulado: 3ª série – 1º bim (III). 14 abr. 2012. Disponível em: <http://www.novaescola-ms.com.br/Portal/downloads/GABARITO_B_3ANO_3SIMULADO.pdf>. Acesso em: 4 jun. 2013.

NOVA/SB. Agência-barco da CAIXA é premiada pelo BID. 26 mar. 2012. Disponível em: <http://www.novasb.com.br/noticia/agencia-barco-da-caixa-e-premiada-pelo-bids>. Acesso em: 29 jul. 2013.

O INSUPERÁVEL e insuspeito... Veja, São Paulo, n. 1221, 18 fev. 1992.

OLIVEIRA, D.; FERRAREZE, A. A nova cara do rock. Época Negócios, 28 set. 2011. Disponível em: <http://epocanegocios.globo.com/Revista/Common/0,,EMI262467-16642-1,00-A+NOVA+CARA+DO+ROCK.html>. Acesso em: 20 ago. 2012.

OSWALD, V. et al. Dilma põe indústria contra a parede e pode rever incentivo. O Globo, 14 abr. 2012. Disponível em: <http://oglobo.globo.com/economia/dilma-poe-industria-contra-parede-pode-rever-incentivos-4649518>. Acesso em: 20 ago. 2012.

PAES, J. P. Um por todos. São Paulo: Brasiliense, 1986.

PEIXOTO, F. B. Redação na vida profissional. São Paulo: M. Fontes, 2001.

PENSADOR.INFO. Biografia de Paulo Leminski. Disponível em: <http://pensador.uol.com.br/autor/paulo_leminski/biografia>. Acesso em: 21 ago. 2012.

POSSENTI, S. A leitura em compartimentos. Língua Portuguesa, v. 5, p. 21-23, ago. 2011.

QUEIROZ, E. de. José Matias. Rio de Janeiro: 7Letras, 2002.

RABAÇA, C. A. Tolerância. O Dia, Rio de Janeiro, 21 nov. 2011.

RAMOS, G. Infância. 16. ed. Rio de Janeiro: Record, 1980.

_____. Vidas secas. 51. ed. São Paulo: Record, 1983.

RANGEL, R.; RIBEIRO, G. Game over. Veja, 7 mar. 2012. Disponível em: <http://veja.abril.com.br/acervodigital/home.aspx>. Acesso em: 20 ago. 2012.

RECANTO DAS LETRAS. Textos. 30 jan. 2009. Disponível em: <http://www.recantodasletras.com.br/resenhasdelivros/1413748>. Acesso em: 6 jun. 2013.

RESWEBER, J-P. A filosofia da linguagem. São Paulo: Cultrix, 1982.

REVISTA BRAVO! Sejamos reacionários. São Paulo: Abril, p. 112, jul. 2005.

RIBEIRO, J. U. A decadentização da língua. O Globo, 22 abr. 2007. Disponível em: <http://arquivoetc.blogspot.com.br/2007/04/decadentizao-da-lngua-joo-ubaldo.html>. Acesso em: 21 ago. 2012.

RIBEIRO, M. P. Nova gramática aplicada da língua portuguesa. 14. ed. Rio de Janeiro: Metáfora, 2004.

RIO DE JANEIRO (Estado). Decreto n. 42.999, de 2 de junho de 2011. Diário Oficial do Estado do Rio de Janeiro, Rio de Janeiro, 3 jun. 2011. Disponível em: <http://www.imprensaoficial.rj.gov.br/portal/modules/conteudoonline/view_pdf.php?ie=MTIxMjM=&ip=Mg==&s=MzVhYzYwYmM3NWRkNDg4M2JlOTdjYTIyNmMzNTY4ZDU=>. Acesso em: 20 maio 2013.

RODRIGUES, B. Uma pizza de muçarela, por favor! Língua Portuguesa, n. 32, set. 2011. Disponível em: <http://linguaportuguesa.uol.com.br/linguaportuguesa/gramatica-ortografia/32/artigo236025-1.asp>. Acesso em: 20 ago. 2012.

ROSA, J. G. Grande sertão: veredas. 19. ed. Rio de Janeiro: Nova Fronteira, 2001.

SACCONI, L. A. Não erre mais! São Paulo: Moderna, 1979.

_____. Nossa gramática: teoria e prática. Rio de Janeiro: Atual, 1985.

SANT'ANNA, A. R. de. O segundo verso da canção. 1997. In: OFICINAS DE LÍNGUA PORTUGUESA NA EDUCAÇÃO. jan. 2007. Disponível em: <http://www.educacaopublica.rj.gov.br/oficinas/lportuguesa/lpe05/01.html>. Acesso em: 21 ago. 2012.

SANTOS, J. F. dos. O idioma vivo ou morto? Estado de Minas, Belo Horizonte, 10 jun. 1996.

SAVIOLI, F. P.; FIORIN, J. L. Lições de texto: leitura e redação. 5. ed. São Paulo: Ática, 2006.

SCLIAR, M. Carta argumentativa. Folha de S. Paulo, 14 ago. 2000.

SILVA, J. P. A fraseologia nas crônicas de Carlos Drummond de Andrade. Dissertação (Mestrado em Filologia Românica) – Universidade Federal do Rio de Janeiro, Rio de Janeiro, 1984.

SITE DO ESCRITOR. Ficar debaixo do balaio. Disponível em: <http://www.sitedoescritor.com.br/sitedoescritor_expressoes_00023_debaixo_balaio.html>. Acesso em: 22 out. 2012.

SOARES, J. A verdade sobre Colombo. Veja, São Paulo, n. 1259, p. 13, 28 out. 1992.

STORTI, F. Açúcara. Disponível em: <http://palavrasderaracalma.blogspot.com.br/2013/07/acucara.html>. Acesso em: 23 set. 2013.

TOSCANO, R. Secretariado, atuação multifuncional. O Popular, 3 out. 2008. Disponível em: <http://www.ucg.br/ucg/prograd/graduacao/home/secao.asp?id_secao=1724&id_unidade=18>. Acesso em: 20 ago. 2012.

TRAVAGLIA, L. C. A coerência textual. São Paulo: Contexto, 1991.

TREVISAN, D. Apelo. In: _____. Mistérios de Curitiba. Rio de Janeiro: Record, 1979.

TUDO SOBRE PRODUÇÃO DE TEXTO. A definição. jun. 2009. Disponível em: <http://aprendaproduzir.blogspot.com.br/2009/06/definicao.html>. Acesso em: 5 jun. 2013.

WISNIK, J. Curitiba. Disponível em: <http://www.aarffsa.com.br/noticias4/19111131.pdf >. Acesso em: 21 ago. 2012.

VARELLA, D. Como evitar o câncer de intestino. Carta Capital, 18 mar. 2012a. Disponível em: <http://www.cartacapital.com.br/saude/como-evitar-o-cancer-de-intestino>. Acesso em: 20 ago. 2012.

VARELLA, D. Droga pesada. Disponível em: <http://drauziovarella.com.br/dependencia-quimica/tabagismo/droga-pesada>. Acesso em: 20 ago. 2012b.

VENTURA, Z. O que se encerra em nosso peito juvenil. Época, 13 dez. 2010. Disponível em: <http://revistaepoca.globo.com/Revista/Epoca/0,,EMI184720-15518,00.html>. Acesso em: 20 ago. 2012.

VERISSIMO, L. F. Papos. In: _____. Comédias para se ler na escola. Rio de Janeiro: Objetiva, 2001. p. 65-66.

ZIRALDO. Mais anedotinhas do bichinho da maçã. São Paulo: Melhoramentos, 1988.

Apêndice I

Conjunções coordenativas e subordinativas

Coordenativas

- Aditivas (ideia ou sentido de adição): *e, nem, mas também*.
- Adversativas (ideia ou sentido de oposição): *mas, porém, entretanto, contudo, todavia*.
- Alternativas (ideia ou sentido de alternativa, opção, escolha): *ou, ou... ou, ora... ora, quer... quer*.
- Conclusivas (ideia ou sentido de conclusão): *logo, portanto, pois* (depois do verbo).
- Explicativas (ideia ou sentido de explicação): *pois* (antes do verbo), *que, porque, porquanto*.

Subordinativas

- Causais (ideia ou sentido de causa): *pois, que, porque*.
- Comparativas (ideia ou sentido de comparação): *como, tal qual, que, do que*.
- Concessivas (ideia ou sentido de contrariedade, de quebra de expectativa): *embora, ainda que, conquanto*.
- Condicionais (ideia ou sentido de condição): *se, caso, contanto que*.
- Conformativas (ideia ou sentido de conformidade): *conforme, como, consoante*.
- Consecutivas (ideia ou sentido de consequência): *que* (antecedido de *tal, tão, tanto, tamanho*).
- Finais (ideia ou sentido de finalidade): *para que, a fim de que*.

- Proporcionais (ideia ou sentido de proporção): *à proporção que, à medida que.*
- Temporais (ideia ou sentido de tempo): *quando, logo que, mal, desde que, enquanto.*
- Integrantes (não apresentam nenhum sentido): *que, se.*

Apêndice II

Como usar com segurança a internet nas pesquisas para tarefas em geral

- Para que você possa refinar sua pesquisa, em lugar de abrir páginas aleatoriamente, pergunte a seu professor se ele gostaria de lhe indicar um *site* de confiança. Mas lembre-se de que, de modo geral, a comunidade acadêmica prefere indicar livros, ensaios, artigos, dissertações, porque os *sites* que apresentam o conteúdo desejado nem sempre são acadêmicos. Muitos não passam informações corretas nem estão isentos de fins comerciais.
- Procure guias que ensinem a refinar as buscas na internet por meio de aspas e códigos para atalhos.
- Dê preferência a *sites* da área educacional, mantidos por universidades públicas e particulares, cujo mérito é de conhecimento nacional. Todas as universidades mantêm atualizadas suas publicações eletrônicas. Também costumam ser confiáveis os *sites* de fundações e centros de pesquisa, bem como os de revistas e jornais de grande circulação no país.
- Use a ferramenta *Favoritos* de seu navegador para arquivar os *sites* de sua confiança. Se você não dispõe de uma biblioteca em casa, crie uma no mundo virtual.
- Disponibilize, no fim de seu trabalho, as referências das fontes de onde as informações foram retiradas, bem como a data de seu último acesso.
- Por fim, lembre-se de que cada texto corresponde à fala ou linguagem de quem o redigiu. Por isso, não estruture seu texto somente com "recorte" e "colagem", sob pena de ele se parecer

com uma "colcha de retalhos", formada por fragmentos de estilos diferentes. Leia com atenção o que lhe interessa e, só após, redija o seu texto.

A seguir são apresentados alguns *sites* interessantes de revistas e jornais:

CARTA CAPITAL. Disponível em: <www.cartacapital.com.br>. Acesso em: 1º ago. 2012.

DRAUZIOVARELLA.COM.BR. Disponível em: <www.drauziovarella.com.br/artigos>. Acesso em: 1º ago. 2012.

ESTADÃO.COM.BR. Disponível em: <www.estadao.com.br>. Acesso em: 1º ago. 2012.

FOLHA DE S. PAULO. Disponível em: <www.folha.com.br>. Acesso em: 1º ago. 2012.

GUIA DE MÍDIA. Disponível em: <http://www.guiademidia.com.br/revistas>. Acesso em: 1º ago. 2012.

O GLOBO. Disponível em: <http://oglobo.globo.com>. Acesso em: 1º ago. 2012.

ÉPOCA. Disponível em: <http://revistaepoca.globo.com>. Acesso em: 1º ago. 2012.

ISTOÉ. Disponível em: <http://www.istoe.com.br>. Acesso em: 1º ago. 2012.

SUPERINTERESSANTE. Disponível em: <http://super.abril.com.br>. Acesso em: 1º ago. 2012.

VEJA. Disponível em: <www.veja.abril.com.br>. Acesso em: 1º ago. 2012.

Conheça, ainda, a página do Museu da Língua Portuguesa:

MUSEU DA LÍNGUA PORTUGUESA – Estação da Luz. Disponível em: <www.museulinguaportuguesa.org.br>. Acesso em: 1º ago. 2012.

Respostas

Capítulo 1

Verifique seu aprendizado
p. 40
1. c, e, b, a, d.
2. b
3. b
4. a
5. b

Verifique seu aprendizado
p. 47
1. a, d
2.
   a) De-cep-ção.
   b) Ex-ces-so.
   c) De-so-nes-to.
   d) In-te-res-ta-du-al.
   e) Naf-ta.
3. Avisar; sua.
4. a (tungs-tê-nio), d (pes-se-ga-da).
5. c

Verifique seu aprendizado
p. 61

1. c
2. d
3. E, C, E, E, E, C, E, E, C, E (vice-presidente/chapéu/minissaia/heroico/neonazistas/pelo/anéis).
4.
   a) *Masseter* é palavra oxítona (a terminação não justifica a presença de acento). Se fosse proparoxítona, receberia acento obrigatório.
   b) *Ticopa* é palavra paroxítona cuja terminação não determina a presença do acento. Se fosse oxítona, receberia acento, porque termina em *a*, seguido ou não de *s*.
   c) *Tílburi* é palavra proparoxítona, por isso recebe acento obrigatório. Se fosse oxítona, não seria acentuada (oxítonas terminadas em *i*, *u* não recebem acento). Se fosse paroxítona, receberia acento obrigatório, porque as paroxítonas terminadas em *i* são acentuadas (exemplo: *biquíni*).
5. c
6. a (traíste).
7. c
8. e
9. b
10. e

Capítulo 2

Verifique seu aprendizado
p. 94

1. a
2. e

3. c
4. c
5. e
6. c

Verifique seu aprendizado
p.110

1. O desenvolvimento do texto não retoma a ideia do homem como produto do meio, porque apresenta outras informações: o desemprego, a falta de mercado de trabalho, a falta de carinho.
2. Inicialmente, vamos lembrar que o contrário de bem é mal. A forma mau opõe-se a bom.
A frase em questão não estabelece relação direta com o título, que mais se assemelha a um tema.
3. (1) O desemprego causa violência. (2) Necessita-se de salário mais digno. (3) Trabalho não é solução para a criminalidade.
Veja como há a descontinuidade das ideias. O raciocínio é circular:
- menos emprego = mais violência.
- mais emprego = menos violência.

Na verdade, não existe argumentação.
4. No terceiro parágrafo, o autor afirma que mais emprego diminuiria a criminalidade. No quarto parágrafo, afirma que trabalho (ou emprego) não é a solução.
5. Não há coerência, porque a informação contida no quarto parágrafo nega a anterior.
6. Vírgula entre sujeito e predicado: "O desemprego, pode ser considerado...".
Na expressão "tanta violência", o pronome indefinido *tanta* parece retomar uma ideia anteriormente citada, mas não sabemos identificá-la.

7. O nexo está no termo *portanto*. Por indicar conclusão, esse conectivo não pode iniciar frase que ainda traz a exposição de argumentos.
8. O homem como fruto do meio, a violência, a falta de emprego.
9. A conclusão se refere apenas ao parágrafo anterior, e não à totalidade da redação. O autor abandona as ideias da introdução e do desenvolvimento. Novamente afirmamos que o problema do texto é a descontinuidade.
10. Para a reescrita, é necessário eliminar as seguintes ambiguidades:
    a) As crianças "recebem leite materno frequentemente" ou "frequentemente são mais sábias"?
    b) A mãe estava no quarto dela ou no quarto do receptor da mensagem?
    c) Quem estava parado? O professor ou o aluno?
    d) A rua Presidente Roosevelt era onde ficava o banco ou onde o ladrão foi preso pelo policial?
    e) O pronome *ele* se refere ao senador ou ao presidente?

Verifique seu aprendizado
p. 115

1.
   a) deferiu.
   b) infringir.
   c) eminentes.
   d) ratificaram.
   e) iminência.
2. *Cassei*: cancelei, dei um fim.
   Cacei: procurei, busquei.
3. d

4. c
5. e
6. b
7. Espiar (expiar); cassado (caçado); sessão (seção); flagrante (fragrante); assento (acento).
8. O secretário de Segurança Pública do Rio de Janeiro está mudando a realidade de insegurança e abandono das favelas cariocas.
9. b
10. e (Porque a pronúncia é fechada em ambas as ocorrências: *tu compras* (verbo) e *as compras* (substantivo)).

Capítulo 3

Verifique seu aprendizado
p. 135

1.
   a) Por meio de narração, descrição ou referência a acontecimentos e ações.
   b) Por meio de comparação entre realidades geográficas, sociais e culturais diferentes.
   c) Por meio de conceituação ou definição de uma ideia ou situação.
   d) Por meio de uma interrogação ou sequência de interrogações.
   e) Por meio de conceituação ou definição de uma ideia ou situação.

Verifique seu aprendizado
p. 150

1. b
2. c

3. b, e, f.
4. I, V.
5. d

Verifique seu aprendizado
p. 165

1. Comentários sobre o *e-mail*:
   - Vocativo inadequado ("excelentíssimo"), porque a remetente dirige-se a um advogado.
   - Uso de maiúsculas para enfatizar sua opinião.
   - Uso de pontos de exclamação e de frase comum à linguagem coloquial: "um absurdo total".
   - A expressão "super elogia" atenta contra a norma culta, porque não é possível colocar um verbo no grau superlativo.
   - Falta de objetividade: a remetente deveria ter sido mais direta no segundo parágrafo.
   - Houve mistura de pronomes de tratamento: "Excelentíssimo", "V. Sª" e "senhor". A única forma adequada é "senhor".
   - "Fico no aguardo do seu retorno" – Não existe o substantivo *aguardo*; portanto, a expressão "no aguardo" também não.
   - "Um grande abraço para o senhor e a todos os seus também" – A relação entre a remetente e o destinatário é profissional e, além disso, ela não o conhece. Por essa razão, não se justifica o tom íntimo da frase.
   - "Muito obrigado" – A mulher agradece usando a forma feminina do adjetivo: *obrigada*.
   - "Maria" – É necessário citar nome e sobrenome na assinatura, porque o *e-mail* tem caráter profissional.

Verifique seu aprendizado
p. 169

1.
   a) Segundo.
   b) Sexto.
   c) Décimo segundo.
   d) Quinze.
2. c
3. c
4. b
5. d

Capítulo 4

Verifique seu aprendizado
p. 192

1.
   a) *Massa.*
   b) *Massa* tem o significado de "grande público" e "substância preparada para fins culinários".

2.
   a) Cada aluno terá direito apenas a dois convites para o baile dos formandos, porque o salão de festas da escola não comporta muita gente.
   b) Há muitos boatos na cidade. Os fatos, porém, são outros.
   c) A esfera terrestre é dividida em dois hemisférios.
   d) O planejamento de 2013 já está sendo divulgado pelos funcionários.
   e) A miséria do povo é sintoma da má distribuição de renda.

3. e

4.
- a) O que ele mais admira em seus comandados é competência, lealdade e franqueza.
- b) Uma moça aprende muito sobre crianças quando cuida de seus irmãos ou quando trabalha como babá nos sábados e nos domingos.
- c) Não deveríamos julgar um candidato pelo fato de ele ser advogado, fazendeiro ou de exercer qualquer outra ocupação.
- d) Ela passa todo o seu tempo estudando ou fazendo compras.
- e) Senhores jurados, espero que as provas permitam a vocês distinguir entre morte intencional e morte acidental.
- f) As pessoas naturalmente se dividem em dois grandes grupos: as trabalhadoras e as exploradoras.
- g) Determinaram às testemunhas que saíssem pela porta dos fundos e não prestassem declarações à imprensa.
- h) O professor mandou Pedro fechar o livro e pegar uma folha de papel.
- i) Em público, ele demonstra insociabilidade, irritabilidade, desconfiança e insegurança.
- j) A nova secretária é educada, competente e fluente em três idiomas.

5. e
6. b
7. d
8. b

Verifique seu aprendizado
p. 202

1. a
2. d

3.
   a) Suavizar.
   b) Improvisar.
   c) Pesquisar.
   d) Popularizar.
   e) Individualizar.
4. b
5.
   a) Quase cometo uma injustiça e as pessoas que estavam conosco seriam prejudicadas.
   b) Constatei que são numerosas as reclamações recebidas em nosso *site*.
   c) É preciso que conheçamos os planos da nova diretoria para que sejam feitas as modificações necessárias.
   d) Mandei que ele ficasse para comprovar minha inocência.
   e) O homem da Renascença, antropocêntrico, enxerga que a condição humana é grande e passa a glorificá-la numa espécie literária cujas origens ocidentais são greco-latinas.
6. d
7. b
8. "Vinte anos depois do fim da União Soviética, em dezembro de 1991, o capitalismo se infiltrou por todos os flancos".
9.
   a) O Rio recebe os turistas carinhosamente.
   b) Os passageiros iam desconfortáveis dentro do trem.
   c) Os vereadores representam menos despesa para o país que os deputados.
   d) O governo não deu atenção aos apelos da população.
   e) Suas ilusões foram desfeitas.

10.
- Retirar a informação relativa ao endereço do destinatário.
- Informar a data corretamente: *Curitiba, 25 de agosto de 2012*.
- Retirar a expressão *A/C: Sr. Fernando de Morais* (essa é uma informação para o envelope).
- Substituir *referência* por *assunto*: *Ass.: Solicitação de instalação de rede para gás natural*.
- Alterar no desfecho a forma *respeitosamente* por *atenciosamente*.

Capítulo 5

Verifique seu aprendizado
p. 224

1.
  a) O tribunal condenou; eu não absolvo. (Já que o tribunal condenou, eu não absolvo.)
  b) O tribunal condenou; eu não, absolvo. (O tribunal condenou, mas eu absolvo.)
2. "Ninguém sabia de onde viera aquele homem. O agente do Correio pudera, apenas, informar que acudia ao nome de Raimundo Flamel, pois assim era subscrita a correspondência que recebia. E era grande. Quase diariamente, o carteiro lá ia, a um dos extremos da cidade onde morava o desconhecido, sopesando um maço alentado de cartas vindas do mundo inteiro, grossas revistas em línguas arrevesadas, livros, pacotes [...]" (Barreto, 2010, p. 63).
3. e

4.
- a) O equipamento era, com muito cuidado, guardado em grandes caixas.
- b) Com muito cuidado, o equipamento era guardado em grandes caixas.
- c) O equipamento era guardado em grandes caixas com muito cuidado.

5. "Segundo Bakhtin, os gêneros têm três características: tratam de um tema (o que significa que eles estão ligados a um campo, religião, política, ciência, direito, literatura etc.); têm uma forma relativamente estável (que pode, portanto, modificar-se segundo as 'necessidades' das sociedades e dos campos); têm um estilo próprio (petições judiciais têm um estilo, léxico, sintaxe que não se encontra nas receitas culinárias, nos artigos científicos, nos poemas ou nas piadas)."

Verifique seu aprendizado
p. 239

1.
- a) Mal/mau.
- b) Mal.
- c) Mau.
- d) Mal.
- e) Mal.

2.
- a) Onde.
- b) Onde.
- c) Aonde.
- d) Onde.
- e) Aonde.

3.
- a) Por que.
- b) Por quê.
- c) Por que/porquê.
- d) Porquê.
- e) Por que.

4.
- a) Mais.
- b) Há.
- c) A.
- d) De encontro ao.
- e) Ao invés de.

5. b

Capítulo 6

Verifique seu aprendizado
p. 258

1. a
2. b
3. d
4.
- a) "Ele é um falso advogado." – Ele não é advogado, mas finge ser um deles.
  "Ele é um advogado falso." – Ele é um advogado mentiroso.
- b) "Aquele goleiro é um grande jogador." – Ele é competente, notável.
  "Aquele goleiro é um jogador grande." – Ele é um jogador corpulento.

5.
   a) Acordos luso-brasileiros.
   b) Arco-íris enormes.
   c) Sapatos gelo e bolsas cinza.
   d) Procedimentos médico-cirúrgicos.
   e) Ternos azul-marinho.
6. e
7. c
8.
   a) calados.
   b) inclusa.
   c) recém-fundados (referindo-se a ambos)/recém-fundadas (referindo-se apenas às escolas).
   d) dispostos.
   e) anexos.
9. "Vento e mar agitado deixaram vazias as praias". Porque seria redundante dizer que o vento é agitado.
10.
   a) desnecessários.
   b) deliciosas.
   c) culpados.
   d) absurdas.
   e) péssima.
11. a
12. c
13. c
14. b
15. a
16. d
17. d
18. b

19. **b**
20. **b**

Verifique seu aprendizado
p. 281

1.
   a) **Para eu resolver.**
   b) **Correta.**
   c) **Sem mim.**
   d) **Correta.**
2. **c**
3. **b**
4.
   a) **eu.**
   b) **mim.**
   c) **eu.**
   d) **mim.**
   e) **eu.**
5. **Paulo, se você voltar hoje, conversarei com você.**
6. **d**
7. **e**

Verifique seu aprendizado
p. 293

1. **c**
2. **a**
3. **"Aí, por que todo ser nasce chorando?"** (todo = qualquer um)
   "Chegou com o corpo todo manchado." (todo = inteiramente)

4.
- a) Aproximadamente.
- b) Muito bom, excelente.
- c) Polidez, respeito ao interlocutor.
- d) Variação do pronome de tratamento *senhor*
- e) O pronome possessivo substitui o substantivo *familiares*.

5.
- a) com que/com as quais.
- b) por que/pela qual.
- c) de quem/do qual/com quem/com o qual.
- d) de cujo.
- e) em cujos.

6. b
7. d
8. a

Verifique seu aprendizado
p. 305

1. c
2. d
3.
- a) meio.
- b) meias.
- c) meia.
- d) meio.
- e) meio.

4. a

Capítulo 7

Verifique seu aprendizado
p. 324

1. b
2. 2, 1, 1, 2, 1.
3.
   a) intensos/intenso.
   b) intensos/intensa.
   c) intenso.
   d) intensa.
   e) intensos.
4. Ao meio-dia e meia, depois de penosa escalada, durante a qual houve perigos surpreendentes, mais de quatro alpinistas atingiram o ponto mais elevado da cordilheira, sem que nós fizéssemos algo para auxiliá-los.
5. a
6. a
7. b
8. a
9. e
10. CD: o presente de que todo mundo gosta. (gostar de)
11. a
12.
   a) No pretérito mais-que-perfeito do indicativo.
   b) Tinha dado.
   c) Emprega-se o pretérito mais-que-perfeito simples ou composto porque o fato que esse verbo indica é anterior ao outro informado na frase: perceberam.

13.
- Se o emissor for 1ª ou 3ª pessoa do singular, então: conhecesse/ procuraria/falaria.
- Se o emissor for 1ª pessoa do plural, então: conhecêssemos/ procuraríamos/ falaríamos.
- Se o emissor for 3ª pessoa do plural, então: conhecessem/ procurariam/falariam.

14. b
15. b

Verifique seu aprendizado
p. 342

1. c (pôde)
2.
   a) A polícia interveio e deteve o ladrão.
   b) Eu já reouve meus livros. Você já reouve os seus?
   c) Se a carta contivesse absurdos e você, por isso, propusesse outra redação a ela...
   d) Eles odeiam os políticos e querem que eu adira a essa opinião.
   e) Todos estávamos entretidos com as brincadeiras da criançada.
3.
   a) supúnhamos.
   b) intervim.
   c) deteve.
   d) opuseram-se.
   e) contradissesse.
4. c
5.
   a) vier.
   b) vir.

c) viemos.
d) vimos.
e) interviesse.

Capítulo 8

Verifique seu aprendizado
p. 359

1. c
2. d
3. d
4. d
5. a
6.
   a) Os pais assistem os filhos desde o berço. (sentido de "dar assistência", "zelar", "cuidar")
   Não nos assiste o direito de criticar as pessoas. (sentido de "pertencer")
   b) O caçador visou o alvo e atirou. (sentido de "pôr no alvo", "mirar")
   Visaram meu passaporte no aeroporto. (sentido de "rubricar")
7.
   "...prefere mais... do que".
   Correção: Feito para você que prefere ser feliz a sofrer no trânsito.
   De acordo com a regência do verbo *preferir*, devemos preferir uma coisa a outra. Portanto, conforme a gramática normativa, não se admitem expressões como a apontada anteriormente.

8.
   a) "Matar a fome" – O termo "a fome" é objeto direto do verbo *matar*. Portanto, trata-se de um complemento que não se liga a verbo por preposição.
   b) "Matar à fome" – O termo "a fome" é uma locução adverbial feminina e, nessa cosntrução, funciona como adjetivo adverbial.
9. a
10. c

Verifique seu aprendizado
p. 367
1.
   a) sob.
   b) após, com.
   c) perante.
   d) com.
   e) contra.
   f) em.
   g) por, para.
   h) em, nas.
2. 8, 5, 6, 1, 7, 3, 2, 4.
3.
   a) Os visitantes foram conduzidos ao ônibus. (= em direção a)
   b) Os visitantes foram conduzidos no ônibus. (= dentro de)
4. e
5. c

Sobre a autora

Maria Lúcia Elias Valle tem graduação em Língua Portuguesa e Literatura Brasileira pelo Centro Universitário Geraldo Di Biase (UGB) e especialização em Língua Portuguesa e Redação Empresarial pela Fundação Getúlio Vargas (FGV).

É professora de Língua Portuguesa do ensino médio e em cursos profissionalizantes da rede particular de ensino há 37 anos. Também ministra Língua Portuguesa e Redação em empresas pelo Serviço Nacional de Aprendizagem Comercial do Rio de Janeiro (Senac-RJ). Além disso, é autora de material didático de Língua Portuguesa e Redação Empresarial para o Centro de Idiomas do Senac-RJ.

Impressão: BSSCARD
Outubro/2013